Delia's geluk

Van Virginia Andrews® zijn de volgende boeken verschenen:

De Dollanganger-serie: Bloemen op zolder, Bloemen in de wind, Als er doornen zijn, Het zaad van gisteren, Schaduwen in de tuin

De 'losse' titel: M'n lieve Audrina

De Casteel-serie: Hemel zonder engelen, De duistere engel, De gevallen engel, Een engel voor het paradijs, De droom van een engel

De Dawn-serie: Het geheim, Mysteries van de morgen, Het kind van de schemering, Gefluister in de nacht, Zwart is de nacht

De Ruby-serie: Ruby, Parel in de mist, Alles wat schittert, Verborgen juweel, Het gouden web

De Melody-serie: Melody, Lied van verlangen, Onvoltooide symfonie, Middernachtmuziek, Verstilde stemmen

De Weeskinderen-serie: Butterfly, Crystal, Brooke, Raven, Vlucht uit het weeshuis

De Wilde bloemen-serie: Misty, Star, Jade, Cat, Het geheim van de wilde bloemen

De Hudson-serie: Als een regenbui, Een bliksemflits, Het oog van de storm, Voorbij de regenboog

De Stralende sterren-serie: Cinnamon, Ice, Rose, Honey, Vallende sterren

De Willow-serie: *De inleiding*: Duister zaad, Willow, Verdorven woud, Verwrongen wortels, Diep in het woud, Verborgen blad

De Gebroken vleugels-serie: Gebroken vleugels, Vlucht in de nacht

De Celeste-serie: Celeste, Zwarte kat, Kind van de duisternis

De Schaduw-serie: April, Meisje in de schaduw

De Lente-serie: Vertrapte bloem, Verwaaide bladeren

De Geheimen-serie: Geheimen op zolder, Geheimen in het duister

De Delia-serie: Delia's vlucht, Delia's geluk

Virginia

ANDREWS®

Delia's geluk

DE KERN

Sinds de dood van Virginia Andrews werkt haar familie met een zorgvuldig uitgekozen auteur aan de voltooiing van haar nagelaten verhalen en ideeën en aan het schrijven van nieuwe romans, waartoe ook deze behoort, die zijn geïnspireerd op haar vertelkunst.

Alle namen, personen, plaatsen en gebeurtenissen in dit boek zijn bedacht door de auteur. Elke gelijkenis met feitelijke gebeurtenissen of bestaande personen, nog in leven of overleden, berust op puur toeval.

Oorspronkelijke titel: *Delia's Heart*

This edition published by arrangement with the original publisher, Pocket Books, a division of Simon & Schuster, Inc., New York

Vertaling: Parma van Loon
Omslagontwerp: Wil Immink Design
Omslagillustratie © Wessel Wessels / Arcangel Images / Imagestore
Opmaak binnenwerk: ZetSpiegel, Best
ISBN 978 90 325 1204 0
NUR 335

www.virginia-andrews.nl
www.dekern.nl

Proloog

Als ik omlaag kijk door het raam van mijn slaapkamer, zie ik dat señor Casto een van de tuinlieden van mijn tante de huid volscheldt omdat hij volgens hem slordig werk aflevert. Señor Casto is dermate geërgerd en opgewonden alsof hij de eigenaar en niet slechts de beheerder is van het landgoed. Ze boft dat ze zo'n toegewijde employé heeft, maar ik denk dat zijn toewijding en trouw meer de overleden echtgenoot van mijn tante, señor Dallas, gelden dan haarzelf. Hij praat vaak heel innemend en hartelijk over hem, zij het meestal niet in aanwezigheid van mijn tante.

Casto zwaait met zijn armen en beweegt zijn handen in alle richtingen. Ik moet erom lachen, want het lijkt of zijn handen proberen weg te vliegen van zijn polsen, maar steeds weer midden in de lucht gevangen worden en teruggebracht.

De tuinman, een klein, mager mannetje, wiens maïsgele sombrero minstens twee maten te groot is, staart uitdrukkingsloos voor zich uit en houdt de hark vast zoals een profeet zijn staf. Zijn gezicht is verborgen in de schaduw. Hij wacht geduldig, nu en dan knikkend. Ik weet zeker dat hij bij zichzelf denkt: Dit is straks weer voorbij, straks is het tijd voor de lunch. Met de andere tuinlieden zal hij dan in de schaduw van de palmbomen van mijn tante gaan zitten. Ze zullen hun Corona-bier drinken, en misschien wat bonen en salsa eten.

Soms kijk ik naar ze als ze zachtjes praten en lachen, en als ik dat doe, ben ik jaloers op hun onderlinge gesprekken. Ik weet dat ze alleen Spaans spreken, en ze praten vast en zeker over Mexico, hun familie, en de wereld die zij, net als ik, hebben achtergelaten. Ondanks de armoede en de ontberingen van het dagelijks leven in het landelijke Mexico, was je er tevreden, omdat je woonde in de plaats waar je geboren en getogen was, en je je op je gemak voelde met het land, de bergen en de wind, zelfs met het stof, omdat het allemaal vertegenwoordigde wie en wat je was.

Het weer en het landschap hier in Palm Springs zijn niet veel anders dan in mijn dorp in Mexico, maar ze zijn niet van mij. Ik bedoel dat niet in de zin van iets bezitten. Het land maakt meer aanspraak op ons dan wij op het land. En dat gaat op voor ons allemaal, waar we ook geboren zijn. Nee, ik bedoel dat ik nog steeds een vreemde ben hier.

Ik vraag me af of ik ooit een echte *norteamericana* zal worden. Zullen mijn opleiding, de rijkdom van mijn tante, mijn nicht en neef, en de vrienden die ik hier de laatste twee jaar heb gekregen en nog zal krijgen, me echt veranderen? Belangrijker is waarschijnlijk de vraag of zij me ooit als een van hen zullen accepteren, of dat ze me eeuwig zullen blijven behandelen als een vreemde, een immigrant? Zullen ze me uiteindelijk gaan zien als mijzelf en niet als 'een van die anderen'? Wat moet ik opgeven om volledig door hen te worden geaccepteerd?

Kan ik niet blijven koesteren wat ik liefhad en nog steeds liefheb van mijn volk, mijn geboorteland, mijn voedsel, mijn muziek, en mijn erfenis, en toch deel uitmaken van dit fantastische land? Behalve de hier geboren Amerikanen, was dat niet wat alle anderen die hier kwamen hadden en behielden? Italianen, Duitsers, Fransen en anderen houden vast aan hun zegswijzen, hun eigen gerechten, en hun voorouderlijke herinneringen. Waarom kunnen wij dat dan niet?

Bijna anderhalf jaar geleden stond ik bij de deur van de bus in Mexico City en nam afscheid van Ignacio Davila, de jongeman van wie ik hield en die ik dacht voorgoed in de woestijn te hebben verloren toen hij en ik terugvluchtten naar Mexico. Hij vluchtte omdat hij en zijn vrienden wraak hadden genomen op het vriendje van mijn nichtje Sophia, Bradley Whitfield, die mij verkracht had. Tijdens de gewelddadige confrontatie werd Bradley door een raam gegooid en het gebroken glas sneed een slagader door. Hij was samen met een ander meisje dat hij bezig was te verleiden, Jana Lawler, maar ze belde niet snel genoeg om medische hulp, en hij bloedde dood. Ignacio's vrienden werden opgespoord, bekenden om strafvermindering te krijgen en werden naar de gevangenis gestuurd. Maar via een vriend huurde Ignacio's vader een coyote om ons door de woestijn terug te brengen naar het veilige Mexico.

Halverwege, toen we waren gestopt om in een grot te gaan slapen, werden we overvallen door bandieten. Ignacio vocht met ze, zodat ik kon ontsnappen. Ik dacht dat hij gedood was, maar later ontdekte ik dat hij zijn dood in de woestijn in scène had gezet. Alleen ik, zijn familie en een paar van hun naaste vrienden wisten dat hij nog leefde en bezig was een nieuwe identiteit op te bouwen. De dag waarop we afscheid namen in Mexico City zwoeren we dat we op elkaar zouden wachten, hoe lang het ook zou duren voor hij terugkwam.

Door onze heimelijke correspondentie wist ik dat het Ignacio goed ging en dat hij wachtte tot er voldoende tijd verstreken was om te kunnen terugkeren zonder te worden ontdekt. Hij moest voldoende geld verdienen, zodat hij niet afhankelijk zou zijn van zijn ouders en zijn vader nog meer in gevaar zou brengen. Zijn ouders en ik beseften echter dat hij niet hier terug kon komen. Dat zou te gevaarlijk zijn. Bradley Whitfields vader was een belangrijk zakenman, hij was rijk en had relaties met regeringsfunctionarissen en politici. Toen het nieuws verspreid werd dat Ignacio in de woestijn was omgekomen, had Whitfield ervan afgezien het tuincentrum van Ignacio's ouders te ruïneren. De Davila's hielden zelfs een herdenkingsdienst, die ik bijwoonde. Ik stelde me voor dat ze in heel reële zin het gevoel hadden dat hun zoon gestorven was. In ieder geval neem ik aan dat Whitfield geloofde dat hij zijn wraak of wat hij meende dat gerechtigheid was, had gekregen en tevreden was.

Hoewel Ignacio net zo kwaad was als zijn vrienden over het feit dat ik verkracht was en Bradley buiten schot bleef, bezwoer hij me dat toen ze bij het huis kwamen dat door Bradley en zijn vader gerenoveerd werd, en Jana bij hem vonden, hij hem met geen vinger had aangeraakt. Het was voornamelijk zijn amigo Vicente die gewelddadig was. Hoewel Ignacio technisch gesproken niet meer dan medeplichtig was aan wat ten slotte werd afgedaan als doodslag, was hij bang dat hij geen objectieve, rechtvaardige straf zou krijgen. Hij betreurde het dat hij gevlucht was; hij wilde niet als een lafaard beschouwd worden en zijn ouders met alle problemen opzadelen. Maar zijn vader maakte zich zorgen dat Ignacio het niet zou overleven in de gevangenis en dat Bradleys vader zo kwaad was dat hij in het geheim voor een zwaardere straf zou zorgen.

Ik was samen met Ignacio gevlucht zodat ik zou kunnen terugkeren naar mijn kleine dorp, waar ik hoopte weer bij *mi abuela* Anabela te kunnen wonen, ook al wist ik dat het hart van mijn grootmoeder zou breken als ze zag dat ik zou opgeven wat zij zag als een schitterende kans voor me in Amerika. Hier, bij mijn rijke tante Isabela, zou ik een veel betere opleiding krijgen en de kans hebben iets mooiers van mijn leven te maken, ook al wist ze dat *mi tía* Isabela onze familie haatte en haar erfgoed en haar taal had verloochend. Ze dacht dat het kwam omdat *tía* Isabela's vader haar huwelijk met señor Dallas, een veel oudere Amerikaan, had verboden, maar uit haar eigen mond vernam ik dat haar woede voortsproot uit het feit dat mijn moeder met de enige man was getrouwd van wie mijn tante Isabela had gehouden, de man van wie ze dacht dat hij van haar hield. Oma Anabela hoopte dat mijn tante er spijt van had dat ze haar familie verloochend had en mij een kans wilde geven om op die manier schuld te bekennen en van haar schuldgevoel bevrijd te worden.

Tijdens een les Engels op de particuliere school waar ik nu stond ingeschreven, citeerde mijn docent, meneer Buckner, uit een toneelstuk van een Engelse auteur, William Congreve, waarin de woede beschreven werd van iemand wier liefde was afgewezen. Buckner was een lange man, met een wilde bos lichtbruin haar dat zich aan borstel noch kam gewonnen gaf. Hij was een gefrustreerd acteur en vond het heerlijk zijn lessen te dramatiseren. Hij had een diepe, sonore stem en nam de houding aan van een acteur op het toneel, keek omhoog naar het plafond en galmde: '*Heaven has no rage like love to hatred turned. Nor hell a fury like a woman scorned.*' De hemel kent geen groter toorn dan wanneer liefde verandert in haat. En de hel geen heftiger furie dan een versmade vrouw.

Iedereen in de klas, ook mijn nichtje Sophia, lag dubbel van het lachen – iedereen, behalve ik, want ik kon alleen maar denken aan de van haat vervulde ogen van tante Isabela toen ze de teleurstelling en woede beschreef over de afwijzing van mijn vader. Ze beschuldigde mijn moeder ervan dat ze sluw en bedrieglijk was en mijn vader van haar gestolen had. Luisterend naar haar uitbarsting van woede en haat tegen mijn moeder en mijn familie, vroeg ik me natuurlijk af waarom ze wilde dat ik bij haar kwam wonen na het tragische auto-ongeluk van mijn ouders toen ze op weg waren naar hun werk. Het duurde niet lang voordat ik besefte, zoals mijn neef Edward het eens zo treffend uitdrukte, dat ik als plaatsvervangster diende. Mijn tante kon geen wraak nemen op mijn moeder, want die was dood, dus droeg ze haar verlangen naar wraak over op mij en wilde mijn leven zo ellendig mogelijk maken. En dat maakte dat ik geen moment aarzelde toen ik het besluit moest nemen of ik met Ignacio terug zou gaan naar Mexico.

Oma Anabela placht te zeggen: '*Un corazón del odio no pueda incluso amarse por completo.*' Een hart vol haat kan zelfs zichzelf niet liefhebben.

Ik zag hoezeer dat opging voor mijn tante. Ze fladderde van de ene jongere man naar de andere, in een vastberaden poging eruit te zien alsof ze heel tevreden was met zichzelf en om haar vriendinnen jaloers te maken. Ze pronkte met haar rijkdom en was soms meedogenloos in het verkrijgen van bezit, onder het mom dat ze het vermogen van haar geliefde echtgenoot veilig wilde stellen voor haar kinderen. Maar haar kinderen hadden geen enkele interesse voor haar en zij niet voor hen. Ze had weinig respect voor Sophia, en Sophia werkte zich voortdurend in de nesten en gedroeg zich vaak opstandig alleen om haar moeder te ergeren.

Edward was anders. Ik voelde dat hij van zijn moeder wilde houden en soms zag ik hoe ze naar zijn liefde verlangde, maar ook hij keurde haar daden en levenswijze niet goed. Hij maakte zich vooral erg kwaad over de manier waarop ze mij behandelde toen ik vlak na de dood van mijn ouders bij hen kwam. Ze lijfde me onmiddellijk in bij haar Mexicaanse personeel en leverde me praktisch uit aan een bekende pedofiel, John Baker, die me taallessen moest geven. Ze dwong me bij hem te wonen en te leven in wat hij noemde een 'Helen Keller-wereld', waarin ik in alles volledig afhankelijk was van hem, zogenaamd om mijn kennis van het Engels te verbeteren en vooruit te helpen. Maar nadat hij de eerste avond had geprobeerd me te misbruiken, vluchtte ik; Edward kwam me redden.

Een tijdlang wist Edward mijn tante te dwingen me te behandelen als haar nichtje en niet als haar bediende. Maar ze bleef intrigeren en was altijd op zoek naar een manier om me te isoleren. Ze bracht me ertoe Edward en zijn beste vriend, Jesse Butler, te bespioneren, door te beweren dat ze bang was dat ze in een homoseksuele relatie zouden vervallen, terwijl ze heel goed wist dat het precies was wat er aan de hand was. Wat ze in werkelijkheid probeerde was een wig te drijven tussen Edward en mij.

Ze was er bijna in geslaagd. Edward was heel kwaad op me omdat ik hem bespioneerde, maar toen hij hoorde dat zijn moeder me er min of meer toe gedwongen had, koos hij weer mijn partij, zelfs na zijn afschuwelijke ongeluk.

Edward had geprobeerd me een tweede keer te hulp te komen toen hij hoorde wat Bradley Whitfield me had aangedaan. Woedend was hij achter hem aangereden, voordat Ignacio en zijn vrienden dat deden. Hij reed zo hard dat hij de macht over het stuur verloor, en na een botsing tegen een boom werd hij aan één oog blind. Een tijdje leek het of de oude señora Porres, een vrouw in mijn Mexicaanse dorp, die geloofde in het *ojo malvado*, het boze oog, weleens gelijk kon hebben gehad toen ze zei dat het iemand overal kon volgen. Ik dacht dat ik het op mijn rug met me meedroeg en ik iedereen die me wilde helpen in moeilijkheden zou brengen.

Maar ten slotte was het Edward die me schreef en geld stuurde naar Mexico voor mijn terugkeer naar Palm Springs. Hij en mijn tante hadden gehoord dat mijn grootmoeder gestorven was terwijl ik met Ignacio door de woestijn trok, nog voordat ik mijn Mexicaanse dorp had bereikt. Ik was zo gedeprimeerd en voelde me zo verloren toen ik daar aankwam dat ik, als Ignacio niet op een avond als een geest was opgedoken, waarschijnlijk met een man in het dorp, señor Rubio, zou zijn getrouwd en mezelf hebben veroordeeld tot het leven van een sloof met een man die lelijk en zwak was. Hij had een *menud*-winkel samen met zijn moeder, die hem de wet voorschreef alsof hij nog het kleine jongetje van vroeger was. Zo zou ze mij ook de wet hebben voorgeschreven.

Met opnieuw de belofte van een toekomst voor ogen en de hoop dat Ignacio zich bij me zou voegen in Amerika, ging ik terug, gesterkt en bereid om onder ogen te zien wat Sophia voor me in petto zou hebben en wat mijn tante met me zou doen. Ignacio's liefde voor mij en mijn liefde voor hem gaven me de moed ertoe.

Maar ik kan niet zeggen dat ik niet stond te trillen op mijn benen toen ik in Palm Springs landde en Edward en Jesse me van de luchthaven kwamen halen. Ze waren allebei erg blij me weer te zien en haastten zich naar me toe.

Het stoorde me dat ik hun edelmoedigheid en liefde accepteerde en hun toch niet het diepe geheim van Ignacio's bestaan kon toevertrouwen. Geheimen hebben voor de mensen van wie je houdt en die van jou houden, was hét recept voor een gebroken hart. Maar ik was bang, en omdat ze me zo dierbaar waren, wilde ik ze niet opzadelen met zo'n geheim.

Er was in Amerika zoveel meer dan in mijn kleine Mexicaanse dorpje, zoveel meer kansen en comfort, maar ook zoveel meer bedrog. In mijn simpele dorpje leek iedereen het hart op de tong te dragen. Hier droegen de meeste mensen die ik leerde kennen een masker, en waren onwillig dat af te zetten en hun ware gezicht te tonen. En ik, ondanks mijn sterk verbeterde beheersing van het Engels, leek nog steeds op een geblinddoekt kind dat was opgedragen haar weg te zoeken door een mijnenveld.

Maar sinds mijn terugkeer was er veel voor me verbeterd. Zoals Edward uitlegde in zijn brief aan mij toen ik terug was in Mexico, had het feit dat hij zijn achttiende verjaardag had gevierd, hem enige financiële macht en onafhankelijkheid gegeven, dankzij de bepalingen van de trust die zijn vader vóór zijn overlijden had opgericht. Edward legde uit dat mijn tante zijn medewerking vroeg aan diverse gezamenlijke investeringen en bezittingen, en zich om die reden liet vermurwen en me veel nieuwe privileges en voordelen schonk. Ik ging nu, zoals Edward had voorspeld, naar dezelfde particuliere school als mijn nichtje Sophia. Sophia en ik werden er nog elke dag heengebracht door de chauffeur van mijn tante, señor Garman. En als hij niet beschikbaar was, reed Casto ons. Ik wist het nog niet, maar Edward was van plan me binnenkort een nieuwe auto te geven. Hij probeerde zijn moeder over te halen hetzelfde te doen voor Sophia, want hij besefte dat ze mijn leven tot een hel zou maken als ik een auto had en zij niet.

Edward en Jesse waren allebei geaccepteerd door de University of California in Los Angeles, maar ze waren zo vaak thuis dat mensen zich gingen afvragen of ze wel bij de universiteit stonden ingeschreven. Mijn tante klaagde er voortdurend over tegen hem.

'Waarom betalen we al dat geld aan die universiteit als je er toch nooit bent?' jammerde ze.

'Ik ben er voor alles waarvoor ik er hoor te zijn,' antwoordde hij.

'De universiteit bestaat uit meer dan alleen colleges volgen. Het is een heel eigen wereld.'

Hij gaf geen antwoord.

In mijn hart wist ik dat Edward zich zorgen maakte over mij, hoe ik behandeld werd en welke nieuwe misère mijn tante en zijn zus voor me hadden uitgedacht.

Als hij belde, probeerde ik hem gerust te stellen dat het me goed ging, maar hij bleef bezorgd, al klonk ik nog zo onbevreesd. Ik had nu veel meer zelfvertrouwen, en ik denk dat mijn tante zich dat realiseerde. Ik zou nooit durven beweren dat ze me accepteerde en van me hield, het was meer een wapenstilstand of zelfs een zeker respect en besef dat ik niet langer zo naïef en onschuldig was als het arme Mexicaanse meisje dat net haar ouders had verloren. De gebeurtenissen van de afgelopen paar jaar hadden me harder gemaakt op plaatsen waarvan ik had gehoopt dat ze altijd zacht zouden blijven. Ik wilde niet zo wantrouwend en cynisch zijn, maar vaker dan me lief was moest ik erkennen dat die twee ingrediënten uiterst belangrijk waren als je een beschermend schild om je heen wilde bouwen. Hier, zoals overal, was dat noodzakelijk, vooral voor een jonge vrouw van mijn leeftijd, wier naaste familie niet meer in leven was en wier toekomst behalve van haar eigen verstand en bekwaamheid, in zo hoge mate afhankelijk was van anderen.

In een van haar mildere stemmingen, als ze zichzelf toestond mijn tante te zijn, gaf tante Isabela toe dat ze me bewonderde omdat ik het lef had gehad terug te komen en alle uitdagingen die voor me lagen het hoofd te bieden, uitdagingen die zelfs waren toegenomen door de voorafgaande gebeurtenissen.

Maar haar complimentjes waren een tweesnijdend zwaard in dit huis, omdat ze er vaak gebruik van maakte om mij als voorbeeld te stellen en Sophia daarmee tot goed gedrag te dwingen. Als gevolg daarvan kreeg Sophia een nog grotere hekel aan me.

'In plaats van altijd iets achter mijn rug of iets sluws en bedrieglijks te doen, Sophia, zou je eens een voorbeeld moeten nemen aan Delia en een beroep doen op iets van die latino trots die verondersteld wordt in ons bloed te zitten,' zei ze eens aan tafel, toen ze ontdekt had dat Sophia gemene leugens had verspreid over een meisje op school dat een hekel aan haar had, de dochter van een andere rijke familie. De moeder van het meisje had zich bitter beklaagd bij tante Isabela. 'Geloof me,' zei ze tegen Sophia, 'de mensen zullen je er des te meer om respecteren. Kijk maar eens hoeveel respect Delia krijgt.'

Sophia's ogen waren vervuld van verdriet en woede toen ze naar me keek. Toen sloeg ze haar armen over elkaar, leunde achterover en keek kwaad naar haar moeder.

'Ik dacht niet dat je zo trots was op je Mexicaanse achtergrond, moeder. Je wilde nooit toegeven dat je daar ooit gewoond had, omdat je je te veel schaamde, en je haat het zo erg om Spaans te spreken dat je zelfs het woordje *sí* niet wilt uitspreken.'

'Bemoei je niet met mij. Denk maar aan jezelf.'

'O, dat doe ik, moeder. Wees maar niet bang, dat doe ik,' zei Sophia met een kille glimlach naar mij. 'Net als onze latino-Amerikaanse prinses,' voegde ze eraan toe.

Gefrustreerd schudde tante Isabela haar hoofd en at zwijgend verder.

De meeste tijd heerste er stilte in de *hacienda*, want als de gedachten die rondzweefden hardop zouden worden uitgesproken, zouden ze steken als boze bijen en zou de pijn diep in ons hart voelbaar zijn.

Het was beter dat ze werden gekortwiekt, dat de woorden geen stem kregen.

Er was ook weinig muziek. O, Sophia zette haar koptelefoon op, vooral als ze het op haar heupen kreeg, maar er was geen muziek zoals in Mexico, de muziek van het dagelijks leven, de muziek van families. Hier klonk slechts het harde bonzen van een hart, het trage tromgeroffel dat de begrafenis begeleidde van de liefde, een begrafenis die ik weigerde bij te wonen.

In plaats daarvan zat ik 's avonds voor het raam en keek naar dezelfde sterren waarvan ik zeker wist dat Ignacio er op hetzelfde moment naar zou kijken, ergens in Mexico. Ik kon de belofte en de hoop voelen en zwoer bij mezelf dat niets ooit de flonkering in het duister zou doven of het lied dat we beiden hoorden het zwijgen zou opleggen – tenminste niet dat ik me kon voorstellen.

Maar ja, er was zoveel dat ik niet wist.

En zoveel duistere plekken die ik me niet kon voorstellen.

I

Duistere hoeken

'Ik wil een afspraak met je maken,' zei Sophia op een avond tegen me kort na het begin van ons laatste schooljaar. Ze had me in haar kamer geroepen toen ik de trap opliep om naar mijn eigen kamer te gaan en aan mijn huiswerk te beginnen.

'Wat voor afspraak?'

'Ik doe jouw Engels en jij doet mijn wiskunde, want je hoeft geen Engels te kennen om met cijfertjes te werken.'

'Ik ben in Engels ook beter dan jij,' zei ik.

Tante Isabela had geprobeerd haar verleden jaar harder te laten werken door te zeggen: 'Een meisje dat een jaar geleden nauwelijks Engels sprak haalt nu zoveel hogere cijfers dan jij, dat het gewoon pijnlijk is, Sophia.'

'De docenten hebben medelijden met haar en geven haar hogere cijfers uit medelijden,' was Sophia's reactie.

'Alle docenten? Dat waag ik te betwijfelen.'

'Nou, het ís zo! Ze kan soms zo zielig kijken dat het... zielig is.'

Tante Isabela schudde haar hoofd en liep weg, wat ze meestal deed. Ze trok zich liever terug dan tijd en moeite te besteden aan een poging Sophia te veranderen of te verbeteren.

'Ik probeer een beter nichtje voor je te zijn, Delia,' ging Sophia verder, met een huichelachtig lief lachje, bedoeld om me over te halen haar wiskundehuiswerk te maken. 'Je zou me tenminste halverwege tegemoet kunnen komen.'

'Oké, ik zal je helpen met je wiskunde wanneer je het maar vraagt.'

'Me helpen? Ik vraag je niet om me les te geven!' viel ze uit. Toen kalmeerde ze en plakte weer dat schijnheilige glimlachje op haar gezicht, een glimlach waaraan ik zo gewend was geraakt dat het geen enkele uitwerking meer had.

Ik begreep niet waarom ze niet inzag hoe zinloos die fratsen van haar waren, niet alleen tegenover mij maar ook tegenover anderen, vooral haar docenten en zogenaamde goede vriendinnen. Het was allemaal zo opgelegd onecht en niet gemeend, dat ze niemand voor de gek hield. Ik was geneigd haar steeds weer te vertellen dat ze zichzelf moest zijn, in zichzelf moest geloven. Maar dan vroeg ik me weer af of ze wel een eigen persoonlijkheid had. Misschien was ze een mengeling van leugen en bedrog, één brok huichelachtigheid waar niets van overbleef als je het verbrokkelde.

'Hoor eens, als jij mijn wiskunde doet, zal ik je helpen meer vrienden te krijgen. Iedereen heeft meer vrienden nodig, Delia.'

Ik kwam in de verleiding haar in haar gezicht uit te lachen. Op mijn bureau in mijn kamer lag een uitnodiging voor Danielle Johnsons verjaardagsfeest, een uitnodiging die zij nog moest ontvangen. Ik had geleerd nooit iets over een uitnodiging te zeggen voordat zij die ontvangen had, want als zij niet voor hetzelfde feest was uitgenodigd, ging ze zitten mokken en kreeg het daarna op haar heupen. Het maakte het leven voor iedereen in de *hacienda* extra moeilijk, vooral voor het personeel, dat ze treiterde en uitschold, zoals Inez Morales, het hulpje van tantes huishoudster, señora Rosario. De arme Inez had het geld hard nodig, want haar man had haar en haar twee zoontjes, een tweeling, in de steek gelaten, dus moest ze al het gesar van Sophia verdragen. Zo wás Sophia, ze misbruikte iedereen die praktisch weerloos was. Ik herinnerde me hoe weerloos ik hier in het begin was en hoe ze mij behandeld had.

Nooit meer, zwoer ik.

'Ik ben dik tevreden met alle vrienden die ik al heb, Sophia. Toen je moeder en mijn broer me vertelden dat ik naar de particuliere school zou gaan, was ik bang dat zoveel van de andere leerlingen snobs zouden zijn, maar gelukkig is dat niet zo,' antwoordde ik met een opzettelijk overdreven stralende lach.

Natuurlijk waren er wel degelijk snobistische kinderen die helemaal niet vriendelijk tegen me waren, maar je kunt terugkrijgen wat je aan mij en anderen uitdeelt aan oneerlijkheid, dacht ik. Of, zoals señora Paz altijd tegen mijn oma zei als iemand een beledigende opmerking maakte: '*Páguela en su propia moneda.*' Betaal haar met gelijke munt terug.

Ik kon Sophia's frustratie zien, de vuurrode wangen, de vlammende ogen. Ik wist dat oma Anabela me niet graag zo wraakzuchtig zou zien, maar soms kon ik er niets aan doen. Begon ik te veel op mijn nichtje te lijken?

Meer dan eens had ik mijn vader in een gesprek met anderen horen zeggen: '*Cuando usted se convierte como su enemigo, su enemigo ha ganado.*' Als je net zo wordt als je vijand, heeft je vijand gewonnen.

Was dat wat er met mij gebeurde? Veranderde het leven in dit huis met mijn tante en mijn nichtje me in een vrouw met hetzelfde karakter als zij? Deed ik het om te overleven of omdat ik het leuk was gaan vinden?

'Hou jezelf niet voor de gek, Delia. Je spreekt behoorlijk Engels, maar je bent nog lang niet goed genoeg om voor een echte Amerikaanse door te gaan. Ze liegen in je gezicht en roddelen achter je rug. Jij hoort niet wat ik op het meisjestoilet hoor. Ze vinden je nog steeds een achterlijke Mexicaanse die toevallig in een goed nest terecht is gekomen.'

'Als dat na al die tijd nog zo is, kun je weinig doen om daar verandering in te brengen, Sophia, maar bedankt dat je aan me denkt en je bezorgd over me maakt,' zei ik glimlachend en ging naar mijn kamer.

Nog voordat ik de gang door was, hoorde ik haar woedend met dingen smijten. Ik moest lachen, tot ik in mijn kamer in de spiegel keek en meende te zien dat oma Anabela haar hoofd schudde.

'Sorry, oma,' fluisterde ik. 'Maar ik heb haar zo vaak de andere wang toegekeerd, dat ik er duizelig van word.'

Ik liet me op bed vallen en staarde naar het plafond. Ja, ik was weer in deze mooie kamer met de kostbare, luxe meubels, en ik had een klerenkast die bijna net zo groot was als de slaapkamer die oma en ik in Mexico hadden gedeeld, maar soms had ik nog steeds het gevoel dat ik in een gevangenis leefde.

Ik ben de *Lady of Shalott* in het gedicht van Tennyson dat we op het ogenblik op school behandelen, dacht ik, terwijl ik opstond, naar het raam liep en uitkeek over het landgoed. Net als zij zit ik gevangen in een toren en hoop op de een of andere manier verenigd te worden met mijn ware liefde, maar ik ben vervloekt als ik het waag naar hem te kijken. Als ik Ignacio erkende, zou mij hetzelfde lot treffen.

Alle kleren, de auto's, de rijkdommen van deze *hacienda* en de voorrechten die ik nu genoot, konden de pijn in mijn hart niet wegnemen. Soms dacht ik dat ik mezelf kwelde door hoop te blijven koesteren. Vaak hoorde ik señora Paz verbitterd zeggen: '*Quien vive de esperanzas muere de hambre.*' Wie leeft van hoop, sterft van honger. Toen ze oud was, kon ze alleen maar terugkijken op gemiste kansen en cynisch zijn, maar ik was vast van plan niet zo te worden.

Ik keek even naar mijn bureau. Onder mijn boeken lag de brief waaraan ik was begonnen, de heimelijke brief die ik bij Ignacio's ouders moest bezorgen, zodat hij hem op een of andere manier via een clandestiene doolhof zou ontvangen. In de afgelopen twee jaar hadden we elkaar slechts zes keer aan de telefoon gesproken. Hij durfde niet naar zijn huis te bellen en zeker niet hierheen, al had ik dankzij Edward een telefoon in mijn kamer met mijn eigen nummer. Ignacio, maar vooral zijn vader, was bang dat iemand op de een of andere manier een gesprek zou kunnen afluisteren of traceren. Het was beter om extra voorzichtig te zijn. Iedereen, behalve Sophia, wist dat een ons preventie beter was dan een pond remedie.

Maar als het enigszins mogelijk was ging ik naar een telefoonautomaat in een winkelcentrum en beantwoordde de telefoon in een heimelijk, van tevoren afgesproken telefonisch rendez-vous. Eén keer betrapte een van de meisjes van school, Caitlin Koontz, me erop en informeerde ernaar. Ik zei dat ik de telefoon had horen overgaan en had opgenomen, maar algauw doorhad dat het een oudere dame was die een verkeerd nummer had gedraaid.

'Waarom heb je zo lang staan praten?' vroeg Caitlin.

'Ik probeerde haar gerust te stellen en haar te helpen het juiste nummer te draaien.'

'Had ze zo hard hulp nodig?'

'Nee, ze was alleen maar in de war.'

Meesmuilend schudde ze haar hoofd. 'Zielig, hoor,' grijnsde ze en slenterde weg.

Ik was bang dat ze het aan een paar andere meisjes zou vertellen, maar ze vergat het of vond het niet belangrijk genoeg. Toch maakte die kleine confrontatie me zo ongerust dat ik de hele dag liep te beven van angst. Ik wist dat Ignacio's vader niet wilde dat ik enig contact met hem zou hebben behalve via de brieven, en zelfs dat vond hij maar matig. Met tegenzin, omdat hij het Ignacio had beloofd, stuurde hij me bericht dat er een brief van Ignacio was. Dan moest ik wachten tot ik de kans kreeg naar het huis van de Davila's te gaan om hem te lezen. Onmiddellijk daarna verbrandde zijn vader de brief en draaide zijn moeder zich huilend om.

Ignacio's vader was een heel trotse, krachtige man, en hij stond niet toe dat er in zijn bijzijn tranen werden vergoten. Ik dacht dat hij het verbood omdat tranen hem bewuster maakten van zijn eigen verdriet. Ondanks zijn poging om stoïcijns en sterk over te komen, zag ik de glinstering van droefheid in zijn ogen zodra Ignacio's naam viel.

Het was ingewikkeld om naar het huis van de Davila's te gaan, niet alleen vanwege de afstand en de regelingen die ik moest treffen om er te komen, maar omdat mijn tante het niet goedvond. De eerste keer dat ze hoorde dat ik de Davila's had bezocht, riep ze me bij zich op haar kantoor. Señora Rosario kwam me vertellen dat ik onmiddellijk moest komen. Het leek wel een bevel om voor de rechter te verschijnen. Edward was al weg naar de universiteit, maar dat deed er niet toe. Ik had hem en Jesse niet verteld over mijn bezoekjes aan de familie Davila. Ik wist niet hoe mijn tante erachter was gekomen. Ik kreeg het vermoeden dat ze me misschien liet observeren, zelfs volgen, misschien om andere redenen. Per slot was ik haar bij wijze van spreken door de strot geduwd, en tante Isabela was er niet de vrouw naar om zich te laten voorschrijven wat ze moest doen. Dat wist ik door wat mijn familie me in Mexico over haar had verteld.

Ze liet me langer dan dertig seconden staan terwijl ze in haar papieren rommelde.

'Om te beginnen,' begon ze, toen ze eindelijk haar ogen naar me opsloeg en me scherp aankeek, als een sluipschutter die zich focust op zijn prooi, 'ik had eigenlijk gedacht dat je je vriendenkring zou willen uitbreiden en zou profiteren van de kans om jonge mensen uit belangrijke families te leren kennen.'

'Belangrijke?'

'Rijk, invloedrijk, mensen met status, gezag, mensen die je vooruit kunnen helpen,' ratelde ze door. 'Doe niet net alsof je me niet begrijpt, Delia Yebarra. Ik ken je beter dan iemand anders je kent, zelfs beter dan Edward, en ik weet dat je niet dom bent, dus doe niet alsof.'

'Ik doe niet alsof. Ik wilde alleen zeker weten dat ik het begreep,' zei ik zacht.

Ze keek me even kwaad aan en haalde toen diep adem voor ze verderging.

Vergeef me, oma, dacht ik, maar ik vind het echt leuk om haar dwars te zitten.

'Ten tweede, die jongen die je kende uit deze familie was een crimineel en zou in de gevangenis zijn gekomen. Het was egoïstisch en stom van hem om jou mee te nemen op zo'n gevaarlijke tocht door de woestijn, en nu merk ik dat je nog steeds op goede voet staat met zijn ouders. Waarom?'

'Ze hebben veel verdriet gehad.'

'Rod Whitfield ook. En je neef ook!' voegde ze er met kwaad opengesperde ogen aan toe.

Ik wist dat tante Isabela me eeuwig de schuld zou geven van het feit dat Edward een van zijn ogen was kwijtgeraakt, ook al deed Edward zelf dat niet. Meer dan eens had ze gesuggereerd dat ik voor me had moeten houden wat Bradley met me had gedaan, het had moeten inslikken en vergeten, zomaar, alsof je maar met je vingers hoefde te knippen, en *poef*!, weg was het, nooit gebeurd. Zij kon dat met ongelukkige voorvallen, teleurstellingen. Ze had een huid van staal en een hart van steen. Ze zei dat als ik Bradleys daad had verzwegen, Edward nog allebei zijn ogen zou hebben en de Mexicaanse jongens niet in de gevangenis zouden zitten.

'En een van hen zou niet dood zijn en als voedsel dienen voor de gieren,' ging ze verder. Als ieder ander geloofde ze dat Ignacio dood was. Misschien had ze gelijk. Ik voelde wel degelijk enige verantwoordelijkheid voor dat alles, al was ik een klassiek slachtoffer.

'Een relatie voortzetten met die Mexicanen, vooral nu, kan alleen maar slecht zijn. Ik verbied het!' zei ze.

Ik staarde haar slechts aan.

'Heb je me gehoord?'

Ik draaide me om en keek uit het raam naar de wolken, die zich naar elkaar leken uit te strekken. Het leek alsof de lucht met me meevoelde, met mijn verlangen naar Ignacio te reiken en zijn hand in de mijne te voelen.

'Heb je me begrepen?' vroeg ze.

Ik gaf geen antwoord. Ik creëerde die muur van stilte die zo vertrouwd was in dit huis, die muur die zo vaak verrees tussen iedereen hier. In deze *hacienda* was het veiliger om doof en stom en zelfs blind te zijn.

'Ik waarschuw je, ik duld het niet!' dreigde ze. 'Waag het niet ooit een van die mensen hier in huis te brengen!'

Ik glimlachte.

'Waarom lach je?'

'Zou je het zelfs maar weten als een van hen hier kwam, tante Isabela? In jouw ogen lijken alle Mexicanen op elkaar.'

Even keek ze alsof haar gezicht uiteen kon spatten.

'Brutale... verdwijn. Jij zorgt zelf wel voor je ongeluk, dat weet ik. Daar heb je mij niet voor nodig.' Plotseling zwaaide ze met haar rechterwijsvinger voor mijn neus en haar hele houding veranderde. '*El pez que busca anzuelo busca su duelo*,' citeerde ze. Ik wist zeker dat het zo vaak tegen haar gezegd was toen ze jonger was, dat het in haar geheugen was geprent. Een vis die uitziet naar de haak is al halverwege de pan, een les die haar vader wanhopig had geprobeerd haar te leren.

Haar terugkeer naar haar Mexicaanse wortels, al was het slechts voor een onderdeel van een seconde in een aanval van woede, deed me even glimlachen. Misschien haatte ze me wel het meest omdat ik haar herinnerde aan wie ze geweest was en nog steeds was. Zodra de Spaanse woorden over haar lippen waren, kneep ze haar mond dicht en wendde zich af, kwaad op mij, maar ook geschrokken van zichzelf.

'Bedankt dat je je bezorgd over me maakt,' zei ik en ging weg.

Ze zei nooit meer een woord over de Davila's, maar ik twijfelde er niet aan of ze zou des duivels zijn als ze wist dat ik hen ook na haar dreigement nog geregeld bezocht. Ze beklaagde zich wel bij Edward.

'Als je je op je gemak voelt bij de Davila's en vindt dat je ze moet bezoeken, is dat prima,' zei hij. 'Maar het is beter als mijn moeder het niet weet. Ik heb haar zo goed mogelijk gekalmeerd, maar blijf op je hoede. Ze zal altijd naar iets blijven zoeken dat ze tegen je kan gebruiken, Delia. Probeer haar geen enkele andere kans te geven. Ze zal er onmiddellijk op afspringen.'

Ik had hem toen bijna de waarheid verteld, maar de angst dat ik ook hem zou verliezen weerhield me ervan om iets te zeggen over Ignacio. Uiteindelijk zou het allemaal in orde komen, hield ik me voor, ook al had ik geen idee wanneer dat ooit zou zijn.

Ik tilde mijn schoolboeken op en haalde de brief aan Ignacio, die bijna af was, tevoorschijn. Ik schreef hem alleen in het Spaans, voor het geval Sophia mijn kamer binnen zou komen en in mijn spulletjes zou snuffelen omdat ze iets zocht dat ze zou kunnen gebruiken om me in een kwaad daglicht te stellen tegenover tante Isabela of de andere meisjes op school. Het was of je in één huis woonde met een stel schorpioenen.

Terwijl ik zat te schrijven en verslag deed van mijn dagelijkse belevenissen, mijn ervaringen op school en mijn verlangen naar hem, ging mijn blik naar Danielle Johnsons uitnodiging. Ik zag er altijd tegenop om naar een van die feesten te gaan, maar ging uiteindelijk toch, om te voorkomen dat iemand iets zou vermoeden. Waarom ik eerder werd uitgenodigd dan Sophia, verbaasde me. Ik begon te geloven dat wie me ook uitnodigde bang was dat als Sophia niet ook werd gevraagd, ik niet zou kunnen komen. Als Sophia wist dat haar sociale status zo afhankelijk was van mij, zou ze ontroostbaar zijn, en ik had niet nóg een reden nodig om haar een hekel aan me te laten krijgen.

Dus meestal antwoordde ik niet tot zij was uitgenodigd. Of als ik op school gevraagd werd, maakte ik een opmerking over Sophia, en dan kreeg ze een uitnodiging. Ze ging om met een andere groep vriendinnen op school, en vaak werden die niet uitgenodigd voor dezelfde party's. Maar Sophia, die niet voor mij onder wilde doen, ging er wel altijd heen en had dan onveranderlijk iets naars te zeggen over het gezelschap, de party zelf, of de hapjes. Tenzij het iets was dat zij als eerste deed of verkoos te doen, deugde er nooit iets van.

Gewoonlijk schreef ik niets aan Ignacio over mijn sociale activiteiten. Ik wilde niet dat hij zou denken dat ik met andere jongens omging en plezier maakte terwijl hij het zo moeilijk had omdat hij ver weg was van zijn familie en de mensen van wie hij hield. Ik schreef voornamelijk over school, mijn leven in de *hacienda*, en de dingen die Edward en Jesse voor me deden. Ik wist dat hij graag zou willen weten dat ik zo beschermd werd.

Edward en Jesse leken net twee moederkloeken, dacht ik. Ze belden me minstens twee keer per week en kwamen bijna om het weekend naar Palm Springs om met me naar de bioscoop of een restaurant te gaan of gewoon met me rond te hangen in huis. Ik vertelde het altijd aan Edward als ik ergens was uitgenodigd, en dan lichtte hij me in over de familie van het meisje, als hij die kende, of vertelde me in het algemeen hoe ik me moest gedragen tegenover wat hij noemde 'de arme, kleine, verkeerd begrepen rijke kinderen'.

Alsof hij voelde dat ik aan hem zat te denken, belde hij.

'Wat voor nieuws is er van het slagveld?' was steevast zijn eerste vraag en ik moest altijd weer lachen.

'Je moeder heeft het erg druk gehad met haar zaken en haar zakendiners deze week,' zei ik. 'Ik heb haar maar twee keer gezien.'

'Bof jij even! Jesse en ik komen niet dit weekend. We moeten een scriptie maken en slapen in de bibliotheek, maar we zijn van plan het volgende weekend te komen,' zei hij.

'O.'

'Je lijkt er niet erg blij mee. Ben je soms verliefd of zo?'

'Nee, maar ik heb een uitnodiging voor een feest die zaterdagavond, Danielle Johnson.'

'Johnson? Ja, dat kan een leuk feest worden,' zei hij onmiddellijk. 'Ze hebben een prachtig huis in Palm Desert. Haar vader heeft zijn eigen golfbaan aangelegd op zijn grond. Hij bezit een spoorweg in Canada, zie je. Onder meer. Nou, je staat nu aan de top van de voedselketen, Delia.'

'Voedselketen?' Ik lachte. 'Wat eten ze?'

'Elkaar. Dat heet sociaal kannibalisme. Heb je het mijn moeder verteld?'

'Nog niet.'

'En Sophia?'

'Nog niet.'

Hij zweeg even. Ik kon bijna zien dat het tot hem begon door te dringen.

'Is zij niet uitgenodigd?'

'Ik weet zeker dat zij de uitnodiging morgen wel zal krijgen. Die van mij kwam vandaag. Dat is wel eerder gebeurd,' bracht ik hem in herinnering.

'Ik snap het. Dus je hebt nog niets gezegd. Je begint een slimme meid te worden, Delia. Maar we komen toch. We kunnen de vrijdagavond met jou doorbrengen en een deel van de zaterdag, en dan willen we zondagmorgen graag alle bijzonderheden horen van het feest voor we teruggaan naar Los Angeles.'

'Ik hou van jullie allebei,' zei ik, 'maar je hoeft je niet zo veel zorgen te maken.'

'Als je dat zegt, maak ik me nog meer zorgen,' antwoordde hij. '*Tenga cuidado.*'

'Pas op jezelf, *Mr. Big Shot College Man*,' zei ik. Hij lachte en ik hoorde dat Jesse hem vroeg wat zo grappig was. Toen hij het vertelde, moest Jesse ook lachen en kwam vervolgens aan de telefoon.

'Ik heb vandaag een uitwisselingsstudente uit Costa Rica ontmoet,' zei hij, 'en ze was onder de indruk van mijn Spaans. Dankzij jou.'

'Ik heb een uitwisselingsstudente uit Texas ontmoet, en ze was onder de indruk van mijn Engels. Dankzij jullie.'

Lachend zeiden ze tegelijk: 'We missen je', en namen toen afscheid.

Ook al zei ik dat ik hun bescherming niet zo hard nodig had, toch vond ik het heerlijk om van ze te horen en ze te zien. Ze waren de stralende zon op elke duistere, regenachtige dag in dit huis. Het was een troost te weten dat ze er altijd waren.

Zoals gewoonlijk kwam Sophia op dat moment zonder te kloppen mijn kamer binnengestormd. Als ze mijn telefoon hoorde, spitste ze haar oren en schoot overeind als een slang. Ik wilde dat ik mijn deur kon afsluiten, maar dan zou ze nog achterdochtiger worden en nog opdringeriger zijn. Om de een of andere reden was het prima als zij haar deur op slot deed als ze dat wilde, maar niet als ik dat deed.

'Heb je een uitnodiging gekregen voor Danielle Johnsons feest?' vroeg ze onmiddellijk. 'Nou?' Ze bleef voor me staan met haar handen op haar heupen. 'Ik sprak Alisha aan de telefoon en zij vertelde het me. Zij was niet uitgenodigd, en Delores en Trudy ook niet,' ging ze verder en noemde de namen van haar drie beste vriendinnen, die bij ons waren op die afgrijselijke avond toen Bradley gedood werd. 'Ik heb ze verteld dat als wij niet waren uitgenodigd, jij dat zeker niet zou zijn.'

Ik gaf niet onmiddellijk antwoord. Ik had altijd gedacht dat liegen tegen Sophia niet zo erg was als liegen tegen iemand anders. Liegen hoorde zozeer bij wie en wat ze was, dat het haar eigen taal leek. Ze voelde zich op haar gemak met leugens en wilde liever voorgelogen worden en zich gelukkig voelen dan de waarheid te horen en zich kwaad of gekwetst te voelen. Ze baadde zich in bedrog. Het was haar tweede natuur.

Maar ik werd plotseling vervuld van een wild verlangen om haar op een of andere manier te kwetsen. Haar arrogantie en valsheid werden me te veel.

'Eerlijk gezegd ben ik uitgenodigd, ja.' Ik pakte de uitnodiging en liet hem haar zien.

Ik kon zien dat ze, ondanks wat ze gezegd had en waarschijnlijk Alisha had verteld, dit had voorzien.

Ze kwam naar voren, rukte hem uit mijn vingers en las hem.

'Een avond in Parijs? Belachelijk! Alleen omdat haar moeder uit

Frankrijk komt, denkt ze dat ze kan rondparaderen met haar *oui, oui* en *pardonnez-moi.*'

Ze scheurde de uitnodiging doormidden en gooide hem in de prullenbak naast mijn bureau.

'Nou, je gaat er niet naartoe,' zei ze.

'Waarom niet?'

'Je bent mijn nicht. Je woont in mijn huis. Als jij wordt uitgenodigd en ik niet, zeg je gewoon nee dankjewel.'

'Misschien word je nog uitgenodigd,' opperde ik.

Ze keek me even achterdochtig aan. 'Als ik nu een uitnodiging krijg, dan weet ik dat die niet echt gemeend is.'

'Sinds wanneer kan dat je wat schelen?'

'Of wát me kan schelen?'

'Of het gemeend is of niet.'

Haar gezicht vertrok. 'Leuk, hoor. Ik wil morgen bij je zijn als je haar vertelt dat ze kan opvliegen met haar Parijse feest. Ik zal je precies vertellen hoe je het moet zeggen.' Ze draaide zich om en liep met grote passen naar de deur van mijn kamer.

'Dat kan ik niet. Het is al te laat.'

Ze draaide zich met een ruk om. 'Wat?'

'Ik heb haar vanavond al gebeld en gezegd dat ik zou komen. Je weet dat ik Franse les heb.' Ik glimlachte. 'Toen ze de telefoon opnam, zei ik: "*Merci, Danielle. Je serai heureuse de m'occuper de votre partie.*"'

Haar mond ging open en dicht.

'Ik heb een prachtige jurk om aan te trekken,' ging ik verder terwijl ik opstond uit mijn stoel. 'Je kent hem vast nog wel. Hij is perfect voor een avond in Parijs.'

Ik deed mijn kast open en begon de jurk eruit te halen, maar toen ik me omdraaide was ze al verdwenen.

Zelfs oma Anabela zou een lichte glimlach niet hebben kunnen onderdrukken, dacht ik.

Maar daarna zou ze me een standje geven en me zeggen dat ik God om vergeving moest vragen.

Later, dacht ik, zou ik wel om vergiffenis vragen. Voorlopig genoot ik te veel van het ogenblik, en ik wist dat mijn plezier niet lang zou duren. En inderdaad, de volgende ochtend aan het ontbijt, waarbij tante Isabela bij uitzondering aanwezig was, klaagde Sophia tegen haar moeder dat ik uitgenodigd was voor het feest bij de Johnsons en zij niet. Tante Isabela was oprecht verbaasd dat te horen. Ik zag een blik van verbazing en toen een vage geamuseerde glimlach toen ze naar mij keek.

Om Sophia een beter gevoel te geven of misschien om mij minder blij te maken, zei ze: 'Ik weet zeker dat Angelica Johnson haar dochter heeft gevraagd Delia uit te nodigen om mij een plezier te doen.'

'En wat zegt dat over mij, moeder? Ze heeft mij niet uitgenodigd. Is dat ook om jou een plezier te doen?' Sophia schudde zo heftig met haar hoofd dat ik dacht dat ze er hoofdpijn van zou krijgen.

'Dat zal waarschijnlijk zijn vanwege die meisjes met wie je omgaat. Ik heb je al zo vaak gezegd, Sophia, dat ik het niet eens ben met de vriendinnen die je uitkiest. Je hebt het aan jezelf te wijten. Blijkbaar heeft Delia een paar aardige vriendinnen gekregen.'

'Hè?' Sophia dacht even na, gooide toen haar lepel neer en sloeg haar armen over elkaar. 'Je bedoelt dat je haar naar dat feest van de Johnsons laat gaan, ook al kijken ze mij met de nek aan?'

'Jij bent uitgenodigd voor dingen waar ik geen uitnodiging voor kreeg,' zei ik zacht.

Ik kwam zelden tussenbeide als ze ruzie hadden, maar ik had ook zelden gehoord dat tante Isabela mij verdedigde, om wat voor reden ook.

'Daar heeft ze niet helemaal ongelijk in, Sophia.'

'Geen ongelijk?'

'Zal ik Danielles moeder bellen? Ik weet zeker dat ze je wel zal uitnodigen als ik het vraag,' zei tante Isabela.

'Natuurlijk niet! Denk je heus dat ik zo verschrikkelijk graag uitgenodigd wil worden voor een feest, zo wanhopig naar vrienden verlang?'

'Waarom maak je er dan zo'n ophef van?' vroeg mijn tante.

Ik hield mijn ogen neergeslagen, maar ik voelde de woede en frustratie die Sophia uitstraalde.

'Vergeet het maar,' zei ze ten slotte. 'Als het jou niet interesseert, interesseert het mij ook niet.'

'Mooi,' zei tante Isabela.

Ik keek haar aan. Ze leek ergens over ingenomen, dacht ik. Ze probeerde niet alleen Sophia de les te lezen. Ze hoopte op iets anders. Het was moeilijk om in een huis te wonen waar twee spinnen in duistere hoeken hun web weefden, in de hoop dat ik in een ervan verstrikt zou raken.

De stilte begon zijn eigen cocon te weven om ieder van ons, maar Sophia, niet bepaald iemand om iets stilletjes te accepteren en zich terug te trekken, kwam met een nieuwe eis.

'Wanneer beslis je eindelijk eens wanneer ik mijn eigen auto krijg? Ik moet op háár wachten als ik met onze limousine naar huis wil of in die stinkende auto rijden met Casto. Ik schaam me gewoon dood! Je vindt het niet prettig als ik met Alisha meerijd, die toevallig wel haar eigen auto heeft, al hebben haar ouders nog niet een kwart van het geld dat wij hebben.

'Als mijn vader nog leefde, zou ik nu een auto hebben. Ik zou die op mijn zestiende verjaardag hebben gekregen! Dat zou hij gewild hebben. Hij heeft me een vet trustfonds nagelaten, toch?'

'En als je oud genoeg bent om over een deel daarvan te beschikken, mag je verspillen zoveel je wilt, Sophia, maar als je dat doet, krijg je geen cent van mij!' Ze leunde achterover. 'En ik betwijfel of je iets van Edward zult krijgen.'

'Nee,' zei Sophia hoofdschuddend, 'van Edward zou ik niks krijgen. Hij zou het allemaal aan haar geven.' Ze knikte naar mij. 'Die twee belazeren mij niet, ook al doen ze dat blijkbaar jou wel,' kaatste ze terug.

'Mij belazeren? Waarmee? Wat wil je daarmee zeggen, idioot?'

'Niks,' antwoordde Sophia, die glimlachend haar lepel weer oppakte. 'Alleen... je moet je maar eens gaan afvragen waarom Edward en Jesse zoveel tijd met haar alleen doorbrengen.'

Tante Isabela keek naar mij.

De geïmpliceerde beschuldiging bracht een vuurrode kleur op mijn wangen.

Soms lijken onschuldigen schuldig omdat ze zo in verlegenheid zijn gebracht door de verdachtmakingen en ze zo verontwaardigd zijn dat ze te heftig ontkennen en voldoen aan Shakespeares prachtige woorden in *Hamlet*: *"The lady doth protest too much, me thinks."* De dame protesteert te hevig, dunkt mij.' Meneer Buckner had dat gisteren nog gezegd tijdens het lezen van *Hamlet*. 'De grens tussen onschuld en schuld vervaagt.'

Ik keek naar Sophia toen hij dat tegen ons zei. Ze zat te krabbelen in haar schrift en lette niet op, zoals gewoonlijk. Ik vroeg me af of het enig verschil gemaakt zou hebben als ze wél had geluisterd.

'Dat is niet grappig, Sophia,' zei tante Isabela. 'Alles wat er in dit huis gebeurt, heeft invloed op mijn reputatie en mijn leven. Denk daaraan.'

'Wat in dit huis gebeurt, heeft invloed op het leven van ons allemaal, moeder. Ik woon hier ook. Je hebt me zelf verteld dat je vindt dat Edward veel te verzot is op haar. Nou, misschien is het wel meer dan dat, en gebeurt het vlak voor je neus.'

'Zo is het genoeg,' snauwde tante Isabela. 'Ik heb een drukke dag vandaag en ik wens me niet te ergeren voordat die dag zelfs maar is begonnen. Let jij maar op je eigen gedrag, Sophia, en bemoei je niet met dat van je broer.'

'Zoals je wilt, moeder,' zei Sophia, nog steeds met die irritante glimlach. 'Als je je kop in het zand wilt steken, is dat gemakkelijk genoeg. We wonen in de woestijn.'

Tante Isabela smeet haar lepel neer, stond op, haar ontbijt half opgegeten, haar koffie bijna onaangeroerd, en beende woedend weg.

Ik keek naar Sophia. Ze was zo zelfingenomen omdat ze haar moeder op stang had gejaagd dat ik me afvroeg of ze zelfs ooit maar van elkaar gehouden hadden. Had Sophia zich ooit aan haar moeder vastgeklampt toen ze klein was? Ik kon me geen moment herinneren sinds ik hier was dat zij en haar moeder elkaar een zoen hadden gegeven of omhelsd.

'Tevreden?' vroeg ze, alsof ik degene was die problemen had gemaakt.

Ik gaf geen antwoord.

Twee dagen later, zonder dat ik iets tegen iemand had gezegd die het tegen Danielle had kunnen zeggen, ontving Sophia een uitnodiging voor haar feest. Die avond kwam ze mijn kamer binnen met een brede, voldane glimlach.

'Kijk eens, wat ik in de post heb gevonden,' zei ze en toonde me de invitatie.

Ik begon al te ontkennen dat ik er iets mee te maken had, maar ze legde me het zwijgen op.

'Ik weet dat jij het niet was. Mijn moeder heeft het gedaan. Ze maakte zich natuurlijk ongerust over haar status in de society.'

Toen verscheurde ze de uitnodiging en gooide hem in de prullenmand, zoals ze ook met die van mij had gedaan. Ze spuugde er ook nog eens op.

'Over mijn lijk!' zei ze. Ze draaide zich om en liep weg, smeet de deur van mijn kamer achter zich dicht.

Maar de zaterdag daarop ging ze shoppen om een nieuwe jurk te kopen die de mijne in de schaduw zou stellen, al zou hij nog zo duur zijn.

Over haar lijk? Waarschijnlijk had ze een lijkwagen gehuurd om haar erheen te brengen, dacht ik heimelijk lachend. Het gaf me het gevoel dat ik een kleine overwinning had behaald, en elke overwinning, hoe gering ook, was een prestatie in dit huis.

Maar ik had moeten denken aan wat zij en haar vriendinnen altijd zo graag zeiden.

'Wie het laatst lacht, lacht het best.'

2

Christian Taylor

'*Bonjour, Delia. Comment allez-vous?*' vroeg Christian Taylor toen we naar Franse les gingen.

Het was de enige les op school waar Sophia en ik niet allebei naartoe gingen.

Gezien haar opinie over Mexicanen vond ik het ironisch, zelfs amusant, dat Sophia Spaans had gekozen in plaats van Frans, zoals trouwens de meeste leerlingen van onze school. Er waren maar acht leerlingen voor de Franse taal, maar omdat het een particuliere school was, kon het vak toch worden gegeven.

Natuurlijk dachten de leerlingen die Spaans kozen dat die taal veel gemakkelijker was, maar ze beweerden dat hun keus op Spaans was gevallen omdat het praktischer was Spaans te leren in onze gemeenschap, waar zoveel latino's werkten of een eigen zaak hadden. Er waren niet alleen mensen uit Mexico, maar ook uit Nicaragua, Venezuela en Costa Rica, en uit een paar andere Midden-Amerikaanse landen.

'*Je suis très bien, et vous?*' antwoordde ik.

'*Bien*,' zei hij, en keek toen ongerust, uit angst dat ik alleen maar Frans zou blijven praten. Ik zag het aan zijn gezicht, een heel knap gezicht overigens, dat kon ik niet ontkennen, met stralend blauwe ogen, een Romeinse neus, hoge jukbeenderen en een krachtige mond. Hij had dik lichtbruin haar dat achter zijn oren gekamd was en tot halverwege zijn nek viel. Hij was een meter tachtig, had een afgetraind lijf, was de beste atleet van onze school, en werd algemeen gedoodverfd als de leerling die met een sportbeurs aan een gerenommeerde universiteit zou gaan studeren. De meeste meisjes in onze klas en de klas onder ons dweepten met hem, maar het probleem was dat hij het te goed wist. Hij liep met een arrogante houding door de gangen, met een zelfingenomen glimlach, die me tegen hem innam, al was hij nog zo'n stuk. Volgens mij was die verwaande glimlach gewoon een masker.

Gek genoeg leek het feit dat ik hem vermeed precies de juiste manier te zijn om zijn aandacht te trekken. Of het stoorde hem heel erg dat ik hem niet adoreerde zoals de meeste andere meisjes, óf hij was geïntrigeerd en in me geïnteresseerd omdat ik zo onverschillig tegen hem deed. Hoe dan ook, ik zou niet een van zijn vele veroveringen worden, en evenmin zou hij me Ignacio kunnen doen vergeten. In feite gaf alleen al het denken aan Christian me een schuldig gevoel.

Hij probeerde me in het Frans te vragen of ik naar Danielles feest ging, maar gaf het op na '*Etes-vous*' en ging verder met 'op Danielles verjaardagsfeest?'

'*Mais oui*,' zei ik en liep haastig naar mijn plaats.

Monsieur Denning, onze docent, was binnengekomen. Hij vatte zijn taak heel ernstig op en ergerde zich als we ook maar een seconde tijd verspilden. We waren nu zo ver dat hij verlangde dat we in de klas alles in het Frans tegen elkaar probeerden te zeggen, en vaak liet hij een leerling de woorden opzoeken en de juiste uitspraak oefenen, hoe lang het ook duurde.

Ik keek even naar Christian die twee rijen verder zat en zag dat hij een beetje verliefd naar me glimlachte. Ik zag ook dat een paar andere meisjes met jaloerse blikken naar mij keken, maar ik beantwoordde zijn glimlach niet.

Vlak voor mijn *quinceañera*, mijn vijftiende verjaardag, die in Mexico heel belangrijk was voor ons, de dag waarop we van meisje promoveerden tot vrouw, had mijn moeder me een paar adviezen gegeven over mannen.

'Je moet erg oppassen met de signalen die je afgeeft, Delia.'

'Signalen?'

'Met je ogen, je glimlach. Je hartsgeheimen kunnen heel snel bekend worden. Wees voorzichtig.' En toen vertelde ze me wat haar moeder altijd zei: '*Mujer que no tiene tacha chapalea el agua no se moja*', wat betekende dat een vrouw die onschuldig is in water kan rondspetteren zonder nat te worden.

'Maar pas goed op waar je spettert,' ging ze verder met een twinkeling in haar ogen.

Dus, ook al voelde ik een glimlach bij me opkomen toen ik Christian Taylor naar me zag kijken, ik dacht snel aan het advies van mijn moeder en wendde mijn blik af. Ik concentreerde me op mijn Frans om niet aan hem te hoeven denken, en niet één keer tijdens de rest van de les keek ik in zijn richting.

Maar nu raakte ik werkelijk verstrikt in een paradox. Wat ik ook deed, Christian vatte het schijnbaar op als een aanmoediging. Hoe meer ik hem negeerde, hoe hardnekkiger hij me achtervolgde. Misschien was het voor hem een kwestie van trots geworden. Per slot, welk ander meisje op deze school zou zijn aandacht negeren?

Tante Isabela vergiste zich niet in mijn vriendinnen en die van Sophia. Tijdens de lunchpauze zaten we ver van elkaar af. Anders zou het echt zijn of je water en olie met elkaar vermengde. Ik kwam er algauw achter dat Sophia de meeste meisjes met wie ik bevriend raakte in de loop der jaren op de een of andere manier had beledigd, zich onaangenaam tegen hen had gedragen en van zich had vervreemd. In het begin waren bijna alle leerlingen min of meer wantrouwend ten opzichte van mij, omdat Sophia mijn nichtje was en ik in haar *hacienda* woonde, maar ten slotte was gemakkelijk te zien hoeveel we van elkaar verschilden. En ook vonden ze het prima dat Sophia zo openlijk haar afkeer van mij en haar jaloezie liet blijken.

Sophia deed niet veel om me te helpen me aan te passen toen ik voor het eerst naar haar school ging. Toen besefte ik dat niet, maar het bleek achteraf een zegen te zijn. Toen Edward en Jesse mijn terugkeer uit Mexico hadden geregeld, had Edward met mijn tante en een chagrijnige Sophia een discussie gevoerd over de vraag waarom ik nu naar de particuliere school zou moeten. Ze maakten zich ongerust omdat ik op de openbare school, waar ze het wisten van Ignacio en zijn vrienden en mijn betrokkenheid bij die affaire, voortdurend met andere Mexicaanse tieners in contact zou komen. Edward dacht dat sommigen mij de schuld zouden geven en dat zou de familie alleen maar meer narigheid bezorgen. Tot mijn verbazing was mijn tante het snel met hem eens en was ze bereid de duizenden dollars uit te geven voor mijn opleiding aan de particuliere school. Natuurlijk was Sophia daar niet blij mee.

De particuliere school bood veel beter taalonderwijs dan Baker ooit had kunnen geven, en met mijn ervaring in de Engels-Spaanse taalklas aan de openbare school, maakte ik goede vorderingen. Er waren een paar andere Mexicaanse leerlingen; een van hen was de dochter van een familie die een keten van Mexicaanse restaurants bezat. Ik sloot niet snel vriendschap met haar. Ik had het gevoel dat ze een snob was. Ze sprak vloeiend Spaans, maar vermeed het meestal. Ik dacht dat ze me als een soort concurrent begon te beschouwen. Ze heette Estefani, maar wilde Fani worden genoemd. Ze was lang, bijna een meter tachtig, met het figuur van een catwalkmodel. Haar vader kwam uit een rijke Mexicaanse familie in Houston, Texas, en haar familie was heel close met de invloedrijkste indiaanse families in de woestijn.

De indianen hier bezaten veel land en verdienden geld met de verhuur van grond. Ze hadden ook casino's en waren opvallend rijk. Alle politici vochten om bij hen in de gunst te komen, dus was Fani aanwezig op alle grote feesten en evenementen, en stond haar foto vaak in de lokale kranten en tijdschriften. Het vriendelijkste wat ze dat eerste jaar tegen me zei was: 'Misschien kan ik een baantje voor je krijgen als serveerster in een van onze Palm Desert-restaurants. We zijn altijd op zoek naar authentieke Mexicanen.'

'Wat is een authentieke Mexicaan?' vroeg ik. Ze glimlachte slechts. Ik wist wat ze bedoelde: iemand die slecht Engels spreekt en straatarm is.

Ik vermeed haar, wat Sophia prachtig vond, omdat bijna alle meisjes niets liever wilden dan vriendschap met Fani; dat wilde zelfs Sophia. Tegen Fani's moeder kon Sophia toegeven dat ze Mexicaans was zonder zich inferieur te voelen.

'We zijn gelijk,' zei ze tegen Fani. 'We komen uit een aristocratische Mexicaanse familie.'

Sophia had een fantastisch verhaal verzonnen over de familie van haar moeder die zou afstammen van rijke Mexicaanse zakenlieden en politici. Ik was de enige arme bloedverwante.

Als de meisjes aan wie ze dat vertelde konden zien waar mijn tante werkelijk geleefd had, in wat voor huis ze gewoond had, zouden ze Sophia waarschijnlijk in haar gezicht uitlachen, maar niemand kende de waarheid over tante Isabela. Sophia kon zeggen wat ze wilde. Zolang ik haar niet tegensprak natuurlijk.

Dat eerste jaar had ze me dat al direct bij het begin onder de neus gewreven. Ze deed het toen we het gebouw binnenkwamen. Ze pakte mijn hand en nam me terzijde.

'Waag het niet ze te vertellen hoe arm de familie van mijn moeder was. Wat ik ook zeg, je knikt gewoon, en als je aarzelt, hou je je mond, begrepen? Ik waarschuw je,' dreigde ze. 'Ik vind het allesbehalve prettig dat je hier bent, en ik wil niet dat je me voor schut zet.'

Ik rukte mijn pols los, maar ik hield mijn mond.

Die eerste tijd was heel moeilijk voor me, en meer dan eens overwoog ik niet naar school te gaan, maar langzamerhand kreeg ik meer vriendinnen en begon ik me steeds meer op mijn gemak te voelen, vooral met mijn docenten. Voordat het eerste jaar was afgelopen, stond ik op de erelijst en werd ik op een schoolbijeenkomst uitgeroepen tot de nieuwe leerling die de beste vorderingen had gemaakt van alle leerlingen met een taalachterstand, ook in het verleden. Mijn tante accepteerde de gelukwensen alsof het allemaal haar idee was geweest. Sophia was witheet van jaloezie, zodat een van mijn vriendinnen, Parker Morgan, voorstelde haar nat te spuiten met het brandblusapparaat van de school.

Op deze speciale dag waren Parker, Katelynn Nickles, Colleen McDermott en ik net begonnen met onze lunch. We zaten enthousiast te praten over Danielle Johnsons feest, toen Christian met zijn lunch naar ons toekwam en vroeg of hij bij ons kon komen zitten. Omdat hij geen belangstelling had getoond voor een van de andere drie, keken ze allemaal naar mij alsof ik het besluit moest nemen. Of ik het leuk vond of niet, ik was degene die ja of nee moest zeggen.

'Ga je gang,' zei ik. 'Alleen zul je je wel vervelen. We hadden het over jurken en schoenen.'

'O, ik heb enorme belangstelling voor jurken en schoenen,' zei hij, en ging naast me zitten. 'Ik ben min of meer een expert op dat gebied. Vraag maar wat je wilt.'

Hij lachte naar me en begon te eten.

'O? Wat vind je van jurken met kimonomouwen?' vroeg ik, met een blik van verstandhouding naar mijn vriendinnen.

Hij deed alsof hij er serieus over nadacht, en de anderen begonnen te giechelen.

'Nou... als ik een meisje was,' zei hij, 'zou ik me zorgen maken over de ellebogen. De meeste meisjes weten het niet,' ging hij verder, en leunde naar voren alsof hij op het punt stond een groot geheim te verklappen, 'maar jongens geilen op ellebogen.'

Iedereen lachte. Onwillekeurig lachte ik mee. Hij richtte zijn verderfelijk mooie ogen op mij. Ik voelde me als iemand die probeert omhoog te klimmen uit een put met vet. Hoe meer ik mijn best deed hem te negeren en te vermijden, hoe meer ik het tegenovergestelde bereikte.

'Alles wat jij draagt staat je goed, Delia. Maak je geen zorgen.'

Ik zag dat mijn vriendinnen hun ogen opensperden van verbazing en afgunst. Ze wisselden een snelle blik. Ik bloosde en at mijn broodje. Aan de andere kant van de kantine zat Sophia vol verbijstering naar me te kijken. Ze fluisterde iets tegen Alisha, en toen keken ze allemaal naar ons.

Edward had zich niet vergist in de reden waarom ik naar de particuliere school moest in plaats van naar de openbare toen ik na mijn vlucht weer terugkwam. Hoewel de leerlingen hier natuurlijk wisten wat er gebeurd was met Bradley en Edward, waren ze niet goed op de hoogte van mijn rol daarin en zeker niet van mijn tocht door de woestijn met Ignacio. Een van de voorwaarden die mijn tante had gesteld voor mijn opleiding aan de particuliere school, was dat ik nooit, maar dan ook nooit, met iemand op school over het gebeurde mocht praten.

Natuurlijk werd Sophia ook gewaarschuwd, maar haar vriendinnen wisten alles, en hen erover te laten zwijgen was minder gemakkelijk. Tot nu toe was Sophia erin geslaagd ze in toom te houden, maar ik was altijd bang dat iemand als Fani of Fani zelf in de gang naast me zou komen lopen en tegen me zeggen: 'Hé, ik heb net gehoord dat je verkracht werd en dat daardoor al die moeilijkheden zijn ontstaan.'

Het was hier niet anders dan overal elders. Een slachtoffer bleef altijd een slachtoffer en raakte nooit de smet op haar reputatie kwijt. Het was een ironie die ik niet begreep. Jongens gingen gemakkelijk uit met meisjes die vrijgevig waren met hun lichaam, maar als een meisje verkracht was aarzelden ze. Dat had ik in Mexico gezien en ik wist dat het hier al net zo was.

Was het niet genoeg dat ik nooit die donkere schaduw kwijt zou raken? Waarom moesten ze het nog erger maken?

Toen de bel aangaf dat de lessen weer begonnen, liep Christian met me mee.

'Zou je dit weekend met me naar een film willen?' vroeg hij voor we naar de klas voor maatschappijleer gingen.

Hij was niet de eerste die een afspraakje met me wilde maken. Meestal zei ik iets ontmoedigends. Ik was verleden jaar een keer naar een film gegaan met een jongen uit de hoogste klas, Stevie Towers. Het bleek me goed te doen, want na die afspraak geloofde hij dat ik te keurig en te religieus was om pret mee te hebben, en dat liet hij iedereen weten. Weinig jongens vroegen me daarna mee uit, wat Sophia prachtig vond. Ze wist niet waarom ík dat juist prettig vond, maar ze meende me te ergeren als ze pronkte met haar afspraakjes. Ze ging zelfs uit met Stevie Towers en deed de volgende dag niets anders dan me vertellen hoeveel lol ze hadden gehad. Toen hij het bij die ene keer liet, vroeg ik haar waarom, en ze vertelde me dat ze hem te onvolwassen vond.

'Maar ik dacht dat je zei dat jullie zo'n lol hadden gehad,' bracht ik haar in herinnering.

'Alleen bij wijze van afleiding,' zei ze bits. 'Ik kan me niks saaiers voorstellen dan elk weekend met dezelfde jongen uit te gaan.'

'Hoe verwacht je dan ooit te trouwen?'

'Dat doe ik niet. Nou ja, misschien als ik er genoeg van heb om me te amuseren en iemand wil die voor me zorgt, iemand die me adoreert.'

'Je hebt gelijk,' zei ik. 'Het zou lang kunnen duren voor je trouwt.'

Ze begreep niet wat ik bedoelde, dat niemand haar ooit zou adoreren. Ze knikte alleen maar alsof ik het eens was met haar filosofie over de liefde.

Hoewel ik het had kunnen verwachten, bracht Christians uitnodiging me van mijn stuk. Ik kon geen goed excuus bedenken waarom ik niet met hem uit zou gaan. Edward en Jesse kwamen niet, en er was niets te doen dat een afspraakje in de weg zou staan.

'Welke film?' vroeg ik om mijn antwoord uit te stellen, in de hoop dat ik iets zou kunnen bedenken.

'Welke je maar wil. Ik ga niet gewoon maar naar een film. Ik ga met jou naar een film.'

De laatste bel kon elk moment gaan. Andere leerlingen liepen voorbij, alle meisjes en zelfs een paar jongens keken ons belangstellend aan.

'Mag ik het je morgen zeggen?' vroeg ik.

'Wat denk je van vanavond? Ik bel je wel.'

'Oké.' Ik wilde de klas in lopen, maar hij pakte mijn arm vast.

Lachend vroeg hij mijn telefoonnummer. Ik glimlachte en gaf het hem.

Ik zag dat Sophia me aan de andere kant van de klas kwaad aankeek. Haar gezicht was vertrokken en ze keek zo zuur als een overrijpe citroen. Ik ging zitten op het moment dat de bel ging. Christian zat links van me, twee rijen achter me. Ik had al mijn zelfbeheersing nodig om me niet om te draaien, maar ik kon zijn ogen in mijn rug voelen. Ik stond voor een uitdaging. Het zou niet eerlijk zijn als ik zei dat hij me absoluut niet interesseerde. Telkens als zijn gezicht, zijn glimlach, die ogen door mijn gedachten flitsten, haalde ik mijn herinneringen aan Ignacio op, vooral zoals hij had gekeken toen de bus wegreed van het station in Mexico City en hij naar me stond te zwaaien. Het zou ongetwijfeld zijn hart breken als hij wist dat ik zelfs maar met romantische belangstelling naar een andere jongen had gekeken.

Toen de les was afgelopen, ging ik ervan uit dat Christian weer op me zou wachten, maar deze keer keek hij alleen maar naar me, glimlachte en liep door naar zijn gymnastiekles. Onwillekeurig dacht ik dat alles wat hij deed, elke beweging, elke blik en elk woord, weloverwogen was. Ik probeerde het te zien als onbetrouwbaar, zodat hij me tegen zou gaan staan, maar het lukte niet.

Sophia kwam naast me lopen toen ik naar buiten ging.

'Wat is er tussen jou en Christian Taylor?' vroeg ze – eiste ze feitelijk. 'Iedereen heeft het erover.'

'Niks,' zei ik.

'Lieg niet tegen me, Delia. Daar ben je niet goed in, dus probeer het maar niet. En je hoort geen geheimen voor me te hebben. Dus?'

'Hij vroeg of ik dit weekend met hem naar de film wil,' bekende ik. Ik was ook nieuwsgierig hoe ze op het nieuws zou reageren.

'En wat heb je gezegd?'

'Dat hij me moest bellen. Dat ik erover zou denken.'

Ze grijnsde.

'Hij is gif op een stokje,' zei ze. 'Er is hier geen meisje dat hij niet geprobeerd heeft te verleiden of dat heeft gedaan.'

Ik glimlachte.

'En kom me niet aan met dat fabeltje van de vos en de druiven die hij zuur noemde omdat hij er niet bij kon. Ik ben met Christian uit geweest, en het stelt niet veel voor,' ging ze verder.

'O?'

'Maar nu ik eraan denk,' ging ze met een zelfingenomen lachje verder, 'in jouw geval is het geen groot probleem. Jij kunt gerust met hem uitgaan.'

'En waarom is het geen probleem, Sophia?'

Ze boog zich naar me toe en fluisterde: 'Jij bent al verleid, weet je nog?' Met die woorden liep ze weg, naar Alisha. Ze fluisterde iets, en ze lachten extra luid.

De verwensingen lagen me op de tong terwijl ik naar hen keek. Toen, misschien zoekend naar het excuus dat ik nodig had, liep ik haastig de gang door en was bij Christian voordat hij de kleedkamer van de jongens binnenging. Hij draaide zich verbaasd om.

'Je hoeft me niet te bellen,' zei ik. 'Ik kan niet met je naar de film.'

'Waarom niet?' vroeg hij, verontwaardigd zijn schouders ophalend.

'Ik heb besloten voorlopig met niemand uit te gaan. Ik moet nog te veel leren. Ik ben nog niet zover.'

'Hè? Je hebt al afspraakjes gehad. Ik weet dat je een keer met Stevie Towers uit bent geweest.'

'En dat was geen succes. Voor geen van ons beiden. Bedankt voor je uitnodiging,' voegde ik eraan toe.

'Wat ben je van plan te worden, een non?'

'Misschien.'

Hij sperde zijn ogen open en trok zijn wenkbrauwen op. Ik kon zien dat hij me geloofde.

'Als je dat doet, maak je een grote fout,' zei hij en hij liep de kleedkamer in.

Ik keek in de richting waarin Sophia en haar vriendinnen waren verdwenen. Het vuur in me was gedoofd, en nu schold ik mezelf uit om mijn zuidelijke temperament. '*La cólera es el mejor amigo del diablo.*' Woede is des duivels beste vriend, zou mijn grootmoeder zeggen.

Ik had spijt van mijn impulsiviteit. Ik had precies gedaan wat Sophia leuk zou vinden. Ik overwoog even Christian te bellen en hem te zeggen dat ik van mening veranderd was, maar dan zou ik me belachelijk maken. Dat was geen goed idee. Hij zou vragen waarom, en ik zou niet weten wat ik moest antwoorden.

Christian was óf te trots om anderen te vertellen dat hij een blauwtje had gelopen, óf hij had domweg geen tijd om er met iemand over te praten, maar toen de school uitging, wist Sophia blijkbaar nog niet wat ik had gedaan. Ik vond het leuk om haar gade te slaan terwijl ze erover zat te piekeren in de auto naar huis, die door señor Garman bestuurd werd.

Maar toen ze uitstapte draaide ze zich naar me om en vroeg wat ik van plan was tegen Christian te zeggen als hij belde.

'Dat weet ik nog niet,' antwoordde ik. Waarom zou ik haar niet nog wat langer in de drek van haar jaloezie laten spartelen?

Ze marcheerde voor me uit naar binnen.

Terwijl ik boven was om me te verkleden en mijn huiswerk klaar te leggen, ging zij naar beneden naar tante Isabela om haar de laatste roddel te vertellen. Maar in tegenstelling tot wat ze verwacht had, ergerde tante Isabela zich er niet aan en maakte ze zich geen enkele zorg. Ze begon erover toen we 's avonds aan tafel zaten.

'Sophia vertelde me dat Christian Taylor je heeft gevraagd vrijdag met hem uit te gaan.'

Hoewel ze het nooit had gevraagd, vertelde ik tante Isabela altijd alles wat ik ging doen en waar ik naartoe ging, behalve natuurlijk mijn bezoekjes aan de Davila's. Meestal reageerde ze onverschillig.

'Ja, hij heeft het gevraagd,' antwoordde ik.

'Heus? Christian Taylor. Zijn vader is cardioloog in het Eisenhower Heart Institute. Wist je dat?'

'Nee.'

'Wat weet je wél van hem?' vroeg ze.

'Hij is een goed atleet. En een goede leerling. Hij speelt trompet in de band.'

'Is dat alles wat je over hem weet?'

'Hij heeft het me vandaag pas gevraagd, tante Isabela. Ik heb geen tijd gehad om meer te weten te komen.'

Sophia en zij lachten me uit.

'Geen tijd om meer te weten te komen? Je bent al bijna anderhalf jaar op die school, Delia.'

Ik haalde mijn schouders op. Hoe moest ik mijn opzettelijke onverschilligheid ten opzichte van jongens verklaren zolang ik Ignacio in mijn hart droeg?

'Misschien ben je minder wereldwijs dan ik dacht, wat mannen betreft,' zei ze. 'Ik weet niet waarom ik dat ooit gedacht heb, gezien wat jou overkomen is.'

'Dat mag je wel zeggen,' merkte Sophia op.

'Ik zou mezelf nog maar geen schouderklopje geven, Sophia,' snauwde tante Isabela. 'Jouw relaties met jongens waren niet bepaald om over naar huis te schrijven. Moet ik je herinneren aan bepaalde situaties waarin je verzeild bent geraakt, situaties die heel pijnlijk voor me hadden kunnen zijn?'

'Het draait altijd om jou, hè, moeder?'

'Als je ook maar een klein beetje hersens had, Sophia, zou je inzien dat het ons allebei aangaat. Je kunt niet in een luchtbel leven.'

'Ik ben niet degene die in een luchtbel leeft, moeder. Íк probeer niet weer achttien te zijn.'

'Zo is het genoeg,' zei tante Isabela bits. Ze keek woedend naar Sophia, die kalm verder at. 'Luister vooral niet naar welk advies ook dat zij je geeft,' zei ze tegen mij.

'Zij luistert niet naar mijn advies,' klaagde Sophia. 'Ze is tegenwoordig een expert op het gebied van jongens. Weet je dat nog niet?'

Tante Isabela dacht even na. 'Misschien is ze dat wel. Christian Taylors vader was de hartspecialist van mijn man. Eindelijk ga je om met het juiste soort mensen. Doe niets waarmee je me voor schut zou kunnen zetten.'

'Dat zou ik nooit doen, niet voor u en niet voor mijzelf.'

'We zullen zien,' zei ze.

Ik zei niets meer. Zoals gewoonlijk zwegen we de rest van de maaltijd. De spanning was met een mes te snijden.

Tot mijn verbazing ging mijn telefoon iets na negen uur. Het was Christian.

'Ik bel alleen even om te horen of je nog over je beslissing hebt nagedacht,' zei hij. Hij sprak alsof het over een zakelijk besluit ging. 'Meisjes kunnen impulsief zijn. Misschien was je gewoon niet in de juiste stemming.'

Echt iets voor hem om een manier te vinden om mij de schuld te geven, dacht ik.

'Het is geen gebrek aan respect voor je uitnodiging,' antwoordde ik.

Hij lachte. 'Ik ben je docent of je vader niet, Delia. Respect kan me geen moer schelen.'

'Maar dat zou het wel moeten doen,' reageerde ik snel. 'We moeten elkaar allereerst respecteren. We moeten altijd respect hebben voor elkaars gevoelens.'

Hij zweeg even en zei toen: 'Misschien ben je wel in de wieg gelegd om non te worden.'

'Dat is zo slecht nog niet.'

Hij lachte. 'Laat me weten als je van gedachten verandert.' Hij zei gedag en hing op.

Ik vermoedde dat Sophia zoals gewoonlijk haar oren gespitst had om te horen of er voor me gebeld zou worden. Ik had nog niet opgehangen of ze stond in mijn kamer.

'En?' vroeg ze. 'Waar gaat hij vrijdagavond met je naartoe? Als hij je heeft verteld dat hij met je naar een drive-in gaat, is dat bullshit. Er is geen drive-in. Hij bedoelt alleen maar dat hij de auto gaat parkeren en net doet of je een film ziet. Dat is de grote grap die hij uithaalt met onschuldige, stomme meiden.'

'Heeft hij die grap met jou uitgehaald?' vroeg ik.

Ze stond op het punt om ja te zeggen, maar toen drong het tot haar door en ze spuwde haar antwoord er bijna uit. 'Ik ben niet zo stom. Nou, wat zei hij?'

'Hij vroeg of ik van gedachten veranderd was.'

'Van gedachten veranderd? Wat bedoel je?'

'Ik had al nee gezegd.'

Ze was duidelijk onthutst. Even kon ze niets slims of gemeens bedenken. 'Waarom?'

'Ik heb geluisterd naar wat jij zei, dat hij flirt en meisjes probeert te verleiden. Ik wil niets te maken hebben met zo'n jongen.'

Ze staarde me even aan, glimlachte, keek toen weer serieus en wierp een snelle blik op de deur alsof ze bang was dat iemand ons gesprek zou kunnen afluisteren. 'Waag het niet mijn moeder te vertellen dat ik zoiets gezegd heb en dat je hem daarom hebt afgewezen.'

'Waarom niet? Je probeerde alleen maar me te beschermen.'

'Zo zal mijn moeder het niet opvatten. Ze wil tot de hogere kringen doordringen, zo is ze altijd geweest. Ze zou met de duivel uitgaan als daardoor haar foto op de societypagina's in kranten of tijdschriften zou komen. Maar geef mij niet de schuld als je weigert met Christian uit te gaan, begrepen? Als je me in moeilijkheden brengt, zal ik een manier vinden om het je betaald te zetten, Delia,' dreigde ze.

Ik glimlachte. 'Maak je geen zorgen, Sophia. Ik neem mijn eigen beslissingen. Ik denk dat tante Isabela dat langzamerhand wel doorheeft.'

'Ja, goed... oké.' Ze dacht even na en glimlachte toen. 'Goed zo. Ik zal hem er behoorlijk mee pesten. Morgen zal een leuke dag worden op school, en die zijn er niet erg veel.' Ze liep naar de deur. 'Nu ben ik blij dat ik besloten heb naar dat stomme feest van Danielle te gaan.'

Ze deed de deur open maar bleef even staan, draaide zich om en keek naar mij. Ze kneep haar ogen achterdochtig samen.

'Waarom heb je eigenlijk écht nee gezegd?'

'Dat heb ik je al verteld.'

'Heeft Edward er iets mee te maken?'

'Hoe zou hij? Ik heb hem vandaag niet gesproken.'

Ze knikte, nog steeds met een kil lachje. 'Toch wed ik dat het zo is.' Ze keek heel zelfvoldaan dat ze op zo'n briljant idee was gekomen. Ik kon haar hersens bijna zien rondcirkelen boven alle mogelijkheden, ideeën en manieren om meer pijn te doen en meer vallen uit te zetten. 'Welterusten of, zoals wij zeggen, *buenas noches.*'

De lucht in de kamer scheen haar naar buiten te volgen.

Hier wonen was als lopen door een veld vol plekken drijfzand, met haar als gids, dacht ik.

3

De Davila's

Christian gedroeg zich de volgende dag heel koel tegen me. Het verbaasde me niet, maar het maakte me erg nerveus. Hij vermeed het naar me te kijken of te dicht bij me te komen. Het duurde niet lang voor mijn vriendinnen en de andere meisjes op school beseften dat er nu een ijzige wand tussen ons stond in plaats van de vroegere warmte. Hun ogen waren vol vragen. Ik was niet op de hoogte van alle smerige leugens en insinuaties die Sophia en haar vriendinnen de hele ochtend fluisterend hadden verspreid. Toen ik ging lunchen, werd ik me bewust van de geruchten en achterdocht op het gezicht van andere leerlingen, en instinctief vreesde ik dat het iets te maken had met mijn neef Edward en zijn vriend, Jesse.

Meisjes die Christians aandacht wilden trekken omringden hem, maar anders dan ze hoopten, wenste hij hun medeleven niet. Ik kon het merken aan zijn reactie op hun opmerkingen. Hoe durfden ze te denken dat hij behoefte had aan medeleven. Niet híj was de verliezer, maar Delia Yebarra. Ik kon het hem bijna horen zeggen tegen elk meisje dat probeerde hem te troosten omdat hij was afgewezen voor een afspraakje. Daar moest ik in elk geval even om glimlachen.

Mijn vriendinnen waren het met me eens toen ik hun vertelde wat de reden was dat ik geweigerd had met Christian Taylor uit te gaan.

'Ik vertrouw zijn bedoelingen niet. Hij fladdert van het ene meisje naar het andere alsof we taartjes zijn in een bakkerij.'

Ze lachten om mijn vergelijking en degenen die dachten dat Christian hen toch nooit om een afspraak zou vragen prezen me omdat ik zo sterk in mijn schoenen stond.

'Delia heeft gelijk,' zei Colleen. 'Christian houdt veel te veel van zichzelf om van een ander te kunnen houden. Ik denk dat hij zelfs niet van zijn eigen hond houdt.'

De meisjes lachten, maar ons kleine groepje bleef geïsoleerd. Tot mijn verbazing echter begon Fani tegen me te praten toen de lunchpauze was afgelopen.

'Je bent het onderwerp van gesprek vandaag, Delia. Vertel eens, heb je een vriendje van je vroegere school? Je had toch een vriend, hè?' vroeg ze, hengelend naar informatie. 'Zie je die Mexicaanse jongens nog wel eens?'

Als een bijenkoningin haatte ze het om de laatste te zijn die hoorde wat er gaande was in haar korf.

'Ik heb niemand,' zei ik, misschien iets te snel, maar van alle meisjes op school was ik het meest bevreesd voor haar, omdat zij contact had met de Mexicaanse gemeenschap.

'Je nichtje vertelt rond dat je zo gek bent op haar broer, dat je je voor geen enkele andere jongen interesseert. Dat vertelt ze ook aan Christian.'

'Ze weet dat dat onzin is.'

'Ja, maar ik verzeker je dat Christian het een prachtige verklaring vindt. Het geeft hem een goed gevoel. Hij deelt het rond als snoepjes.'

'Maar het is een leugen.'

Ze haalde haar schouders op. 'Het kan mij absoluut niets schelen. Het zijn jouw zaken, en ik ben geen fan van Christian Taylor.'

En toen, alsof ze wat vriendelijker tegen me wilde zijn of gewoon een verplichting voelde jegens een mede-Mexicaanse, zei ze: '*Tenga cuidado, chica, usted magulló un ego grande aquí.*'

Ik keek haar na toen ze wegliep.

Katelynn had haar gehoord en kwam naast me staan.

'Wat zei Fani? Ik hoor haar praktisch nooit Spaans spreken.'

'Ze zei dat ik voorzichtig moet zijn, omdat ik een enorm ego heb beledigd.'

'Heus? Wow!' zei ze, alsof ik haar had gezegd dat de koningin me een goede raad had gegeven.

'Ik heb haar niet nodig om me dat te vertellen,' zei ik bits. Katelynn keek me onthutst aan. 'Jij toch ook niet?'

'Nee, maar... Fani. Dat is groot nieuws,' ging ze verder, en liep toen haastig weg om het de anderen te vertellen.

Dit was groot nieuws? Als ze zich net zo druk zouden maken over hun werk op school als over hun roddels, zouden ze allemaal op de erelijst komen, dacht ik.

Later zag ik het voldane gezicht van Sophia. Wat ze ook had gepland en gehoopt, was nu bezig werkelijkheid te worden, en ze was erg met zichzelf ingenomen. Ze had de geruchten en insinuaties omgezet in feiten, en die zouden niet verdwijnen. Christian keek nu nog arroganter.

Tante Isabela keek niet verheugd toen ze het vrijdag allemaal hoorde en nam onmiddellijk aan dat het hoe dan ook Sophia's schuld was. Blijkbaar spraken welgestelde ouders voortdurend over het sociale leven van hun kinderen.

'Wat heb je gedaan, Sophia? Wat heb je tegen Delia gezegd? Waarom wil ze geen afspraak maken met Christian Taylor? Ik weet zeker dat je iets gedaan hebt, dus kijk maar niet zo onschuldig,' zei tante Isabela die avond als begin van ons gesprek aan tafel.

'Ik heb niks gedaan. Het is haar eigen besluit. Of,' het gif droop van haar lippen, 'misschien ligt het aan Edward.'

'Aan Edward?' Tante Isabela keek naar mij. 'Is dat waar? Heeft Edward je aangeraden niet met Christian Taylor uit te gaan? Lieg niet tegen me. Ik kom er toch wel achter,' waarschuwde ze.

'Nee, tante Isabela. Ik heb er nog niet met Edward over gesproken. Hij heeft me in het begin van de week gebeld, voordat Christian Taylor me vroeg om met hem uit te gaan.'

'Aha. Dus waarom heb je besloten het niet te doen? Ik heb je gezegd dat hij uit een vooraanstaande familie komt. Ik heb er toch geen bezwaar tegen gemaakt?'

'Nee. Ik vind hem gewoon niet aardig. Hij houdt te veel van zichzelf. Hij zou met een spiegel uit moeten gaan.' Tot mijn verbazing begon ze hard te lachen.

'Tja.' Ze haalde diep adem en keek naar Sophia. 'Misschien zou je op het gebied van romantiek en jongens toch eens moeten luisteren naar je nichtje, Sophia.'

Iets ergers had ze niet tegen Sophia kunnen zeggen. Haar gezicht vertrok, haar lippen trilden en tranen sprongen in haar ogen. Ik bereidde me voor op haar woede-uitbarsting, maar tot mijn en tante Isabela's verbazing stond ze slechts op, beheerste zich en zei: 'Geloof me, moeder, uiteindelijk zul jij degene zijn die spijt krijgt, en niet ik.'

Voordat tante Isabela antwoord kon geven, holde ze de kamer uit naar de trap.

'Zo, ik denk dat ons stenen prinsesje toch van haar stuk kan worden gebracht,' zei tante Isabela en ging door met eten.

Zoveel onverschilligheid voor het verdriet van een ander maakte me misselijk. Ik at zoveel ik naar binnen kon krijgen en stond op van tafel. Toen ik bij mijn kamer kwam meende ik Sophia te horen huilen. Aarzelend bleef ik bij haar deur staan en besloot toen niet tussen haar en haar moeder te komen. In mijn kamer ging ik bij het raam zitten en staarde naar buiten. Het was gedeeltelijk bewolkt, de maan zag eruit alsof hij probeerde aan de wolken te ontsnappen. Hij leek alle kanten op te gaan om onbedekt te blijven. Zo voelde ik me ook. Gevangen en zoekend naar een uitweg.

Ondanks alle comfort en de vriendschap van Edward en zijn vriend Jesse, kon ik slechts dromen van een ontsnapping, een leven met Ignacio, hoe eenvoudig dat leven ook zou zijn. Misschien hadden we toch allebei in Mexico moeten blijven, dacht ik. Ja, we zouden veel en veel minder hebben gehad, maar we zouden bij elkaar zijn. Aan de andere kant zou hij zijn familie missen, en ik wist hoe pijnlijk dat voor hem was. Per slot had ik mijn ouders en mijn oma niet meer. Ze waren weg, behalve uit mijn gedachten en mijn herinneringen, wat voor ons betekende dat ze de derde dood nog niet waren gestorven.

Zoals me geleerd was, waren er drie soorten van de dood. De eerste was als je lichaam ophield met functioneren en je ziel vertrok. De tweede was als je lichaam begraven werd. En de derde was als niemand meer aan je dacht.

Ik was zo in gedachten verdiept dat ik, toen de telefoon ging, bijna opsprong uit mijn stoel. Zodra ik Edwards stem hoorde, vermoedde ik dat tante Isabela hem had gebeld om hem uit te horen.

'Wat voor nieuws is er van het slagveld?'

'Je moeder slaagde er bijna in je zus in huilen te doen uitbarsten,' begon ik, en vertelde hem het hele verhaal, behalve de ware reden waarom ik Christians uitnodiging had afgeslagen. Het was blijkbaar volkomen nieuw voor hem. 'Dus je moeder heeft je niet gebeld?' vroeg ik.

'Waarom zou ze me bellen?' Ik wilde hem niet vertellen over de geruchten die Sophia bezig was te verspreiden. Toen ik geen antwoord gaf, ging hij verder: 'Ja, Christian Taylor is een eikel. Je hebt er goed aan gedaan om nee te zeggen. Maak je geen zorgen over Sophia. Ze heeft een dikke huid. Ze komt er gauw genoeg overheen en doet dan weer iets om een ander aan het huilen te brengen.'

'Er heerst zoveel woede in dit huis, Edward. Zal dat ooit veranderen?'

'Dat weet ik niet. Je klinkt nogal melancholiek, Delia. Ik geloof dat we dit weekend hadden moeten komen.'

'Nee, het gaat prima. Alles is in orde.'

'Je moet volhouden, Delia. Het zal allemaal veranderen. Het zal beter worden voor je. Je hebt te veel te bieden. Heb gewoon geduld.'

'Ik zal het proberen, Edward. Ik hoor Jesse niet.'

'Hij is in de bibliotheek. We verdelen het werk dit weekend. Ik bel je morgen weer.'

'Het is goed, Edward. Je hoeft niet te bellen. Je moet nu hard werken.'

Hij lachte, maar hield vol dat hij zou bellen.

Toen ik weer door het raam keek, zag ik Casto op de oprit staan en omhoogkijken naar mijn kamer. Ik wist wat dat betekende en liep haastig de trap af en naar buiten. Hij bleef in de schaduw staan, wat mijn vermoeden bevestigde.

'Er wacht iemand op je bij de Davila's,' zei hij. We wisten allebei wie het was.

'*Gracias, señor.*'

'Ik ga laat in de ochtend die kant op,' zei hij. 'Ik moet een paar dingen kopen in de grote ijzerwinkel die daar in de buurt is.'

'*Gracias.* Hoe laat?'

'Tien uur.'

'Het is misschien beter als *mi tía* Isabela het niet weet.'

'Sí,' zei hij.

Hij had me er al eens naartoe gereden; toen was ik naar de bushalte gelopen en had hij me daar opgepikt. We zouden het nu weer zo doen.

'Ik ben heel dankbaar, *señor*.'

'*Es nada*,' zei hij en liet me achter in het donker.

Maar nu voelde ik me gelukkig en de melancholie die Edward in mijn stem had gehoord was verdwenen. Haastig liep ik naar binnen om verder te schrijven aan mijn brief aan Ignacio. Hoewel zijn brieven aan mij gewoonlijk heel kort waren, wist ik dat hij die van mij koesterde en het liefst zou willen dat ze weken duurden. Ik zou de brief meenemen, en zijn vader zou zorgen dat hij hem kreeg, waar hij zich ook in Mexico bevond.

Ik zat de hele morgen op hete kolen, maar probeerde het te verbergen toen tante Isabela beneden kwam om te ontbijten. Sophia liet weer als vanouds haar ontbijt door Inez boven brengen. Ik wist zeker dat ze het Inez moeilijk zou maken, en inderdaad, toen Inez weer beneden kwam, zei ze tegen señora Rosario dat Sophia had beweerd dat haar eieren en de koffie te koud waren. Er moest een heel nieuw ontbijt voor haar worden klaargemaakt.

'Ik ga vandaag naar Los Angeles,' zei tante Isabela, en deed toen iets wat ze nog nooit had gedaan. Ze vroeg of ik zin had om met haar mee te gaan. 'Het is voor zaken, maar ik heb tijd om wat te gaan shoppen.'

'*Gracias*, tante Isabela, maar ik heb vandaag veel huiswerk.'

Ze trok haar schouders zo snel naar achteren dat ik onmiddellijk besefte dat mijn weigering aankwam als een klap in haar gezicht. Ik begreep dat ik ja had moeten zeggen en de volgende dag naar de Davila's had moeten gaan, misschien als ze uit de kerk kwamen. Maar het was te laat. Ik had mijn hart sneller laten spreken dan mijn verstand.

'Zoals je wilt,' zei ze, dronk haar koffie op en ging weg.

Het scheen dat elke beslissing, hoe onbelangrijk ook, een negatief effect had op onze relaties in dit huis. Het was waarschijnlijk beter een manier te zoeken om elkaar te vermijden, teneinde zelfs de mogelijkheid van een conflict uit de weg te gaan.

Toen ik daaraan dacht, drong het tot me door dat als tante Isabela niet eerder wegging dan ik, ze zou zien dat ik had gelogen. Ik hield één oog op de klok gericht en het andere op de deur. Precies om kwart voor tien kwam ze de trap af en ging naar buiten naar haar limousine. Ik liep haar haastig achterna en wachtte tot señor Garman wegreed. Zodra ze uit het gezicht verdwenen waren, liep ik haastig de oprit af. Ik moest ervoor zorgen dat niemand me zag als Casto me oppikte. Het ergste wat er kon gebeuren was dat Sophia hem dat zag doen. Ze zou hem zelfs kunnen laten ontslaan.

Ik voelde me heel achterbaks, maar was er zeker van dat niemand me het huis had zien verlaten. Even na tien uur stopte Casto bij het trottoir, en ik stapte in.

'*Gracias*,' zei ik weer. Hij knikte.

Op de *hacienda* werkten drie employés die er al waren voordat tante Isabela's man was gestorven: señora Rosario, señor Garman en Casto. Ik was natuurlijk nieuwsgierig hoe het hier toen geweest was. Señor Garman was minder vriendelijk tegen me dan señora Rosario en Casto, maar de laatste twee waren onwillig om veel te zeggen, zelfs nu ik al zo lang hier was.

'Het is goed dat je voorzichtig bent, Delia,' zei Casto. 'De Davila's zijn goede mensen. Ik zou niet graag zien dat ze nog meer moeilijkheden zouden krijgen.'

'Ik ook niet.'

'Ik weet niet of ze hier zouden kunnen blijven als de waarheid over hun zoon bekend werd. Weet je zeker dat dit een goed idee is?'

De tranen sprongen in mijn ogen voor ik kon antwoorden. Ik haalde diep adem.

'*La esperanza no engorda pero mantiene*,' zei ik. Hij keek me aan en knikte. Het was niet alleen een gezegde van mijn oma. Alle mensen in mijn dorp leefden ernaar. Hoop maakt niet dik, maar hij voedt. Ons leven daar was zo hard, dat hoop soms het enige was wat we hadden, maar op de een of andere manier was het voldoende om ons door de meest verschrikkelijke droogte of door ziektes en ongelukken heen te helpen.

De arme Ignacio zou wanhopig verlangen naar hoop, dacht ik.

Iets doen om die hoop te beschadigen en de bodem in te slaan, zou wreed en intens pijnlijk zijn. Niet alleen voor hem maar ook voor mij. Onze huidige omstandigheden verschilden als dag en nacht, maar we deelden dezelfde droom.

'Waren mijn tante en haar kinderen altijd zo onaardig tegen elkaar?' vroeg ik.

Ik dacht dat hij geen antwoord zou geven, want hij bleef heel lang zwijgen, maar toen schudde hij zijn hoofd. 'Toen señor Dallas nog leefde, was hij dol op allebei zijn kinderen en op señora Dallas. Zijn liefde hield hen bijeen. Sophia was altijd verwend,' ging hij glimlachend verder, 'maar señor Dallas kon haar in het gareel houden.

'Señor Dallas was er niet blij mee dat señora Dallas op voet van oorlog verkeerde met haar eigen familie in Mexico. Vaak probeerde hij vrede te stichten, maar haar woede bleef. Ik geloof dat hij zich daar altijd bezorgd over maakte.'

'*Por qué, señor*? Het waren arme mensen in Mexico. Hoe zouden ze hem ooit kwaad kunnen doen?'

'Hij maakte zich niet bezorgd over wat ze zouden kunnen doen. Hij maakte zich bezorgd over señora Dallas. Als ze haar eigen familie zo lang en zo intens kon haten, hoe kon ze dan van haar nieuwe familie houden? Ik heb hem dat weleens horen zeggen,' bekende hij. 'Soms schreeuwden ze zo luid tegen elkaar, dat het doordrong tot oren die daar niet voor bestemd waren.

'Het is verkeerd om kwaad te spreken over je werkgever,' ging hij verder, 'maar we hebben het over een moeder die jaloers was op de liefde van haar man voor zijn eigen kinderen. Ik geloof niet dat ik iets zeg dat je niet zelf al weet.'

Ik knikte, en we bleven in gedachten verdiept tot we in de straat kwamen waar de Davila's woonden. Alleen al het zien van het huis waar Ignacio vroeger gewoond had, maakte dat ik me beter voelde. Ik zag zijn jongste broer, Santos, in de voortuin, waar hij bezig was een paar struiken te snoeien. Hij was behoorlijk gegroeid sinds Ignacio's vertrek en had dezelfde brede schouders. Van achteren gezien leek hij zoveel op Ignacio dat mijn hart even stilstond. Als hij zich eens omdraaide en het was Ignacio?

Hij draaide zich om, en natuurlijk was hij het niet. Zijn broer leek meer op hun moeder dan Ignacio. Hij had de ogen en de zachtere trekken van zijn moeder. Toen hij zag dat ik het was die uit de auto stapte, vertrok zijn gezicht even van afkeer. Al leek Santos meer op zijn moeder, zijn vader had de grootste invloed op hem.

'*Gracias*, señor Casto,' zei ik.

'Over een uur kom ik terug,' zei hij en reed weg.

Langzaam liep ik naar het hek. Santos ging verder met snoeien alsof ik niet bestond.

'*Buenos días*, Santos,' zei ik toch maar. Hij knikte en bromde iets, maar keek me niet aan. Ik veronderstelde dat hij bang was om vriendelijk tegen me te zijn omdat het zijn vader van streek zou maken.

Ignacio's moeder begroette me bij de deur en glimlachte naar me. Het zou voorlopig de enige glimlach zijn in dat huis, dacht ik. Zijn vader zat in de zitkamer de krant te lezen. Hij keek even naar me en las verder. Ignacio's moeder bracht me naar de keuken en liet me aan de tafel zitten. Ze schonk een glas Jarrito-limoensap voor me in zonder het me te vragen. Ze wist dat het mijn Mexicaanse lievelingsdrank was.

Ze vertelde me dat Ignacio's jongere zusjes bij een vriendin thuis waren.

'*Cómo estás*, Delia?'

'*Muy bien, gracias.*'

Ze overhandigde me de brief, hield hem even vast alsof het een kostbaar sieraad was, streelde de envelop, een mengeling van vreugde en verdriet in haar ogen.

'*Gracias*, señora Davila,' zei ik en maakte hem voorzichtig open. Ze liet me alleen in de keuken om hem in alle beslotenheid te kunnen lezen.

Lieve Delia,
Ik mis je gezicht zoals ik de zon zou missen als die uit de lucht verdween. Ik vrees dat ik slecht nieuws heb voor jou en mijn familie. Ik ben gisteravond beroofd. Al het geld dat ik heb gespaard is gestolen. Ik ben kapot van woede en razernij. Het was mijn eigen stommiteit. Ik heb het te

vaak geteld waar andere ogen het konden zien. Ik vertrouwde de mannen met wie ik werkte op de sojafarm, en nu moet ik zwaar boeten voor dat vertrouwen.
In plaats van medelijden met me te hebben en me te helpen de dief te vinden, vinden de anderen me alleen maar stom. Als je in deze wereld het slachtoffer bent, is het je eigen schuld. Ik weet dat jij dat onbegrijpelijk vindt, maar het is zo.
Het maakt dat ik zelf een dief zou willen zijn, maar wees maar niet bang. Dat zal ik niet worden. Ik zal alleen langer en harder werken of een goedkope coyote vinden die me terugbrengt. Maar je weet, het is niet alleen een kwestie van de grens oversteken. Ik moet werk hebben dat op me wacht en een plek waar ik kan wonen en me schuilhouden. Zonder geld en een valse identiteit, zou ik een wanhopige zwerver worden, en dat wil ik niet. Dus moet ik je vragen langer geduld te hebben. Ik hoop dat je liefde voor me sterk genoeg is om het vol te houden.
Zoals altijd moet ik mijn juiste verblijfplaats geheimhouden, niet alleen voor jou maar ook voor mijn familie. Deze brieven zijn alles wat ik me kan veroorloven. En zelfs daarmee mag ik geen enkel risico nemen. Het zou een oneerlijke last zijn voor jou en mijn familie.
Geef mijn moeder een zoen van me.
Ignacio

Ik verborg mijn hoofd in mijn handen en snikte zachtjes. Toen haalde ik diep adem, dronk nog wat sap en stond op. Toen ik in de zitkamer keek, zag ik dat Ignacio's vader was weggegaan. Zijn moeder zat met een bedroefd gezicht naar het raam gekeerd.

'Hier is mijn brief voor hem,' zei ik en gaf hem aan haar. Ze keek naar zijn brief die ik in mijn hand hield. Haar man had haar verboden ze te lezen, en al was hij niet in de kamer, toch wilde ze niet tegen zijn wil ingaan.

Ze pakte de brief van Ignacio uit mijn hand en sloot de envelop.

'Hij vroeg me u een zoen van hem te geven,' zei ik en boog me voorover om dat te doen.

Ze lachte door haar tranen heen. 'Eet een hapje met me,' zei ze, 'en vertel me alles over school.'

Wat ze hoopte was dat ik haar zou vertellen wat hij geschreven had. Ik vroeg me af of ik haar het slechte nieuws zou toevertrouwen. Ik zag ertegenop, maar bedacht dat het beter was als ze begreep waarom het langer zou duren voor hij terugkwam. We gingen naar de keuken voor de rest van mijn bezoek.

Het was voor mij net zo moeilijk haar de inhoud van Ignacio's brief te vertellen als het voor haar was om het nieuws aan te horen. Maar Ignacio's moeder deed me in veel opzichten denken aan oma Anabela. Ze had dezelfde kracht om slecht nieuws te verwerken. Ik zeg kracht, omdat ze het kon accepteren en doorgaan. Net als oma Anabela geloofde ze in Gods wil.

'Misschien is dit zijn boetedoening,' zei ze, en dat was haar enige commentaar.

We keken allebei op toen Ignacio's vader de keuken binnenkwam. Hij keek van Ignacio's moeder naar mij en weer naar haar.

Zonder commentaar overhandigde ze hem de brief van Ignacio. Hij verscheurde hem en gooide de snippers in de vuilnisbak. Mijn hart kromp ineen toen ik het zag. Maar hij wist dat als hij dat niet deed en ik Ignacio's brieven mee zou nemen, ik ze waarschijnlijk in bed onder mijn kussen zou leggen, en dat zou gevaarlijk zijn.

'Het spijt me, señor Davila, maar Ignacio heeft geen goed nieuws. Hij is van al zijn geld beroofd.'

'Misschien vertelt God hem te blijven waar hij is,' was zijn reactie.

Ik kon het hem niet kwalijk nemen dat hij zo hard was. Hij had veel verdriet gehad, en toen hij moest voorwenden om zijn zoon te rouwen, had hij hem waarschijnlijk in zijn hart begraven en geloofde hij niet dat ons verhaal een happy end zou hebben.

Ignacio's vader liet ons achter om te gaan werken en zei tegen Ignacio's moeder dat hij met een paar vrienden in een plaatselijk restaurant zou eten. Ik bleef bij Ignacio's moeder en probeerde haar alleen goed en opgewekt nieuws te vertellen over school.

Later liep ze met me mee om te wachten op señor Casto. Maar hij stond er al geparkeerd en wachtte geduldig langs het trottoir. Ignacio's broer was blijkbaar met zijn vader meegegaan.

'Ik zal ervoor zorgen dat je brief op de gebruikelijke manier wordt verzonden,' zei Ignacio's moeder. 'Ik weet zeker dat hij er net zo ongeduldig op wacht als op je andere brieven.'

'*Gracias, señora*. Ik hoop u gauw weer te zien.'

'Ja, tot gauw.'

We omhelsden elkaar, en ik liep haastig naar Casto's auto, zodat ze de tranen niet zou zien die ik niet langer kon bedwingen.

Casto keek even naar me en reed zonder iets te zeggen weg. We waren al een eind onderweg voor een van ons iets zei.

'Je hebt geen goed nieuws gehad,' zei hij, om te bevestigen wat hij gemakkelijk aan me kon zien.

'Nee, *señor*.' Ik vertelde hem wat Ignacio in Mexico was overkomen.

'Dat verbaast me niets,' zei hij. 'Wanhopige mensen doen wanhopige dingen, en er zijn te veel wanhopige mensen bij ons thuis.'

'Ja,' zei ik. Ik moest even glimlachen omdat hij na al die jaren Mexico nog steeds zijn thuis noemde.

Ik stapte een paar straten vóór tante Isabela's *hacienda* uit, zodat niemand zou zien dat hij me ergens naartoe had gebracht. Alweer, het waren verstandige voorzorgsmaatregelen.

'Ik heb sowieso behoefte aan een wandelingetje,' zei ik.

De herfst had zich al aangekondigd. Het was begin oktober, en in tegenstelling tot wat de mensen dachten die niet hier woonden, was de woestijn wel degelijk onderhevig aan seizoenen. Het kon verrassend koud worden in december, januari en februari. In maart begon het altijd warm te worden en in april was het bijna perfect weer. Soms waren er dan al een paar zomerse woestijndagen, en kon de temperatuur oplopen tot achtendertig graden. Vandaag was het in de twintig graden, er stond een zacht briesje en de lucht was strakblauw.

Het was moeilijk om hier bedroefd te zijn. De natuur kon zo troostrijk zijn en je vervullen van optimisme. Het viel je gemakkelijker om te geloven in morgen. Op de een of andere manier zou Ignacio een manier weten te vinden, dacht ik. De obstakels zouden worden overwonnen. We waren te sterk om ons te laten verslaan. Langzamerhand werden mijn passen krachtiger, en ging ik sneller lopen. Toen ik bij de *hacienda* kwam, voelde ik me minder somber, en toen stond mijn hart even stil. Ik zag Edwards Jaguar staan.

Waarom was hij hier?

Haastig liep ik over de oprit. Hij en Jesse zaten in de zitkamer ijsthee te drinken en wachtten blijkbaar op mij.

'Waarom zijn jullie thuis?' wilde ik onmiddellijk weten.

'Nou, dat is niet bepaald een hartelijk welkom,' zei Edward.

Ik zou nooit gewend raken aan dat ooglapje, ook al maakte hij er grapjes over en zei hij dat het hem een exotisch uiterlijk gaf. 'Als een piraat of een avonturier.'

'We waren het erover eens dat we te hard werkten en maar eens een dag vrij moesten nemen,' verklaarde Jesse. Hij was minder lang dan Edward, maar ze waren allebei even slank.

Ik keek hen sceptisch aan.

Edward lachte. 'Ze trapt er niet in, Jess.'

'Oké, we maakten ons ongerust over je,' bekende Jesse, 'en we besloten hier te komen om met jou te gaan eten. Volgend weekend kunnen we niet met je uit. Dan ga je naar een high society-feest.'

'Als jullie allebei van de universiteit worden gestuurd, krijg ik de schuld,' zei ik.

'Goed zo. Ik wil niet graag de schuld van iets krijgen,' merkte Edward op. 'Dus, waar hing je uit? En waar is mijn moeder?'

'Je moeder is naar L.A. en is waarschijnlijk op zoek naar jou.'

'Dat zou een echte verrassing zijn,' zei hij. Hij wachtte, want ik had nog niet gezegd waar ik geweest was.

'Ik was op bezoek bij vrienden,' zei ik, en hij knikte, met een snelle blik op Jesse. Hij veronderstelde terecht dat ik bij de Davila's was geweest.

'Waar wil je eten? Jij mag het zeggen,' zei Jesse.

'Ik weet het niet. We gaan zelden naar een restaurant met je moeder.'

'Ik weet het,' viel Edward hem in de rede. 'Laten we naar La Grenouille gaan. Ze moet de Franse keuken wat beter leren kennen, vind je niet?'

'Goed idee,' zei Jesse.

'Maar dat is zo'n duur restaurant,' merkte ik op. Ik was er nog nooit geweest, maar ik had Fani erover horen praten en Danielle Johnson ook.

'We zullen bezuinigen op de pure chocola,' schertste Edward.

Ik wist natuurlijk dat hij het zich kon veroorloven.

'Ik zal reserveren,' zei Jesse en stond op om naar de telefoon te gaan.

'Waar is de stenen prinses?' vroeg Edward. 'Ze is niet thuis.'

'Ik weet het niet.'

'En... hoe gaat het met je vrienden, de Davila's?' vroeg hij met een vriendelijke glimlach.

'Hetzelfde als altijd,' antwoordde ik. Veel meer kon ik niet zeggen; ik was doodsbang om per ongeluk Ignacio's bestaan te verraden.

Hij informeerde naar mijn schoolwerk en vertelde me over hun colleges, in plaats van door te gaan over de Davila's. Hij voelde dat ik dat liever niet deed. Jesse kwam terug om te vertellen dat we een reservering hadden, maar er om kwart voor zeven moesten zijn.

'Het is druk vanavond. Het lukte me alleen maar omdat ik jouw naam gebruikte,' legde hij uit.

'We hoeven er niet naartoe,' zei ik.

'Het is al geregeld. Ik heb een idee. Trek aan wat je van plan bent naar het feest van de Johnsons te dragen. Laten we allemaal op z'n Frans gaan vanavond. Ik zet een baret op en ik weet dat mijn moeder een grote Franse hoed heeft die jou zou passen, Delia.'

'Ik kan haar kleren niet dragen zonder haar toestemming,' zei ik.

'Dat doe jij niet, dat doe ík,' zei Edward.

Op dat moment kwam Sophia lachend binnen met Trudy en Alisha. Tot ze ons drieën zag – toen veranderde haar gezicht.

'Hm, ik vraag me af wat jij hier vandaag doet,' zei ze met een kille glimlach. Haar vriendinnen glimlachten al even kil.

'We misten jouw lieve stem en gezicht,' zei Edward.

'Ha-ha. Waarom ben je hier, Edward? Heeft ze je om hulp gevraagd of zo?'

'Ik vind dat ze het heel goed zelf af kan,' zei hij met een knikje naar mij. 'Wat voor misdaad bereiden jullie nu weer voor?'

'We maken ons gereed voor een feest, een echt feest,' zei Sophia.

'Uiteraard.'

'Jullie zijn allemaal uitgenodigd. Zelfs jij, Delia.'

'We zullen het moeten overslaan,' zei Edward. 'We hebben geen van allen de juiste inentingen.'

'Leuk hoor. Kom,' ging ze verder tegen haar vriendinnen. 'Drie is te veel, en we willen niet in de weg staan. We zijn trouwens toch niet welkom.'

Ze liepen naar de trap.

'Je kent toch de drie heksen uit *Macbeth*?' vroeg Edward.

Ik knikte, glimlachend om de vergelijking.

'Laten we hopen dat ons niet allemaal het lot van Macbeth te wachten staat,' zei Jesse.

Het was een gerechtvaardigde bezorgdheid. Er was geen wolkje aan de lucht te bekennen, maar ik kon het gerommel in de verte al horen.

4

Geruchten

Jesse en Edward gingen weg om Jesses ouders te bezoeken. Ze vertelden me hoe laat ik klaar moest zijn, en ik ging naar boven om te douchen, me aan te kleden en mijn haar te doen. Sophia en haar vriendinnen, waarschijnlijk meer uit nieuwsgierigheid dan iets anders, kwamen op dat moment mijn kamer binnen. Ze zagen de jurk die ik had klaargelegd.

'Die is chic en duur. Mijn moeder heeft hem voor je gekocht bij Dede's Boutique. Is dat niet de jurk die je van plan bent aan te trekken naar Danielles feest?' vroeg ze zodra ik onder de douche vandaan kwam.

Ik had haar laten zien wat ik zou dragen toen zij haar nieuwe jurk had gekocht, en een paar minuten hadden we samen gepraat over mode. Ik had gedacht dat we misschien wat beter met elkaar konden opschieten en zelfs plezier konden hebben op het feest.

'Ja, dat weet je,' antwoordde ik. Ik kon zien dat ze een spelletje opvoerde voor haar beide vriendinnen.

'Waar nemen je twee geliefden je mee naartoe?'

Haar vriendinnen hadden al mijn spulletjes bekeken, mijn kleren doorzocht, zelfs in mijn laden gekeken. Ze stopten ermee toen ik tevoorschijn kwam, maar schaamden zich geen moment.

'Uit eten,' antwoordde ik. 'Ik dacht dat jullie je aan moesten kleden voor jullie feest.'

'We hoeven ons niet op te tutten voor onze feestjes,' zei Trudy.

'Op onze feesten komen geen opschepsters,' voegde Alisha eraan toe.

Ze hadden geen van beiden een uitnodiging gekregen voor Danielles feest.

'Bedoel je dat jullie geen van allen naar het feest gaan?' vroeg ik, terwijl ik plaatsnam achter mijn toilettafel.

Ik zou nooit durven beweren dat ik niet bang voor ze was. Ik wist alleen dat ik mijn angst beter niet kon laten blijken. Als een woedende stier in de arena zouden ze me verpletteren onder hun beledigingen en valse opmerkingen. Soms voelde ik me echt een matador in mijn pogingen hun scherpe horens te ontwijken en met sierlijke zijstappen aan hun aanval te ontsnappen.

'Leuk ben je, hoor,' zei Sophia. 'Denk maar niet dat mijn broer er altijd zal zijn om je te verdedigen, Delia. En dat al je kleine walgelijke geheimen voorgoed achter slot en grendel blijven. Pas maar goed op je woorden.'

Ik borstelde mijn haar en keek haar niet aan.

'Ik vroeg wáár ze met je gaan eten. Ik zou graag een antwoord horen.' Toen ik niet snel genoeg antwoordde, kwam ze op me af. 'Nou? Mijn moeder zal het ook willen weten.'

'Ze hebben gereserveerd bij La Grenouille.'

'O, ja?' Ze draaide zich om naar haar vriendinnen. 'Zien jullie nou hoeveel geld hij voor haar uitgeeft?'

'Wat zou ze ervoor doen, vraag ik me af,' zei Alisha met een wellustig glimlachje.

'Dat zal ze je nooit vertellen,' zei Sophia, waarop ze begonnen te lachen.

Ik draaide me met een ruk naar hen om. 'Verdwijn met je smerige praatjes,' zei ik.

'Je jaagt me de kamer uit in mijn eigen huis?' vroeg Sophia. 'Jij, die vroeger mijn wc schoonmaakte?'

Ik stond op, negeerde haar en ging terug naar mijn badkamer. Even bleef ik achter de gesloten deur staan en probeerde mijn wild kloppende hart tot bedaren te brengen. Ik hoorde ze weer lachen, en toen gingen ze eindelijk weg. Toen ik op adem was gekomen, kwam ik weer uit de badkamer. Een secondelang bleef ik staan, dankbaar dat ze me alleen hadden gelaten.

En toen zag ik mijn jurk.

Hij was uit elkaar gescheurd vanaf de plek waar de ritssluiting begon in de taille tot aan de zoom. Ik hield hem in mijn armen als een kostbaar iets of iemand die was gestorven. Een intense woede maakte zich van me meester. Ik holde mijn kamer uit naar Sophia's kamer, maar de deur was op slot.

'Waarom hebben jullie mijn jurk gescheurd?' krijste ik, bonkend op de deur.

Ik hoorde ze lachen, en toen kwam Sophia naar de deur en deed open, haar beide vriendinnen naast haar. Ze leken op hongerige coyotes rond een puppy.

'Hoe kón je!' gilde ik en hield de jurk omhoog.

'Het was een ongelukje,' zei Sophia. 'Alisha trok hem aan, maar ze vergat hoe mager jij bent, en toen scheurde de jurk. Je bent goed in naaien. Naai hem maar.'

'Aliméntese en su propia bondad y muere de hombre.' Ik spuwde de woorden in haar gezicht.

Even staarden ze me alle drie met open mond aan.

'Wat betekent dat? Wat zei je?'

Ik draaide me om en liep terug naar mijn kamer. Ik schaamde me nu voor mijn eigen woede.

'Delia, kom terug en vertel ons precies wat dat betekent, want anders...'

Ik smeet mijn deur dicht.

'Ik kom er wel achter wat het betekent. Je zult er spijt van hebben als het een vervloeking was.'

Ik ging op een stoel zitten, met mijn gescheurde jurk op schoot, en probeerde mijn woede te doen bedaren. Eindelijk begon mijn hart weer rustiger te kloppen. Ik was niet bang voor haar vertaling van de 'vervloeking' die bij me op was gekomen. Alles wat ik had gezegd was: 'Voed je alleen met je eigen goedheid en verhonger.' Ik had het oma weleens horen zeggen als ze zo kwaad was dat ze het niet langer kon verkroppen. Ik twijfelde er niet aan dat Sophia, als ze zich alleen maar kon voeden met haar goedheid, van honger zou sterven.

Voor ze wegging kwam ze naar de deur van mijn kamer en klopte hard voor ze zei dat ik er spijt van zou hebben.

Spijt? Ik had nu al spijt, dacht ik. Ik voelde me schuldig omdat ik mijn zelfbeheersing had verloren, maar ze hadden mijn mooie jurk verscheurd. Naaien zou niet gaan. Ik gooide hem opzij en sloot mijn ogen. De confrontatie en de woedende uitbarsting hadden me uitgeput, en zonder dat ik het wilde viel ik in slaap. Ik werd wakker toen er op de deur van mijn slaapkamer geklopt werd en ik de stem van Edward hoorde. Ik schrok toen ik besefte dat ik bijna een uur had geslapen. Ik sprong overeind, wreef snel met mijn handen over mijn wangen en deed open.

Edward en Jesse gaapten me aan. De schok was op hun gezicht te lezen. Ik verbeeldde me dat ik eruitzag alsof ik krankzinnig was geworden.

Edward droeg een baret en hield een van tante Isabela's chique hoeden in zijn hand om aan mij te geven.

'Wat is er gebeurd? Waarom ben je nog niet klaar?'

'Sophia en haar vriendinnen,' begon ik en slikte toen de woorden in.

'Wat is er?' vroeg Jesse.

Zonder verdere uitleg liet ik hun mijn jurk zien.

'Dat gemene kleine...'

'Wanneer hebben ze dat gedaan?' vroeg Edward.

'Toen ik in de badkamer was, kwamen ze binnen en zagen mijn jurk op het bed liggen. Het was de jurk die ik volgende week naar het feest zou aantrekken.'

'Voor we morgen vertrekken, gaan we een nieuwe jurk voor je kopen, Delia,' zei Edward. 'En ik zal ook eens een hartig woordje wisselen met onze stenen prinses.'

'Verspil je adem niet,' zei Jesse.

'Ik zal die van haar verspillen,' bezwoer Edward hem. 'Kom, Delia, trek wat anders aan. Laat onze avond niet door haar bederven. We wachten beneden. Hier,' ging hij verder en overhandigde me de hoed. 'Zet deze op. We maken er toch nog een Franse avond van, *d'accord?*'

'*Mais oui,*' zei ik en pakte de hoed aan. Ik zocht een andere jurk uit, waste snel mijn gezicht, deed wat lippenstift op en haalde een borstel door mijn haar.

Toen ik beneden kwam, begon het stel het Franse volkslied te zingen. Het was moeilijk om bedroefd of kwaad te zijn in hun gezelschap. Ik voelde me opgelucht en weer blij. Arm in arm liepen we naar de deur, terwijl señora Rosario kwam kijken waar al die herrie vandaan kwam.

Toen we in het restaurant kwamen, zag ik tot mijn verbazing een van mijn vriendinnen, Katelynn Nickles, met haar ouders. Ik kon zien dat zij nog verbaasder was om mij te zien, vooral met Edward en Jesse. Ik zwaaide naar haar en zij zwaaide terug, terwijl haar ouders naar ons keken.

Maar de grootste schok kwam een uur later, toen Christian Taylor binnenkwam met Zoe Stewart, een meisje van school. Hij bleef stokstijf staan toen hij ons zag, glimlachte toen en liep naar zijn tafel. Tot op dat moment had ik me kostelijk geamuseerd met Edward en Jesse. Ze brachten me voortdurend aan het lachen met hun imitaties van sommige docenten en studenten van de universiteit. Edward en Jesse herkenden Christian ook.

'Op rollende stenen groeit geen mos,' zei Jesse.

Ze lachten, maar ik lachte niet. Ik had hun niet verteld welke geruchten en verhalen Sophia op school over ons had verspreid. Na wat ze vanavond met mijn jurk had gedaan, durfde ik geen zout in de wonde te wrijven. Misschien was ik te naïef en onschuldig. Ondanks alles wat ik had meegemaakt, kon ik me niet voorstellen dat de mensen dergelijke smerige verhalen over Edward, Jesse en mij echt zouden geloven. Maar de eerste hint dat niet alles gladjes zou verlopen, was toen Katelynn met haar ouders opstond en niet alleen niets tegen me zei toen ze naar buiten liep, maar ook vermeed naar me te kijken.

'Hé, je krijgt toch weer geen dip omdat die idioot hier ook is, Delia?' vroeg Edward.

'Dip? Dat woord ken ik niet, Edward. Wat is een dip?'

Jesse lachte. 'Het betekent depressie, droefheid.'

'O, nee, hij interesseert me helemaal niets. Ik wil alleen niet dat er thuis nog meer problemen komen,' zei ik.

'Mijn zus zal blijven sarren als ze niet op haar vingers getikt wordt.

Als iemand leeft naar de regel: geef haar een vinger en ze neemt je hele hand, dan is zij het wel.'

'Ik heb haar vanavond vervloekt,' bekende ik.

'Vervloekt? Hoe?'

'Ik zei dat ze zich moest voeden met haar goedheid en verhongeren.'

Jesse bulderde van het lachen.

'Da's een mooie. Die moet ik onthouden,' zei Edward. 'Zie je, Jess? Ik zei je toch, ik moet weer contact krijgen met mijn latino erfgoed. Een dezer dagen gaan we met z'n allen een reis maken naar Mexico.'

Ik vrolijkte op bij dat idee.

'Echt waar?'

'Echt waar. Ik wil vooral zien waar mijn moeder vandaan kwam. Jij zult onze gids zijn, Delia. Ja toch, Jess?'

'Lijkt me een heel leuke reis,' antwoordde hij.

'Dat zou fantastisch zijn,' zei ik. Het duizelde me bij de gedachte alleen al. Als ik voldoende tijd had om het hem te laten weten, zou Ignacio me zelfs kunnen ontmoeten. De mogelijkheid van zo'n weerzien vervulde me met nieuw optimisme.

'We zullen er serieus over nadenken. Misschien kunnen we het in de voorjaarsvakantie doen,' zei Eward. 'Die valt samen met jouw schoolvakantie.'

'O, dat zou me pas echt gelukkig maken,' zei ik.

'Het is ons streven anderen gelukkig te maken,' zei Jesse, en we lachten en maakten weer gekheid.

Nu en dan keek ik naar Christian en Zoe. Ik dacht dat hij zich aanstelde door heel aanhankelijk te doen. Soms keken ze naar ons en fluisterden en lachten. Edward zag waar mijn aandacht naar uitging en verzekerde me dat ik er juist aan had gedaan Christian een blauwtje te laten lopen.

Ik was erg zenuwachtig toen we naar huis gingen, bang voor wat er zou gebeuren tussen Edward en Sophia. Toen we thuiskwamen verscheen tante Isabela, die blijkbaar net was teruggekomen uit Los Angeles. Sophia was nog niet thuis, wat niemand verbaasde.

'Ik dacht dat jullie pas volgend weekend zouden komen,' zei ze, bijna onmiddellijk nadat we binnen waren.

'Impulsief besluit,' zei Edward, 'en zoals bleek een heel goed idee.'

'Waarom?' Ze keek van hem naar mij en Jesse.

Edward vertelde haar wat Sophia en haar vriendinnen met mijn jurk hadden gedaan.

'Dat meen je niet!' zei ze. 'Die jurk heeft achthonderd dollar gekost!'

'Nou, als je het bijhoudt, kun je het van haar erfenis afrekken,' zei Edward.

'Hoe kom je aan die hoed?' vroeg ze aan mij.

'Die heb ik haar gegeven. Hij paste bij deze avond,' zei Edward.

'Paste bij de avond? Waar zijn jullie geweest?'

Edward vertelde het haar.

'Was dat niet een beetje overdreven, Edward?'

'Het was opvoedkundig,' antwoordde hij glimlachend.

'Hm. Waar is je zus vanavond? Ze vertelde señora Rosario alleen dat ze naar een feest ging. Wat voor feest?' vroeg ze aan mij.

'Ik weet niets van een feest, tante Isabela.'

'Overal waar Sophia naartoe gaat, is het feest,' zei Edward.

'Nou, ik ben niet van plan op haar te wachten. Ik heb al lang geleden besloten dat ik mijn gezondheid niet door dat kind zal laten verwoesten,' zei tante Isabela. 'We spreken haar morgenochtend wel. Ik ga naar bed.'

Ik wilde haar de hoed teruggeven, maar ze trok een gezicht of ik haar beledigde.

'Ik leen mijn kleren niet uit, Delia. Mijn zoon heeft je die hoed gegeven. Hij is nu van jou,' zei ze, en liep weg.

'Mooi,' zei Edward. 'Dan kun je hem volgend weekend naar het feest dragen.'

'Ze vond het niet prettig dat je in haar kast snuffelde,' merkte ik op.

'Delia, kijk jij weleens in de kast van mijn moeder?'

Ik schudde mijn hoofd.

'Er hangt meer in dan in de meeste modezaken. Ze weet niet eens wat ze allemaal bezit, geloof me.'

'Ze wist dat dit haar hoed was,' zei ik. Hij lachte.

'Dat zei ze alleen maar omdat hij jou beter staat.' Jesse was het met hem eens.

We gingen naar onze kamers. Ik gaf ze allebei een nachtzoen en bedankte ze voor een heerlijke avond.

'Jullie zijn echt mijn ridders op het witte paard,' zei ik, met mijn armen om hen beiden heen.

Hun glimlach was identiek. Ik moest erom lachen en daarvoor was ik dankbaar. Ik zou niet rondtollen in een caleidoscoop van emoties, zoals ik had verwacht. Integendeel, verwarmd door hun liefde en bezorgdheid voor mij, nestelde ik me behaaglijk onder de dekens en werd pas wakker toen ik Sophia heel laat 's nachts luid hoorde lachen. Struikelend liep ze door de gang naar haar kamer. Edward kwam zijn kamer uit om haar een standje te geven, maar het was tijdverspilling. Ze was te dronken of te high om zich zelfs maar bewust te zijn van zijn aanwezigheid. Ik hield mijn adem in tot ze naar haar eigen kamer ging en de deur dichtdeed. Toen viel ik weer in slaap, zoals ik zou hebben gedaan als ik wakker was geworden na een nachtmerrie en die uit mijn hoofd had verdreven.

Maar nachtmerries hoefden zich geen zorgen te maken over hun toekomst in dit huis. Er was geen vruchtbaarder grond voor hun welzijn en groei dan bij de familie Dallas. Ze werden bevochtigd door bloedkleurige regen; de bleke maan verving de zon en schonk de duistere dromen het benodigde licht. Casto had me verteld dat de liefde van señor Dallas zijn gezin bijeen had gehouden. Nu was het de verbittering van tante Isabela die hen bond, aan elkaar ketende als gevangenen van hun eigen gekwelde zielen. Wat hen zou bevrijden was onmogelijk te voorspellen.

Sophia stond niet op voor het ontbijt, en ook later belde ze niet om het boven te laten brengen. Jesse, Edward en ik aten alleen, want tante Isabela ontbeet die ochtend in haar eigen kamer, misschien om verdere conflicten te vermijden. Hun belofte getrouw, stonden Edward en Jesse erop dat ik een nieuwe jurk met ze ging kopen, een die nog mooier was.

'En heel beslist nog duurder,' zei Edward.

We gingen regelrecht naar een boetiek in de dure wijk El Paseo in

Palm Desert, vergelijkbaar met Rodeo Drive in Beverly Hills of Worth Avenue in Palm Beach, zoals Edward en Jesse beiden beweerden. Natuurlijk was ik nooit in een van die andere buurten geweest.

Het was een feit dat zowel Jesse als Edward meer verstand had van designermode dan ik. Ze wezen de ene jurk na de andere af als te gewoontjes en kozen ten slotte voor een met kraaltjes bestikte jurk van vijftienhonderd dollar, bijna tweemaal de prijs van de jurk die Sophia en haar vriendinnen hadden vernield. Hij was rood, de schouderbandjes en taille waren met zilveren kraaltjes bestikt, hij had een open rug, een V-vormig gerimpeld decolleté en een wijde rok.

'En schoenen?' vroeg Jesse, en de verkoopster kwam onmiddellijk met een paar schoenen die pasten bij de jurk. Toen we de winkel verlieten, had Edward meer dan tweeduizend dollar uitgegeven. Ik was sprakeloos toen ik bedacht wat dit geld zou betekenen in mijn kleine Mexicaanse dorp.

'Ik wil erbij zijn als Sophia je in die jurk ziet,' verkneukelde Edward zich. 'Je mag hem pas zaterdag laten zien.'

Dat hoefde hij me niet te vertellen. Ik was veel te bang voor een nieuwe aanval van vernielzucht. Zodra we thuiskwamen holde ik naar boven en verstopte alles achter in mijn kast. Sophia was nog niet op en nog steeds in haar kamer. Tante Isabela was woedend en verbood iedereen haar iets te brengen.

'Ik denk dat dit het perfecte moment is om te vertrekken, vind je ook niet, Jesse?' vroeg Edward met een glimlach naar zijn moeder. 'We hebben een zwakke maag.'

'Je bent net je vader, Edward, als je geconfronteerd wordt met onaangename dingen.'

'Misschien omdat er hier zoveel van zijn,' kaatste hij terug. Toen lachte hij, nam afscheid tot het volgende weekend en liep naar de deur.

'Bedoel je dat je volgend weekend ook weer komt?' riep ze hem achterna.

'We schijnen gewoon niet weg te kunnen blijven, moeder; dat logenstraft je opmerking over confrontatie met onaangenaamheden.'

Jesse zei niets. Ik volgde hen naar buiten naar hun auto.

'Bedankt voor alles,' zei ik.

'Hou je taai en trek je niets van hen aan,' adviseerde Edward.

Ze omhelsden me allebei. Het lag op het puntje van mijn tong om ze nu te vertellen over de valse geruchten die de ronde deden, maar ik slikte de woorden in. Waarom zou ik ze nog ongeruster laten vertrekken dan ze nu al waren? Ik bleef staan en keek Edwards auto na tot hij van de oprit afboog, en liep toen terug naar het huis. Er heerste diepe rust, maar ik wist dat die bedrieglijk was. Straks, zodra Sophia was opgestaan, zou er een hoop herrie ontstaan.

Maar Sophia had zo'n enorme kater van wat ze de vorige avond ook had gedaan, dat ze de hele dag in bed bleef. Ten slotte ging tante Isabela tegen etenstijd naar boven om te zien of Sophia van plan was te komen eten. Woedend kwam ze weer beneden. Ik durfde niets te vragen. Tante Isabela bleef schuimbekkend zitten. Tien minuten later verscheen Sophia, die eruitzag of ze net uit haar graf was opgestaan. Haar haar zat in de war, haar ogen waren bloeddoorlopen en ze zag doodsbleek. Zelfs haar lippen waren kleurloos. Ze hield haar hand voor haar ogen en zat gebogen boven haar bord.

'Ik heb geen honger,' kermde ze.

'Je moet wat eten, Sophia. En kom me niet aan met dat verhaal dat iemand iets verkeerds in je frisdrank heeft gedaan, ik ben niet gek.'

'Nou, iemand heeft het gedaan!' schreeuwde ze, en kromp ineen van de pijn die het geschreeuw haar veroorzaakte.

'Weet je waarom je zo'n sufferd bent, Sophia? Dit is niet de eerste keer dat je je zo ellendig voelt na roekeloos gedrag, en als ik een gok mag wagen, zou ik zeggen dat je het steeds opnieuw zult doen.'

'Ik ben misselijk,' zei Sophia. Ze hief haar hoofd langzaam op en keek kwaad naar mij. 'Ik zal je vertellen waarom ik zo'n pijn heb, moeder. Het is haar schuld.'

'Haar schuld?' Tante Isabela glimlachte. 'En hoezo is het dan wel haar schuld, Sophia?'

'Ze heeft een Mexicaanse vloek over me uitgesproken en ze wilde me niet vertellen wat het was. Waarschijnlijk was dit het.'

Tante Isabela bleef glimlachen, maar de humor werd een levenloos masker. Ze keek naar mij.

'Wat voor vloek is dat, Delia? Heeft het iets te maken met die jurk?'

'Sí,' zei ik. 'Ja.'

'Waarom heb je die jurk gescheurd, Sophia? Dat was een heel dure jurk.'

'Het was niet met opzet. Alisha paste hem, en toen scheurde hij.'

'Ze liegt,' zei ik zachtjes.

'Ik lieg niet. Je was er niet bij. Je verstopte je in de badkamer.'

'Zo is het genoeg,' zei tante Isabela. 'We geloven niet in vervloekingen. Dat is primitief. Het is belachelijk dat je zoiets zelfs maar kunt denken. Het is gewoon een poging om de schuld van je af te schuiven.'

'Het is gewoon niet te geloven hoe vaak je tegenwoordig haar partij kiest,' jammerde Sophia. Toen zweeg ze en glimlachte. 'Misschien ben je Mexicaanser dan je mensen wilt laten geloven. Misschien zou ik er eens wat over moeten vertellen.'

Tante Isabela's gezicht leek bijna uiteen te spatten door het bloed dat naar haar wangen en voorhoofd steeg. Haar ogen puilden uit van woede. Zelfs Sophia zag dat ze te ver was gegaan. Ze probeerde te slikken en sloeg snel haar ogen neer.

'Ik ben misselijk!' gilde ze en holde de kamer uit voordat tante Isabela kon reageren.

Er leken minuten voorbij te gaan. Ik bewoog me niet en hield mijn blik strak op mijn bord gericht. Eindelijk sprak ze.

'Wat was dat voor vloek?' vroeg ze.

Ik schudde mijn hoofd.

'Wat heb je gezegd?'

'Ik was erg kwaad, tante Isabela. Het heeft niets te betekenen.'

'Ik weet dat het niets betekent, maar wat was het?'

'Ik zei dat ze zich moest voeden met haar goedheid en verhongeren.'

Tante Isabela zei niets. Ik hief mijn hoofd op en keek haar aan. Ze knikte.

'Mijn vader... zei hetzelfde tegen mij,' zei ze toen.

'Ik was erg kwaad,' herhaalde ik.

'Iemand heeft een vloek uitgesproken over deze familie,' mompelde ze, meer tegen zichzelf dan tegen mij. 'Die achtervolgt ons nu al jaren. Laat maar,' ging ze verder, zich snel weer beheersend. 'Ik wil hier niets meer over horen. Zorg dat de rest van de week rustig verloopt. Ik heb het erg druk.'

Ze stond op en liep naar de deur, maar bleef toen staan en draaide zich naar me om.

'Je had met me mee moeten gaan naar Los Angeles. Misschien was dit allemaal dan niet gebeurd,' zei ze en ging weg.

Misschien had ze gelijk, dacht ik. Misschien was ze aan het veranderen. Misschien was ze moe van al die verbittering in haar hart en hoopte ze zich los te maken van het verleden. Ondanks haar wrede gedrag jegens mij en al het ongeluk dat ze had veroorzaakt of waaraan ze medeschuldig was, voelde ik toch een verlangen haar voor me te winnen, haar terug te brengen in de schoot van haar familie, mij te doen zien als haar nichtje, haar bloed. Was ik zwak en dom dat ik dat wilde, of was het wat mijn moeder zou hebben gewild?

De rest van de dag bracht ik in mijn eentje door. Sophia deed hetzelfde. Ik maakte mijn huiswerk, las wat, maakte een wandeling in de tuin, en sprak in het Spaans met de man die het zwembad kwam schoonmaken. Toen verkleedde ik me voor het eten. Tot mijn verbazing verscheen noch Sophia noch tante Isabela aan tafel. Tante Isabela had een afspraak met iemand en Sophia liet het eten boven brengen. Half en half verwachtte ik dat ze de volgende dag niet zou opstaan om naar school te gaan, maar ze zat aan het ontbijt met hernieuwde energie. Ik dacht er verder niet bij na. Per slot had ze het grootste deel van de dag geslapen.

Maar haar enthousiasme en haar flitsende lachjes hadden een andere oorzaak dan een opleving. Ik had me moeten realiseren dat ze het grootste deel van de dag aan de telefoon had doorgebracht om een complot te smeden met haar twee andere heksen, zoals Edward en Jesse zouden zeggen. Ik liet me niet voor de gek houden door haar al te vriendelijke gedrag tegen mij aan de ontbijttafel en in de limousine. Señor Garman was op tijd terug om ons naar school te brengen.

'Ik hoop dat meneer K ons niet op ons dak valt met een van die maandagochtendrepetities van hem,' zei ze. 'Ik heb geen tijd gehad om te leren. Wat denk jij?'

'Ik denk van wel,' zei ik, en citeerde een paar onderwerpen en antwoorden op vragen die ik verwachtte dat hij zou gaan stellen. Ik deed het niet voor haar. Ik repeteerde het voor mijzelf.

'Je doet het echt beter op school dan ik,' gaf ze toe. 'Ik begrijp niet waarom. Ik dacht dat meisjes te stom werden geacht om het ver te schoppen op een school in Mexico.'

'Wie heeft je dat verteld?'

'Mijn moeder.'

'Het is niet waar.'

'Hoe dan ook, ik maak me er geen zorgen over. Als ik niet naar de universiteit ga, is het mij best.'

'Wat wil je gaan doen?'

'In ieder geval niet hard werken, dat kan ik je verzekeren. Ik zal iets simpels doen in een van onze bedrijven, om de tijd te verdrijven. Misschien. Misschien ook niet. Ik heb alle tijd om te beslissen. O, we zijn er. In Wonderland,' voegde ze eraan toe, met een glimlach naar mij. 'Prettige dag, Alice.'

'Alice?'

'*Alice in Wonderland, stupido*. Ik dacht dat jij degene was die zoveel leest, niet ik.' Ze stapte haastig uit de auto en liep naar de school.

Señor Garman, die ons had gehoord, keek naar me met een sceptische en waarschuwende uitdrukking, toen ik langzaam uitstapte.

'Tel altijd je vingers en tenen na als je bij haar in de buurt bent,' zei hij en reed weg.

Ik keek naar de ingang van het gebouw. Sophia was al binnen met haar vriendinnen. Er was beslist iets niet in de haak, dacht ik, maar ik liep naar de deur, langzaam, als iemand die verwacht in de val te lopen.

5

Een wild stromende rivier

Toen ik klein was, niet ouder dan zes, woonde er een heel oude vrouw in ons dorp, señora Baca. Mijn moeder vertelde me dat ze honderdvijf jaar oud was en al haar kinderen had overleefd. Haar kleinkinderen zorgden nu voor haar. Vanwege haar leeftijd werd ze geëerbiedigd en vereerd. Iedereen wilde door haar gezegend worden en niemand liep langs haar zonder even te blijven staan en te vragen hoe het met haar ging en, nog belangrijker, wat voor weer het zou worden.

Men geloofde dat haar oude botten het weer beter konden voorspellen dan alle weermannen van de radio of de televisie. Ze legde haar rechterhand onder haar linkerelleboog, sloot haar ogen en voorspelde regen, wolken en zon, warmte en kou. Het verhaal ging dat ze veel vaker gelijk had dan ongelijk.

Maar deze kracht om wind en wolken te voorspellen kon ook worden gebruikt voor het voorspellen van iemands toekomst. Dat was geheimzinniger en ging sneller in zijn werk. Als ze je recht aankeek, reageerde haar gezicht onmiddellijk met een glimlach of een droeve blik. Wee degene die droefheid zag in haar gezicht. Die wachtte elke dag tot er een ramp zou gebeuren, en als dat gebeurde, versterkte het de legende van señora Baca. Er werd gezegd dat ze uur en minuut van haar eigen dood had voorspeld en domweg tegen de kleinkinderen had gezegd dat haar tijd gekomen was.

Mijn grootmoeder, die zich señora Baca nog goed herinnerde, vertelde me dat oud worden, langer leven, gewoon betekende dat je langer naast de Dood wandelde. Hij was er altijd, geduldig wachtend, soms een beetje geërgerd, vooral over señora Baca, omdat hij zo lang met haar mee moest lopen en zich meer dienaar dan meester begon te voelen. Speciaal señora Baca plaagde en kwelde hem met haar hoge ouderdom.

Ik herinner me het incident niet zo goed, maar mijn moeder vertelde me dat señora Baca op een dag haar hand op mijn hoofd legde en voorspelde dat mijn leven zou zijn als een rivier, soms laag, soms hoog, maar nooit ontmoedigd door enige bocht of kronkel. Zoals het water zijn weg vindt, zou mijn leven dat ook doen.

Natuurlijk duurde het jaren voordat ik begreep wat dat betekende, en zelfs nu nog was ik er niet helemaal zeker van, maar het maakte mijn moeder duidelijk gelukkig. Ze bedankte señora Baca en vanaf die dag mocht ik nooit langs haar lopen zonder haar te groeten. Al was haar gezicht mager en gerimpeld als een oude perzik, haar ogen weigerden oud te worden. Ik was negen toen ze stierf. Het was een grootse begrafenis, want ze hoorde net zoveel bij het dorp als bij haar eigen familie, en er ging geen *Día de los Muertos*, geen Allerzielen, voorbij, dat niet iedereen haar herdacht.

Ik dacht aan haar toen ik die ochtend de school betrad, en wenste dat ze binnen bij de ingang zou zitten, zodat ik haar kon groeten en haar vragen wat voor weer het zou worden voor mij, waarheen mijn rivier zou stromen. Ik probeerde haar op te roepen en me vast te houden aan het visioen van haar kleine, tengere gestalte in die grote stoel die uit een truck was gesloopt, met de open paraplu boven haar hoofd en haar kan met komkommerwater en een glas naast haar.

Er werd gezegd dat ze honderdacht was toen ze stierf, en dat de Dood zo moe was van het wachten dat hij haar maar al te graag op de schouders nam en voor ezel speelde.

Die mooie herinneringen aan mijn dorp gaven me de kracht mijn angst te overwinnen. Ik wist zeker dat iedereen die me binnen zag komen verward zou raken door mijn glimlach, mijn krachtige houding en tred. Maar vrijwel onmiddellijk voelde ik de spanning. Blijkbaar had de telefoon bij de andere leerlingen thuis het hele weekend gerinkeld. Sophia's walgelijke beschuldigingen hadden vaste voet gekregen in het hoofd en de gesprekken, niet alleen van haar vriendinnen maar ook in die van mij, denkend aan Katelynn en wat ze in het restaurant had gezien.

Het was nu iedereen duidelijk dat ik een date met het idool van de school, Christian Taylor, had afgeslagen om uit te gaan met mijn homoneef Edward en zijn vriend Jesse. Er was blijkbaar iets heel onbetamelijks en ongezonds aan de gang. Wat zou het anders kunnen zijn? Waarom zou ik anders een date met Christian Taylor weigeren? Nu was de waarheid bekend.

Ik zag hoe er achter mijn rug gefluisterd werd, merkte de aarzeling in de begroeting van de andere leerlingen, en voelde de kilte tussen mij en de meisjes die vriendschap met me hadden gesloten. Misschien om te vermijden in de lunchpauze met mij aan tafel te zitten, hadden mijn drie beste vriendinnen zich verspreid en zaten nu bij andere leerlingen. Voor het eerst sinds ik mijn intrede had gedaan in deze school zat ik alleen aan een tafel.

Ik zag dat Christian nu bondgenoten had gevonden in Sophia en haar beide vriendinnen. Ze zaten bij elkaar, pratend en luid lachend om mij te sarren. Ik probeerde zo onverschillig mogelijk te kijken. Maar innerlijk voelde ik me ellendig. Ik probeerde te lezen, maar mijn ogen bleven afdwalen en ik betrapte me erop dat ik herhaaldelijk dezelfde alinea las.

En toen, misschien om te bewijzen dat ze kon doen wat ze wilde of misschien om de eerste te zijn die alles wist, verscheen Fani plotseling aan mijn tafel. Meestal at ze wat yoghurt en fruit voor de lunch en haalde dat uit haar linnen tas nadat ze was gaan zitten. Ik staarde haar aan en sloeg mijn boek dicht.

'Ik heb je gewaarschuwd wat je neef Edward betreft en wat de mensen ervan zouden kunnen maken,' begon ze.

'Ik ben niet van plan mijn neef Edward te beledigen en onheus tegen hem te zijn omdat mijn nichtje Sophia jaloers op me is,' zei ik. 'Edward en zijn vriend Jesse maken zich bezorgd over me. Het zijn mijn beste vrienden. Als de anderen Sophia's leugens geloven, dan doen ze dat omdat ze graag lelijke dingen geloven over... over Mexicanen,' zei ik. Ik voelde de brandende blik in mijn ogen en kon zien dat mijn uitval haar verraste.

Ze stak haar lepel in de yoghurt en zat even rustig te eten.

'Sophia ontkent niet dat ze half Mexicaans is als ze met mij praat.'

'Omdat ze wil dat jij haar aardig vindt, haar op je feesten uitnodigt, wat dan ook. Ze zal alles tegen je zeggen waarvan ze denkt dat je er blij mee zult zijn, maar ze behandelt de Mexicaanse bedienden en arbeiders als vuil.'

Fani at door en stopte toen om me aan te kijken. 'Nou, het kan je blijkbaar niet schelen wat ze over je zegt.'

'Ik verdom het om me door haar te laten koeioneren. Mijn vader zei altijd tegen me: "*Si usted actúa como una oveja, ellos actuarán como lobos.*" Als je je gedraagt als een schaap, zullen zij zich gedragen als wolven. Dat geldt hier net zo goed als in Mexico.'

Ze ging verder met eten en knikte. Ze keek me niet aan toen ze zei: 'Mijn ouders geven vrijdagavond een diner voor een van de kandidaten voor het senatorschap, Ray Bovio. Zijn zoon, Adan, komt ook. Ik zal om halfzeven een auto sturen.'

'Nodig je mij uit?'

Ze keek de tafel langs. 'Zit er nog iemand anders hier? Halfzeven,' herhaalde ze. Ze gooide het lege yoghurtbakje in de tas en stond op toen de bel ging. 'Het is officieel, dus kleed je daarnaar,' voegde ze eraan toe. Ze keek naar Sophia en haar vriendinnen en glimlachte toen naar mij voor ze wegliep.

Ik bleef verbluft achter.

Ik ben echt als een rivier, dacht ik, meanderend door plaatsen waar ik nog nooit geweest was.

Het feit dat Fani bij me aan tafel was komen zitten, veroorzaakte nog meer gefluister. Aan het eind van de dag had het nieuws dat ik op een diner bij haar thuis was uitgenodigd, zich in een sneltreinvaart verspreid, wat Sophia een flinke schok had gegeven. Blijkbaar had Fani het met opzet verteld aan de meisjes van wie ze wist dat ze het onmiddellijk zouden doorvertellen. Vol ongeloof kwam Sophia vóór het eind van de laatste les naar me toe om te vragen of het echt waar was.

'Fani heeft je voor een diner bij haar thuis gevraagd?'

'*Por supuesto.*'

'Wat?'

'O, sorry. Ik dacht dat je het zou begrijpen omdat je Spaanse les hebt. Het betekent natuurlijk,' zei ik en ging zitten.

Toen de school uitging, zei ze dat ze niet met me naar huis ging.

'Als Garman iets vraagt, zeg dan maar dat ik met een van mijn vriendinnen naar huis ga.'

'*Por supuesto*,' zei ik. Ze meesmuilde.

'Ik heb alleen maar Spaans gekozen omdat we verplicht zijn een taal te leren. Ik ben niet van plan het ooit te spreken, dus hoef ik niet met je te oefenen.'

Voor ik kon antwoorden, liep ze weg. Toen ik aan het eind van de schooldag alleen naar buiten kwam, bleek señor Garman zich er nauwelijks om te bekommeren waar ze was. Hij vroeg alleen of hij op haar moest wachten en ik zei nee, ze was met een vriendin naar huis. Zodra ik thuis in mijn kamer was, belde ik Edward om hem te vertellen over de uitnodiging voor een diner, een diner voor een kandidaat-senator.

'Geweldig, Delia. Ik ben erg blij voor je. Dan wachten we tot zaterdag voor we komen. Ik vind het verkeer op vrijdagavond trouwens toch een verschrikking. Maak notities. We willen er alles over horen. O, weet Sophia het al?'

'Ja.'

'Ze heeft beslist een zenuwinzinking. Laat me weten naar welke psychiatrische inrichting ze gaat. Misschien zou ik naar je toe moeten komen om nóg een nieuwe jurk te kopen.'

'Nee, nee, ik heb jurken genoeg,' zei ik lachend.

'Eigenlijk ben ik nieuwsgieriger naar de reactie van moeder op het nieuws,' zei Edward.

Dat was ik ook. Ik was zelfs zó nieuwsgierig dat ik zodra ze thuiskwam wachtte op een kans om het haar te vertellen.

'Wat is er nu weer?' vroeg ze, opkijkend van haar bureau.

'Ik kom even vertellen dat ik dit weekend twee avonden uitga.'

'Dat weet ik. Mijn zoon en zijn maatje komen.'

'Nee. Ik ben uitgenodigd voor een diner dat Estefani Cordova's ouders geven voor een kandidaat voor de Amerikaanse senaat. Hij heet Bovio. Vrijdagavond.'

Ze staarde me aan. 'Wie heeft je uitgenodigd?'

'Estefani. We noemen haar Fani.'

'Zo,' zei ze, achteroverleunend. Ze was duidelijk onder de indruk. 'Ik denk dat we je onderschat hebben, Delia. In dit geval ben ik blij dat ik me vergist heb. Ik heb je de etiquette bijgebracht, dus ik neem aan dat je me niet voor schut zult zetten. Maar ik wil graag zien wat je van plan bent aan te trekken.'

'Prima,' zei ik. '*Gracias.*'

Ik liep snel weg, heimelijk glimlachend. Ik kon bijna horen hoe oma Anabela me waarschuwde. 'Je geniet hier te veel van, Delia.'

'Nog even, oma,' fluisterde ik. 'Nog heel even.'

Hoewel Sophia zich de rest van de week op de achtergrond leek te houden en me zoveel mogelijk vermeed, zelfs als we thuis waren, geloofde ik geen seconde dat ze zich hoe dan ook uit de strijd had teruggetrokken. Voorlopig waren haar pogingen mislukt om me kwaad te doen met geruchten en beschuldigingen. Langzamerhand kwamen mijn vriendinnen bij me terug. Als ik ze tenminste vriendinnen kon noemen. Echte vriendinnen zouden me het voorrecht van de twijfel hebben gegeven, dacht ik, maar ik had ook geleerd een masker te dragen, dus lachte ik en accepteerde hun vriendschap weer.

Fani was vriendelijk op school, maar deed weinig moeite om mijn gezelschap te zoeken. Ik dacht dat ze zich op een afstand hield en genoot van de manier waarop de andere meisjes zich tegen me gedroegen, sommigen nog aarzelend, anderen, nieuwsgieriger dan ooit, heel enthousiast. Ik ving Fani's vage glimlachje op toen meisjes die ik zelden sprak, tegen me begonnen te praten, terwijl Sophia kokend van woede en binnensmonds mompelend toekeek.

Vrijdagochtend herinnerde Fani me eraan dat ik om halfzeven klaar moest staan. Tante Isabela had aangeboden me door señor Garman te laten brengen, maar toen ze hoorde dat de Cordova's hun auto en chauffeur zouden sturen, vond ze dat veel indrukwekkender. Hoewel ze zelf een afspraak had, nam ze de tijd om naar mijn kamer te komen en mijn kleding, haar en zelfs mijn make-up te controleren. Haar excuus voor die ongebruikelijke aandacht was: 'Ik wil niet dat de Cordova's denken dat ik geen belangstelling heb voor je uiterlijk. Per slot vertegenwoordig je mij als je in deze stad ergens heen gaat.'

Ze sprak alsof ik een soort ambassadeur was. Ik vroeg me af hoe ze uitleg gaf over Sophia, met haar ringen in haar neus en navel, haar slordige verschijning, gescheurde jeans en vaak belachelijk overdreven make-up, vooral haar zwartgeschminkte ogen. Maar ik gaf geen krimp, zei geen onvertogen woord, en bedankte haar voor haar suggesties en haar aanbod van een paar diamanten oorbellen en bijpassende ketting en armband, die het geheel nog verfraaiden volgens haar. Ze pakte zelfs een haarborstel om een paar losse lokken weg te werken.

De deur van Sophia's kamer bleef gesloten, maar natuurlijk hoorde ze hoeveel aandacht haar moeder me schonk. Ik besefte maar al te goed dat dit niets zou veranderen. Integendeel, het zou Sophia's wrok nog verhevigen. Maar ik was niet van plan om nog langer gefrustreerd te raken door de vergeefse hoop dat ze zich op miraculeuze wijze zou bekeren. Ze had elke vredestak die ik haar had aangereikt doormidden gebroken en dat zou ze ongetwijfeld blijven doen.

Om halfzeven stond tante Isabela samen met mij bij de deur te wachten. De Cordova's hadden een nieuwer model Rolls-Royce. Toen de auto kwam aanrijden, gaf ze me een klopje op mijn schouder en zei: 'Amuseer je, maar vergeet nooit wie je bent.' Ik wist dat ze bedoelde 'wie ik ben'.

Ik bedankte haar en liep haastig naar de auto. De chauffeur stond te wachten en hield het portier voor me open. Toen ik achteromkeek naar het huis meende ik zo goed als zeker te zien dat Sophia door een raam gluurde. Was ik zo opgewonden en blij met die uitnodiging of omdat mijn nichtje zich er zo aan ergerde? Op dit moment deed het antwoord er niet toe. Ik was oprecht nieuwsgierig naar de Cordova's en Fani, vooral na wat Edward me over hen had verteld. Het was moeilijk te geloven dat iemand rijker was dan tante Isabela of dat er een mooier landgoed of *hacienda* bestond, maar ik stond op het punt het met eigen ogen te zien. Vreemd genoeg zou het de eenvoud en armoede waaruit ik voortkwam nog meer op een droom doen lijken.

Ik voelde me echt een soort assepoester, en hoopte dat het gouden rijtuig niet in een pompoen zou veranderen en ik zou gaan twijfelen aan mijn eigen verstand.

Het was een lange rit naar het landgoed van de Cordova's en toen we bij de ingang kwamen, en het glimmende koperen hek, dat minstens twee keer zo groot was als dat van tante Isabela, openging, verbeeldde ik me dat de hemelpoort geopend werd. De oprijlaan leek eindeloos, slingerde omhoog langs een heuvel en eromheen. De *hacienda*, die verlicht werd met lampen in de vorm van gigantische kaarsen op de muren en een groot binnenplein had, leek werkelijk op een paleis.

Alleen al om uit dat huis over die eindeloze oprijlaan naar de uitgang te rijden, zou Fani zeker twintig minuten eerder moeten opstaan dan Sophia en ik.

Ik zag veel meer auto's geparkeerd staan voor het huis dan ik had verwacht; sommige chauffeurs zaten bijelkaar om de tijd te verdrijven. Zodra ik uit de limousine stapte, hoorde ik de muziek van de mariachi's. Toen ik door de boogvormige deur naar binnen liep, kwam ik op een enorm binnenplein met stenen banken, een reusachtige fontein en een grastapijt als vloer. Ik zag dat het geen kleine familiebijeenkomst was. Er waren minstens veertig gasten, allemaal in avondkleding, de mannen in smoking en de vrouwen in prachtige jurken en met juwelen. Tante Isabela had de spijker op zijn kop geslagen toen ze me haar diamanten aanbood.

Kelners en serveersters liepen rond met champagne en hors d'oeuvres, en mariachi's speelden en zongen. Ik herkende onmiddellijk de vader van een meisje uit mijn Engels-Spaanse klas van de openbare school. Ze heette Amata, maar we noemden haar Mata. Toen hij me zag, knikte hij even, met een duidelijk verbaasde blik in zijn ogen. Even bleef ik om me heen staren, niet goed wetend wat ik moest doen. Toen liet Fani een clubje vrouwen in de steek en kwam naar me toe.

'Je ziet er goed uit,' zei ze. 'Dat wist ik ook wel.'

'*Gracias*. Wat is het hier mooi!'

'Kom, drink wat lekkers, een mimosa. Weet je wat dat is?'

Ik schudde ontkennend mijn hoofd.

'Champagne met sinaasappelsap. Wees maar niet bang, ik zal je niet dronken voeren. Dit is niet een van de feesten van dat nichtje van je,' voegde ze eraan toe, en ik moest even glimlachen.

'Daar ben ik blij om.'

Ze lachte, gaf me een glas mimosa, pakte mijn hand en begon me aan mensen voor te stellen. Ze noemde me gewoon een vriendin van school. Ik ontmoette bankdirecteuren, burgemeesters en raadsleden, schatrijke zakenlieden, grondbezitters en eigenaren van grote winkelketens, voor ze me aan haar ouders voorstelde. Haar vader was een lange, slanke, elegante man met een kortgeknipt baardje. Van hem had Fani haar schitterende zwarte ogen geërfd, maar het was haar moeder, een opvallend mooie vrouw met lichtbruin haar en verfijnde gelaatstrekken, aan wie Fani haar aristocratische houding en exotische schoonheid te danken had, waardoor ze zich altijd zou onderscheiden, waar ze ook was en hoe ze zich ook kleedde.

Ten slotte werd ik voorgesteld aan señor Bovio, de kandidaat, en zijn zoon Adan, een jongeman van ongeveer Edwards leeftijd. Ik had maar drie slokjes mimosa gedronken, maar toen Adan naar mij keek en ik naar hem, voelde ik me duizelig worden. Zijn vader leek op en top de senator, krachtig, intelligent, geestig en charmant, maar Adan was een van de knapste jongens die ik ooit had gezien. In tegenstelling echter tot Christian Taylor straalde hij geen enkele arrogantie uit. Misschien omdat hij in de schaduw stond van zijn vader, gedroeg hij zich kalm, beleefd en zelfs een beetje verlegen.

Als een groepje meisjes van mijn leeftijd een beeld zou moeten oproepen van een rockster of een filmster, zouden we een duplicaat van Adan Bovio krijgen, dacht ik. Hij had heel sexy donkergroene ogen, die schitterden als fraaie jade in het licht van een van de nabije elektrische toortsen. Zijn gezicht had niet de perfectie van een mannelijk model zoals Christian Taylor, maar misschien door de kleine onvolkomenheden, was hij mannelijker, sterker. Hij was minstens een meter vijfentachtig, met krachtige schouders onder zijn gedistingeerde smokingjasje. Zijn huidskleur was net donker genoeg om permanent zongebruind te lijken.

Later hoorde ik dat zijn moeder een Italiaanse filmster was geweest, die vier jaar geleden bij een auto-ongeluk even buiten Amalfi in Italië om het leven was gekomen. Ze had op locatie gefilmd. Fani vertelde me dat de roddelbladen het hadden doen voorkomen dat ze een relatie had met de regisseur, die bij het ongeluk ernstig gewond was geraakt maar het had overleefd.

Adan was enig kind en werkte nu met zijn vader in hun oliemaatschappij die in de hele staat klanten had.

'Zo, dus jij bent de beroemde latina assepoester,' zei hij toen ze ons aan elkaar voorstelden. Hij hield mijn hand vast terwijl hij tegen me sprak.

Ik keek naar Fani. Ik had nooit iemand verteld dat ik me soms net assepoester voelde, maar zij was kennelijk ook op dat idee gekomen.

'Ja, zo voel ik me soms,' zei ik glimlachend. 'Vooral nu.'

Hij staarde me aan en hield nog steeds mijn hand vast. 'Fani heeft me verteld dat je als een komeet door de school gaat, Engels hebt geleerd en op de erelijst bent geplaatst.'

Voor ik kon antwoorden, voegde hij er fluisterend aan toe: 'Ondanks het feit dat je met een vals nichtje in één huis woont.'

'Ik heb wel wat hulp gehad,' zei ik.

'Ik ben alleen in de meest elegante plaatsen in Mexico geweest, resorts in Acapulco, Ixtapa, Puerto Vallarta, maar ik heb wel iets gezien van de armoede en de ontberingen. Ik begrijp waarom Fani je ziet als een assepoester. Je moet me eens vertellen over je leven in Mexico. Mijn vader,' ging hij verder, zijn ogen op hem richtend, 'zegt altijd dat ik mijn erfgoed moet waarderen, vooral nu, nu we proberen de stemmen te winnen van de latino's,' vervolgde hij met enige stemverheffing.

Zijn vader keek even in onze richting, maar wendde toen snel zijn blik af en zette zijn gesprek voort met een paar financiële begunstigers van zijn politieke campagne.

'Kom,' zei Fani. 'We hebben nog ongeveer twintig minuten voor we gaan eten. Ik zal je het landgoed laten zien.'

'Ben ik ook uitgenodigd?' vroeg Adan.

'Natuurlijk,' zei ze met een knipoog naar mij. 'Een lijfwacht is altijd welkom.'

We liepen door de grote hal van de *hacienda*, die een koepelvormig dak had dat me deed denken aan een grote kerk. We gingen door een zijdeur weer naar buiten en liepen naar een plek waar zes golfkarretjes stonden.

'Gaan jullie achterin zitten,' zei Fani. 'Ik rij.'

Adan hielp me instappen en ging naast me zitten. Fani reed over een pad naar de golfbaan, toen rond een tuin en een kleine vijver naar de tennisbanen en het zwembad, maar het meest verbluffende vond ik de helikopter op een heliplatform.

'Die heeft mijn vader een jaar geleden gekocht. Hij kan er niet tegen om in een file te staan.'

'Vliegt hij zelf?' vroeg ik.

'Nee. Daar hebben we een piloot voor, en voor ons vliegtuig.'

'Vliegtuig? Waar is het vliegtuig?' vroeg ik, om me heen kijkend.

Adan en zij begonnen te lachen.

'Die moet op de luchthaven blijven, malle. We hebben veel land, maar niet voldoende voor een vliegtuig, en bovendien kunnen we hier geen vliegveld aanleggen, in verband met wetten over ruimtelijke ordening of zoiets.'

Ik was sprakeloos. Kwam er dan geen eind aan de rijkdom van deze mensen? Geen wonder dat ze op wolken leek te lopen. Zoveel geld bezitten en bovendien nog zo mooi zijn – ik vroeg me af wat voor geweldige dingen haar voorouders voor hen hadden gedaan om zoveel fortuin te erven. Of was het te danken aan een gelukkig toeval?

'Adans vader heeft ook een vliegtuig,' vertelde Fani.

'Ja, maar het vliegtuig van jouw vader is groter dan dat van mijn vader,' zei hij.

'Jullie hebben een jacht. Wij niet. Mijn vader heeft geen belangstelling voor een jacht.'

'Jullie hebben je eigen golfbaan en je eigen tennisbaan.'

'Jullie zwembad is groter dan dat van ons.'

'Jouw vader heeft paarden, wij niet. Mijn moeder wilde geen paarden op het landgoed.'

'Wil je het nu over huizen hebben?' daagde Adan haar uit.

Fani lachte.

Ik had het gevoel dat ik naar een pingpongwedstrijd keek die gespeeld werd met een bal van goud. Zo lang was het nog niet geleden dat ik er trots op was dat we twee slaapkamers hadden in ons kleine huisje en een oude zwart-wittelevisie, die het deed als de elektriciteit werkte.

'Je moet bij mij thuis komen om te kunnen vergelijken,' zei Adan. 'Fani doet altijd net of ze bescheiden is, maar ze beschouwt ons als de arme tak van de familie.'

'Familie?'

'Mijn vader is de achterneef van Fani's vader.'

'Achterachterneef. Maar we gaan niet tellen,' zei Fani.

'O, ik wist niet dat jullie familie waren,' zei ik.

'Zie je wel!' riep Adan uit. 'Dat heeft ze je niet verteld. Ze schaamt zich voor ons.'

Fani begon te lachen en maakte een scherpe bocht met het golfkarretje. Ik viel tegen Adan aan, en hij hield even zijn arm om me heen.

'Ze is erg roekeloos,' zei hij.

Ik wilde weer rechtop gaan zitten.

'Het is goed,' zei hij. 'Ik vind het niet erg.'

Ik lachte, maar kwam overeind en hield me vast aan de zijkant tot we weer terug waren op het parkeerterrein.

'Bedankt voor de rondrit,' zei ik.

'Ja, dank je,' zei Adan. 'Dat was goed voor mijn eetlust.'

We gingen weer naar binnen en volgden de gasten naar de reusachtige eetkamer. Ik had alleen in boeken gelezen over tafels waaraan echt veertig personen konden zitten, maar deze met de hand bewerkte kersenhouten tafel was gedekt met verguld servies, fonkelend zilveren bestek en kristallen bokalen voor de wijn en voor water. Er stonden meer dan twaalf kelners en serveersters klaar om op te dienen en de wijn in te schenken.

Fani bracht ons naar onze plaatsen. Adan zat tussen ons in, wat betekende dat zijn vader links van me zat. Hij stelde zich onmiddellijk weer aan me voor en begon me uit te vragen over mijn leven in Mexico.

'Mijn familie komt uit Sonora. Ze bezaten veel land even buiten Hermosillo. Adan is daar een paar keer geweest,' zei hij met een blik op Adan.

'Ja, dat klopt,' zei Adan, kennelijk niet erg gelukkig met die bezoeken.

'Misschien kun jij hem helpen zijn erfgoed wat meer te waarderen. Beter dan het mij is gelukt,' zei zijn vader.

'Misschien wel, papa. Ik denk dat ik wat meer aandacht zou besteden aan haar, dan ik aan jou heb gedaan,' schertste Adan. Zijn vader lachte.

'Pas maar op voor hem. Hij is zo dodelijk als een schorpioen als het om jonge vrouwen gaat. Hij doet net alsof hij ongevaarlijk is.'

'Hé, dat is niet eerlijk. Als je haar waarschuwt, ben ik in het nadeel,' zei Adan.

'Ik betwijfel of je ooit in het nadeel bent,' zei ik, misschien iets te snel, mogelijk omdat ik mijn mimosa op had en van de wijn begon te drinken. Ik voelde de warmte naar mijn wangen stijgen.

Zijn vader lachte en er verscheen een glimlachje om Adans lippen. Ik keek naar Fani, maar zij was in gesprek met een man rechts van haar. Adan richtte al zijn aandacht op mij. Hij vertelde me meer over zichzelf, het werk dat hij deed met zijn vader, en iets over de reizen die hij had gemaakt.

'Als mijn vader gekozen wordt en de zetel in de senaat krijgt, zal ik harder moeten werken,' zei hij, 'dus word ik heen en weer geslingerd tussen de hoop dat hij wint en de hoop dat hij niet wint.'

'Dat is egoïstisch,' zei ik.

Hij haalde zijn schouders op. 'Hij weet het. We hebben geen geheimen voor elkaar. Ik neem aan dat ik trots zal zijn als hij wint. Niet dat ik nu níét trots op hem ben. Hij is altijd een succesvol man geweest.'

'Dan is hij een goed voorbeeld voor je.'

'Ik weet het. Maar vertel me nu eens iets over jezelf, en speciaal over die oorlog tussen jou en je nichtje.'

'Het is niet echt een oorlog,' zei ik lachend.

'O, ik ken de vrouwen. Het ís oorlog.'

'Het duurt te lang om het uit te leggen,' zei ik, in de hoop van onderwerp te veranderen.

'Mooi. Ik kom je morgenavond halen, dan gaan we tijdens het eten verder met het verhaal.'

Fani luisterde nu naar ons, met een flauw glimlachje.

'O, dan kan ik niet. We gaan morgenavond naar een groot feest,' zei ik.

'Dat is oké,' zei Fani. 'Adan gaat gewoon met ons mee. Ja toch, Adan?'

'Als ik ben uitgenodigd,' zei hij.

'Natuurlijk ben je uitgenodigd,' antwoordde Fani.

Hoe kon ze iemand uitnodigen voor het feest van iemand anders? Zou hij het niet raar vinden om op die manier voor een feest te worden gevraagd?

'Nou zie je,' zei hij in plaats daarvan, 'hoe gemakkelijk het is als Fani zich over je ontfermt. Als iemand kan garanderen dat je niet een "onenight-assepoes" bent, is het Fani.'

'Ze heeft mijn hulp niet nodig, Adan. Ze is heel goed in staat voor zichzelf te zorgen, zelfs met jou.'

Hij lachte en zei: 'O, ja, ga je gang maar, span maar tegen me samen. Twee tegen één.'

'*Nosotros solo tratamos de hacer una lucha justa.*' Ja toch, Delia?'

'*Sí, absolutamente,*' zei ik.

'Hé, dat is niet eerlijk. Je weet dat ik niet zo goed Spaans ken,' zei Adan.

'Dat is je eigen schuld. Je vader heeft geprobeerd het je te laten leren.'

'Nou, wat heeft ze gezegd?' vroeg hij aan mij.

'Ze zei dat we alleen maar proberen er een eerlijke strijd van te maken.'

'Ha-ha. Hebben jullie nooit het gezegde gehoord: In oorlog en liefde is alles geoorloofd.'

'Dat hebben we heus wel gehoord, Adan. We weten er alles van,' zei Fani. 'En we zijn van plan ernaar te handelen.'

'Ik zit in de problemen,' zei Adan, terwijl hij nog wat wijn dronk. 'Maar ik heb zo'n idee dat ik dat prettig zal vinden.'

We lachten alle drie zo luid, dat sommige gesprekken stokten en een paar gasten ons geamuseerd aankeken. Ik wist niet of het de mimosa of de wijn was of wat dan ook, maar ik voelde me gelukkiger dan ik had gedaan sinds ik mijn oma in Mexico had achtergelaten.

Misschien, heel misschien, kon ik ook eindigen in een paleis en een eeuwigdurend assepoestersprookje beleven.

Was dat te veel gevraagd? Begon ik te trots en te verwaand te worden?

Sloeg het *ojo malvado*, het boze oog, me gade en wachtte het ergens in deze prachtige kamer?

Gesterkt door de moed die ik kreeg door mijn nieuwe rijke en machtige vrienden, keek ik om me heen en daagde het uit zich te vertonen.

Ik was niet het arme, onschuldige kleine meisje met een hart dat jaren geleden was gebroken toen ze weggevoerd werd van de enige familie en wereld die ze gekend had.

Ik was Delia Yebarra, dacht ik, en ik was nu een wild stromende rivier. Señora Baca had gelijk.

Yo no voy a ser derrotada.

Ik zou me niet laten verslaan.

6

Adan

Voor het dessert werd opgediend, werd señor Bovio geïntroduceerd. Hij hield een toespraak over zijn kandidatuur, over de reden waarom hij zich kandidaat had gesteld, en hoezeer hij de steun op prijs stelde die hij ontving van de hier aanwezigen en de mensen uit de gemeenschap. Hij beloofde zijn volle inzet, en stelde toen Adan voor, die opstond om te applaudisseren.

'Mijn zoon en ik zijn partners in zaken en partners in het leven, in alles wat een van ons beiden doet,' zei señor Bovio, en keek daarbij zo trots naar Adan dat de tranen in mijn ogen sprongen. 'Hij zal op mijn rug letten als ik vooruit loop.'

Iedereen klapte nog harder. Adan en zijn vader omhelsden elkaar, en toen stond Fani's vader op en zegde zijn steun toe aan Bovio's campagne met een bijdrage van een kwart miljoen dollar. Ik geloof dat mijn mond openviel. Ik had geen idee hoe rijk deze mensen waren. Met die donatie kon hij mijn hele dorp opkopen en nog meer, dacht ik.

Ik keek om me heen naar al die mensen, de mannen in hun fraaie smokings en de vrouwen beladen met diamanten en goud. En kijk dan eens naar mij, dacht ik. Hoe was ik in vredesnaam hier terechtgekomen? En waar ga ik nu naartoe?

De kelners en serveersters dienden het dessert op, een omelet sibérien. Onmiddellijk daarna werd Bovio benaderd door gasten die hem een envelop met een cheque overhandigden of hem een bepaald bedrag in het vooruitzicht stelden. Ook Adan werd omringd door mensen die hem en zijn vader succes wensten.

'Kom,' zei Fani. 'We hoeven hier niet langer te blijven.' Ze liep met me de kamer uit naar haar eigen kamer in wat ze noemde het oostelijke deel van de *hacienda*.

Even dacht ik dat ik me in een of ander sprookjeskasteel bevond. Fani's slaapkamer was minstens twee keer zo groot als die van tante Isabela. Ik kon me er geen voorstelling van maken hoe groot de kamer van haar ouders zou zijn. Ze lachte toen ze mijn gezicht zag.

'Ik heb nog nooit zo'n kamer gezien, zelfs niet in een film.'

'Het is niet mijn schuld,' zei ze. 'Mijn vader denkt dat ik een prinses ben. En zeg niet dat ik me ook zo gedraag,' ging ze verder voor ik iets kon zeggen.

'Ik denk niet dat zelfs een prinses zo'n kamer of zo'n fantastisch bed heeft.'

'Waarschijnlijk niet. Mijn vader heeft het speciaal laten maken. Het is zeker zestig centimeter breder en langer dan het normale Californische kingsize bed.'

De vier pilaren reikten tot aan het plafond. In elk ervan waren engelen gebeeldhouwd met opgeheven hoofd en ogen, zodat het leek alsof ze opstegen naar de hemel. Het hoofdeinde was een kunstwerk op zich, een impressie van de ochtendstond, als de zon de vogels doet ontwaken en de bloemen ontluiken. Degene die dit gemaakt had moest werkelijk een kunstenaar zijn geweest. Het leek of alles in beweging was.

'Hoe kun je slapen in zo'n mooi omgeving? Er is zoveel om van te genieten.'

De kamer had grote boogvormige ramen met lichtroze fluwelen gordijnen die door gouden sjerpen bijeen werden gehouden. Er hingen twee gouden kroonluchters met de meest ongewoon gevormde gloeilampen die ik ooit had gezien. Ze kromden omhoog aan het eind en leken een beetje op de snavels van vogels.

Rechts was een zithoek met een televisie, computer en geluidsapparatuur, en ander entertainment, en links stond een toilettafel met een blad dat minstens drie meter lang was tot aan de deur van haar inloopkast. Die was twee keer zo groot als die van Sophia, met een tweede toilettafel en spiegels aan de muren.

'Ik slaap heel goed,' zei Fani. 'Alles hier is speciaal voor mij gemaakt, zelfs deze matras.' Ze drukte op de verende matras. 'Toe dan, ga maar zitten.'

Ik deed het. Ik vond eigenlijk niet dat hij veel comfortabeler was dan die van mij, maar ik glimlachte en zei dat het verbluffend was.

'Kom mee,' zei ze en ging me voor naar de zithoek. 'Ga zitten,' beval ze, wijzend naar een gigantische stoel met rode kussens en gouden kwasten. 'Ik heb een fles witte wijn.' Ze liep naar de kast en kwam terug met de fles en twee glazen.

Ze ontkurkte de fles en schonk de wijn in. 'Mijn vader heeft een kleine ijskast voor me in de kast laten installeren,' legde ze uit, 'zodat ik niet voortdurend het personeel hoef lastig te vallen of naar beneden moet als ik iets wil hebben. Op mijn zorgzame vader,' zei ze en tikte met haar glas tegen het mijne.

We dronken de wijn.

'En, heb je genoten van het diner?'

'O, ja, heel erg. Dank je.'

'O. Ik wilde alleen maar zo gauw mogelijk weg. Ik vond het zo'n bekrompen gedoe: iedereen die zo angstvallig lette op zijn of haar tafelmanieren. Ik vind het vreselijk om me al die tijd zo perfect te moeten gedragen, maar mijn moeder houdt één oog voortdurend op mij gericht en het andere op alle overige gasten. God verhoede dat er één haartje van je kapsel van zijn plaats is.'

'Mijn tante was net zo toen ik vanavond wegging. Ze moest eerst mijn jurk en schoenen goedkeuren.'

'Precies. Iedereen heeft het zo druk met indruk te maken op alle anderen, dat ze vergeten wie ze in werkelijkheid zijn. Het is alsof we allemaal in een toneelstuk optreden en geen regel van onze tekst mogen vergeten.'

Ik knikte, al had ik eigenlijk niet verwacht zoiets van Fani te horen. Op school gedroeg ze zich alsof dat het belangrijkste was, indruk maken op alle anderen, rondparaderend alsof ze inderdaad op het toneel stond.

'Als je jezelf blijft, zul je waarschijnlijk iedereen die je maar wilt imponeren,' zei ik.

Ze glimlachte, kneep toen haar ogen samen en boog zich naar me toe.

'Ik mag je graag omdat je nog onschuldig, ongekunsteld en eerlijk bent,' zei ze. Ze leunde achterover en wapperde met haar hand alsof ze een vlieg verjoeg. 'Maar waarschijnlijk zal dat niet lang duren.'

'Waarom niet?'

'Je zult net zo worden als alle anderen, je ongerust maken over vriendschappen, over je populariteit. Vertel me niet dat het je niets deed toen je in het begin van de week genegeerd werd.'

'Dat was Sophia's schuld, omdat...'

'Doet er niet toe wiens schuld het was. Je vond het niet leuk. Je was erg blij dat je gered werd. Je bofte dat ik dat kon doen.'

Ik voelde me verstijven. Een koude rilling kroop over mijn rug, maar veranderde in een vurige blos toen hij mijn hals en gezicht bereikte. Ik vond het niet prettig om beschouwd te worden als iemand die gered moest worden, en Fani deed er te arrogant over.

'Ik wil geen vriendschap met iemand die niet echt mijn vriendin wil zijn, maar alleen omdat ik plotseling belangrijk lijk.'

'Dan krijg je helemaal geen vriendinnen,' zei Fani. 'Ga niet te hoog te paard zitten. Des te dieper val je. Ontspan je. Geniet van het moment. We hebben plezier gehad, en misschien krijgen we nog wat meer. Ik mag je nichtje en haar vriendinnen niet, maar feitelijk vind ik niemand echt aardig op die school.'

'Waarom niet?'

'Dat heb ik je gezegd. Ze willen veel te graag populair zijn, geaccepteerd worden, belangrijk zijn.'

'Jij niet?'

'Ik hoef me er niet ongerust over te maken. Ik weet dat ik het ben,' zei ze zonder enige aarzeling. 'Nu wil ik dat je me vertelt wat er gebeurd is, over dat incident met Bradley Whitfield.'

'Incident? Hij is gestorven. Dat is meer dan een incident.'

'Je weet wat ik bedoel,' snauwde ze, en glimlachte toen. 'Hoe heeft hij je verkracht? En probeer maar niet het te ontkennen. Ik heb mijn informatiebronnen, of liever gezegd, mijn vader heeft ze. Nou?'

'Ik vind het moeilijk om over dat alles te praten,' zei ik. 'Alsjeblieft.'

'O, hou op. Het is allemaal verleden tijd. De Mexicaanse jongens zitten in de gevangenis, en een ervan is dood, toch? Er zijn geen gevoelens meer die gekwetst kunnen worden.'

'Behalve die van mij,' zei ik.

'Ik heb je een gunst bewezen. Je kunt dat goedmaken door me alles te vertellen. Ik wil alle details weten. Als iets dergelijks je overkomt, zijn zelfs de kleinste kleinigheden belangrijk. Nou?'

Ik voelde mijn ogen vochtig worden. Erover praten was het opnieuw beleven en ik was altijd bang dat ik iets zou zeggen dat mensen op het idee zou brengen dat Ignacio niet dood was.

'Het is zo pijnlijk om weer aan dat alles te denken.'

Ze dacht even na. 'Oké. Ik weet wat je kunt doen. Je moet doen alsof het iemand anders is overkomen. Doe maar of je een verslaggever bent die het verhaal schrijft. Om te beginnen, hoe heeft hij je ertoe gekregen met hem mee te gaan?'

Ik wendde mijn blik af. Waarom wilde ze dat allemaal weten? Ik haalde diep adem. Ze zou niet ophouden voor ik het haar vertelde.

'Hij sprak goed Spaans en gedroeg zich alsof hij een vriend was en me wilde helpen mijn weg te vinden in Amerika. Ik vond hem vriendelijk en aardig. Op een dag pikte hij me op toen ik van de bushalte naar huis liep, en hij vroeg of ik hem gezelschap wilde houden als hij een huis ging inspecteren dat hij en zijn vader renoveerden om het daarna te verkopen. Ik wilde niet, maar hij beweerde dat het in een wip gebeurd zou zijn. Hij was Sophia's vriendje, dus ik dacht niet dat ik bang hoefde te zijn. Ik dacht dat hij gewoon indruk op me wilde maken met zijn prestaties, maar toen we daar kwamen...'

'Ja? Wat toen?' vroeg ze, zich naar voren buigend.

'Hij drong zich aan me op, drukte me omlaag op de grond. Het was afschuwelijk.'

'Waar deed hij dat precies?'

'Waar? In het huis... op de grond.'

'Dus... je hebt er geen moment van genoten?'

'Nee,' zei ik, verbaasd over haar vraag. 'Ik voelde me smerig, vanbinnen en vanbuiten.'

Ze keek een beetje teleurgesteld en leunde weer achterover.

'Hij probeerde me over te halen het niet te vertellen, en toen probeerde hij me met andere jongens mee te laten gaan.'

'Wat een engerd. Ik kan me hem nog heel goed herinneren. Hij was een knappe jongen, en natuurlijk wilde hij met me uit, maar hij had iets dat me deed afknappen.'

'Dan heb je geluk gehad.'

'Bij mij zou hij nooit zoiets geprobeerd hebben.' Ze staarde me even aan en glimlachte toen. 'Wat vind je van Adan?'

'Hij is een heel aardige en knappe jongen.'

'Hij is een man, geen schooljongen. Ik weet zeker dat hij het al met een hoop vrouwen heeft gedaan. Ik denk dat je erg bang bent om alleen te zijn met een jongen sinds die verkrachting, hè? Waarschijnlijk heb je voortdurend nachtmerries.'

'Nee. Ik geloof niet dat alle jongens zo gemeen zijn.'

Ze nam me weer aandachtig op. 'Er is niet echt iets tussen jou en je neef Edward, hè? Je kunt het mij wel vertellen. Ik roddel niet. Een geheim wordt bij wijze van spreken weggesloten in een kluis als het mij wordt verteld.'

'Niets van wat Sophia allemaal rondbazuint is waar. Edward is mijn beste vriend, en Jesse ook.'

'Dat dacht ik al. Hij maakt niet de indruk dat hij bi is.'

'Wat is dat?'

'Iemand die biseksueel is. Je weet wel, een jongen die van jongens en van meisjes houdt.'

Ik schudde mijn hoofd. 'Er zijn zoveel verwarrende dingen over jongens en romantiek, dat ik begrijp dat sommige vrouwen non willen worden.'

Ze vond dat erg grappig.

'Ik meen het serieus.'

'Ik geloof je. Kom maar bij mij als je twijfelt of vragen hebt.'

'Hoe komt het dat je zoveel weet? Heb je veel vriendjes gehad?'

'Nee, maar ik heb een ingebouwde sekstrucdetector.'

'Wat is dat nu weer?'

'Een soort alarm dat hier afgaat,' zei ze, wijzend op haar slaap, 'en me vertelt dat ik op mijn tellen moet passen, uit de buurt van deze of gene moet blijven.'

'Ben je daarmee geboren?'

'Ja. Het is instinctief. Als je meer ervaring hebt, zul je jongens beter kunnen doorzien en weten wie je wel en niet kunt vertrouwen.'

'Je boft dat je zoveel weet,' zei ik.

Er werd op de deur geklopt en toen we ons omdraaiden zagen we Adan op de drempel staan.

'Mag ik binnenkomen, of is dit een van de meiden-onder-elkaar-discussies?'

'Als je bedoelt of we het over jou hebben, dan is het antwoord nee,' zei Fani, en hij begon te lachen. 'Begint het feest af te lopen?'

'Ja.' Hij kwam binnen. 'Mijn vader heeft het goed gedaan. Je kunt geen campagne voeren zonder een hoop poen, vooral niet als je senator in Californië wilt worden,' zei hij, zich tot mij richtend.

'Poen is geld?'

'*Dinero, mucho dinero*,' zei hij. Hij keek naar Fani. 'Ik zie die al-te-bekende grijns van je, Fani.'

'Je ziet wat je wilt zien,' zei ze.

'Ja, nou ja, ik kwam alleen even boven om te zien of Delia een lift naar huis nodig heeft. Mijn vader en ik zijn in aparte auto's gekomen.'

'Ze heeft geen lift naar huis nodig, maar ze kan zich door jou thuis laten brengen, als ze dat wil. Wat wil je, Delia?' vroeg ze glimlachend.

'O...' Ik keek naar Adan. 'Ik wil niet lastig zijn.'

'Ik betwijfel of hij dat lastig vindt,' zei Fani.

'Natuurlijk niet,' viel Adan haar bij. 'Het is min of meer in mijn richting.'

'Hangt ervan af wat jouw richting is,' zei Fani.

Hij lachte. 'Kom, Delia, laat ik je hiervandaan halen voordat ze je ervan overtuigt dat ik een gevaarlijke casanova ben.'

'Bedoel je dat je dat niet bent?' vroeg Fani lachend. Ik lachte ook, maar voornamelijk omdat zij lachten.

'Kan dat wel?' vroeg ik haar. 'Dat hij me thuisbrengt? Zullen je ouders dat niet erg vinden?'

'Nauwelijks,' zei ze. 'Ze zijn zich van niets anders bewust dan waarmee ze op het ogenblik bezig zijn. Toe dan. Morgen praten we verder en bereiden we ons voor op het feest van de Johnsons. Ik heb begrepen dat je nichtje is uitgenodigd. Gaat ze erheen?'

'Ze heeft ja gezegd.'

'Als Adan aanbiedt om met je naar het feest te gaan,' fluisterde ze, 'doe dat dan. Dan hoef je niet bij haar te blijven.'

Ik zei niets, maar vroeg me af wat mijn tante ervan zou vinden.

We liepen naar buiten, de trap af, zodat ik afscheid kon nemen van Fani's ouders en hen bedanken. Ze deden alsof ze niet wisten dat ik er geweest was en bekeken me nauwelijks. Fani keek naar me met een blik van 'Zie je wat ik bedoel?'

Adan had een prachtige teakkleurige Jaguar cabriolet. Fani liep met ons mee naar buiten en ik bedankte haar nogmaals voor de uitnodiging.

'Zorg ervoor dat ze rechtstreeks en veilig thuiskomt, Adan,' waarschuwde ze.

'Jawel, mevrouw,' zei hij, salueerde en maakte het portier voor me open.

'Ik meen het. Ze was mijn gast vanavond, niet jouw gast.'

'Begrepen, commandant.'

'Denk aan de seksdetector,' fluisterde Fani toen ik instapte.

'Dank je. *Buenos noches.*'

Ze glimlachte en bleef staan tot we wegreden.

'Hoe lang ben je met Fani bevriend?' vroeg Adan toen we van de oprijlaan op de straatweg kwamen.

'Niet lang.'

'Ik geloof niet dat Fani zoveel vriendinnen heeft,' zei hij. Hij keek me aan. 'Heb ik gelijk?'

'De meeste meisjes op school willen haar vriendin zijn.'

'Ja, maar ze weet het en houdt zich op een afstand. Je moet iets hebben dat haar aantrekt om je bij haar thuis uit te nodigen.' Hij glimlachte. 'Als Fani je aardig vindt, moet je iets bijzonders hebben.'

Toen ik geen antwoord gaf, ging hij verder. 'Ik zal erachter moeten komen wat dat is.'

Het maakte me zenuwachtig hem zoiets te horen zeggen, dus stelde ik hem vragen over zichzelf en hoorde hem uit over zijn jeugd, zijn opleiding en de samenwerking met zijn vader. Hij vertelde me dat hij een diploma economie had van de University of Southern California, en ik vertelde hem dat mijn neef Edward daar nu studeerde. Verder zei ik niet veel over Edward. Ook al vond ik het geen prettige gedachte, toch maakte het feit dat Sophia en haar vriendinnen die valse geruchten over me verspreidden, dat ik voorzichtiger was met het noemen van Edwards naam, vooral als het trots en bewonderend klonk. Ik was kwaad dat ik zo op mijn hoede moest zijn, maar ik was bang dat iemand zou kunnen denken dat ze gelijk had en al die verschrikkelijke dingen die ze over ons verzon de waarheid waren.

Adan interesseerde zich trouwens niets voor verhalen over andere mannen. Hij was alleen maar geïnteresseerd in mij.

'Ik zou graag meer willen weten over je leven in Mexico en je indruk over de mensen hier. Ik denk dat ik zal ingaan op Fani's uitnodiging voor dat feest. Zal ik je komen afhalen?' vroeg hij toen we de straat inreden naar de *hacienda* van mijn tante.

'Ik moet even afwachten wat mijn tante zegt. Mijn nichtje Sophia is ook uitgenodigd.'

'Oké, als we haar met ons mee moeten nemen, kan dat. Ik heb drie auto's en in de twee andere kunnen meer personen.'

'Drie auto's? Waarom heb je er zoveel nodig?'

Hij lachte. 'Het is niet dat ik er zoveel nodig heb, Delia. Binnenkort zal ik er meer dan drie hebben. Ik ben bezig mijn eigen autocollectie op te bouwen.'

Verbluft schudde ik mijn hoofd. In mijn dorp in Mexico was het al geweldig als je een verzameling flessendoppen had.

'Vertel eens, zijn er veel jongens die met je uit willen?' vroeg hij.

'Niet veel.'

'O? Zijn de jongens tegenwoordig zo verlegen? Ik kan me niet voorstellen dat je bij mij op school zou zitten en ik niet met je zou willen afspreken. Op deze rollende steen groeit geen mos,' zei hij en wees met zijn duim naar zichzelf. Hij glimlachte naar me, maar ik kon me niet ontspannen. 'Je kijkt bezorgd,' zei hij toen hij mijn gezicht zag.

'Ik ben hier nog niet zo lang, Adan. Ik weet niet altijd hoe ik moet reageren of wat ik moet zeggen.'

'Natuurlijk. Dat is niet meer dan logisch. Het lijkt me leuk je dingen te laten zien, dingen te leren. Je bent niet zo verknipt als de meeste meisjes van jouw leeftijd. Je bent een frisse teug water.'

Ik lachte, maar keek toen weer peinzend.

'Wat is er?' vroeg hij.

'Ik ben al eens eerder met water vergeleken, met een rivier.'

'Je mag in mijn tuin stromen wanneer je maar wilt,' zei hij lachend.

Ik begon me te ontspannen. Nu was hij degene die plotseling heel ernstig keek.

'Ik ben blij dat je er vanavond was, Delia. Je hebt het begin gezien van iets historisch. Mijn vader zal een groot man worden, niet dat hij dat nu al niet is, maar hij zal eindelijk naar waarde geschat worden. Mijn familie zal een belangrijke familie worden in deze staat. Het zal goed zijn om ons te kennen.'

'Ja, je vader is een indrukwekkend man, Adan. Ik begrijp waarom je zo trots bent.'

'Dank je,' zei hij. 'Hier is het, hè?' Hij knikte naar de ingang van tante Isabela's landgoed.

'Sí.'

'Sí? Dat vind ik leuk. Blijf Spaanse woorden gebruiken wanneer je maar kunt.' Hij reed naar de voorkant van het huis. Ik wist zeker dat ik Sophia's gordijn opzij zag schuiven zodat ze naar buiten kon kijken.

Adan sprong uit de auto en liep eromheen om mijn portier te openen.

'*Gracias, señor,*' zei ik. Hij keek me stralend aan.

'*Su casa es grande,*' zei hij, met een knikje naar de *hacienda.*

'*No es mi casa.*'

'Hé, je woont hier, dus is het van jou,' zei hij. Hij pakte mijn hand en hielp me de trap op naar de voordeur. 'Ik lever je veilig af,' zei hij met een diepe buiging. 'Zeg alsjeblieft tegen je nichtje dat ik me als een echte gentleman heb gedragen.'

Ik moest lachen.

'Zo is het beter. Je lach zou een wilde tijger temmen.'

'*Buenos noches,*' zei ik en reikte naar de deurknop. Hij pakte mijn hand vast en draaide me naar hem om.

'*Buenos noches, señorita México,*' zei hij, gaf me een snelle kus op mijn mond en maakte weer een buiging. 'Ik bel je morgenochtend om onze afspraak te regelen voor het feest, *sí*?'

Het ging zo gauw allemaal, dat ik het gevoel had dat ik had lopen rennen en op adem moest komen.

'Sí?' vroeg hij weer.

'Sí,' zei ik en opende de deur. Hij keek me na toe ik naar binnen ging. 'Goedenavond en welbedankt,' zei ik zachtjes, en sloot de deur. Ik had het gevoel dat als ik hem snel weer opendeed, hij er nog zou staan.

'Wie heeft je naar huis gebracht?' hoorde ik Sophia boven aan de trap vragen. 'Ik zag dat je niet thuis bent gebracht met hun Rolls-Royce.'

Eerst dacht ik erover geen antwoord te geven, maar ik wist dat het geen eind zou maken aan haar vragen. Ik begon de trap op te lopen.

'Een vriend van Fani.'

'Wie? Ik ken al haar vrienden.'

'Hou kun jij al haar vrienden kennen? Je bent toch nooit bij haar thuis geweest?'

'Mocht wat. Ik weet tóch wel met wie ze rondhangt. Wie was het?'

Ik bleef een paar treden onder haar staan. 'Sophia, het gaat je niets aan,' zei ik langzaam en vastberaden.

Ze keek me woedend aan. Ik boog mijn hoofd en liep verder de trap op. Op het moment dat ik langs haar kwam, pakte ze mijn haar beet. Met een gefrustreerde gil trok ze zo hard aan me dat ik mijn evenwicht verloor en achteroverviel, op de hoek van een tree terechtkwam en tollend omlaagviel, terwijl ik wanhopig naar de trapleuning greep om mijn val te breken. Ik gilde van pijn toen mijn rechtervoet in een van de spijlen terechtkwam en me met een ruk tot stilstand bracht. Ik was bijna onder aan de trap.

Señora Rosario kwam als eerste de gang door gehold, gevolgd door señor Garman en tante Isabela. Ik kreunde en probeerde op adem te komen terwijl de pijn omhoogschoot door mijn been naar mijn heup.

'Wat gebeurt hier?' vroeg tante Isabela.

Voor ik kon antwoorden, deed Sophia een stap omlaag en zei:

'Misschien is ze dronken of zo. Ze struikelde over een tree en verloor haar evenwicht.'

'Dronken?' zei tante Isabela.

Ik schudde mijn hoofd. 'Nee, dat is niet waar, tante Isabela.' Señora Rosario stond naast me en probeerde me overeind te helpen. In een oogwenk was señor Garman om haar heen gelopen en tilde me letterlijk op de been, maar ik gilde het uit toen ik mijn gewicht op mijn rechtervoet plaatste.

'Misschien is hij gebroken,' zei hij tegen tante Isabela.

'Ik zal wat ijs halen,' zei señora Rosario en liep haastig weg.

'Wat een herrie! En dat 's avonds laat. Jullie tweeën betekenen nog eens mijn dood,' zei tante Isabela.

De tranen stroomden over mijn wangen.

'Ik probeerde haar tegen te houden, maar het ging zo snel in zijn werk,' zei Sophia. 'Het ene moment liep ze de trap op en het volgende rolde ze omlaag. Ik dacht dat ik droomde.'

'Je droomt ook,' wist ik uit te brengen. 'Hoe kun je zo liegen!'

Ze zette haar handen op haar heupen en schudde haar hoofd. 'Ik lieg niet! Waag het niet mij een leugenaarster te noemen! Ze is dronken, moeder. Ruik maar aan haar adem.'

Ik keek naar tante Isabela. Ik had een glas wijn gedronken met Fani en verbeeldde me dat het nog steeds te ruiken was.

Ze deed een stap naar voren, maar bleef staan toen señora Rosario terugkwam met het ijs en dat op mijn enkel legde, die al rood en gezwollen was.

'Ik hoef niemands adem te ruiken. Dit is een belachelijk tumult. Meneer Garman, breng haar naar de spoedeisende hulp en zeg dat ze mij de rekening sturen,' beval ze. 'En jij gaat naar boven, naar bed, Sophia.'

Sophia keek naar me met een voldane glimlach. 'Ja, moeder. Dat is precies wat ik wilde doen vóór dit belachelijke tumult.' Ze draaide zich om en liep naar boven.

'Steun maar op mij, Delia,' zei señor Garman.

'Hou het ijs erop!' riep señora Rosario ons na.

Ik hoefde niet op señor Garman te steunen. Hij droeg me praktisch het huis uit naar de limousine. Ik zakte onderuit op de achterbank en sloot mijn ogen. De pijn in mijn enkel was nu meer een dof kloppen dan een stekende pijn, maar het maakte me misselijk.

'Probeer je te ontspannen, Delia,' zei señor Garman op medelevende toon. 'Je bent er in een mum van tijd.'

Hij reed heel snel, en voor ik het besefte waren we op het parkeerterrein. Hij liep om de auto heen, tilde me op en droeg me naar de lobby. Er zaten nog drie andere mensen te wachten: een man met zijn hoofd in zijn handen en een ijszak op de achterkant van zijn hals en een vrouw met een jong kind dat had gehuild.

De receptioniste keek op toen señor Garman me naar de balie droeg.

'Ze heeft een ongeluk gehad op een trap en kan haar voet niet gebruiken,' legde hij uit.

'Breng haar door die deur maar naar binnen,' zei ze terwijl ze opstond.

Een verpleegster kwam naar hem toe om hem de weg te wijzen. Ik werd op een dikke matras gelegd.

'Laat dat ijs op je enkel,' zei de verpleegster, 'tot de dokter komt.'

Ze vroeg señor Garman naar de receptie te gaan om de nodige informatie te geven.

Ik kon bijna niet geloven dat ik in het ziekenhuis was. Het was allemaal zo gauw gegaan. Kortgeleden zat ik nog in een ontzettend duur huis aan het meest fantastische diner dat ik me ooit had kunnen voorstellen. Ik was vrolijk, opgewonden, zweefde op een magisch tapijt, en een ogenblik later was alles veranderd.

Natuurlijk was mijn woede gericht tegen Sophia. In haar drift was ze verblind door woede en jaloezie. En toen had ze als altijd gebruikgemaakt van leugens om een excuus te verzinnen, zodat haar geen blaam zou treffen. Het duurde zo lang voor de dokter in de onderzoekkamer kwam dat ik bijna in slaap viel. De pijn was doffer maar nog heel erg.

'Zo, zo,' zei de dokter, 'en wat hebben we hier?'

Ik wilde overeind komen, maar hij zei dat ik me moest ontspannen. Hij keek naar mijn enkel en draaide die even. Ik gaf een gil bij de nieuwe, stekende pijn.

'Hoe heb je dat voor elkaar gekregen?' vroeg hij.

Ik wist niet of het nog meer problemen zou veroorzaken als ik de waarheid vertelde, dus zei ik slechts dat ik op een trap was gestruikeld en mijn voet klem was geraakt.

'We zullen een röntgenfoto maken,' zei hij. 'Rustig maar.'

Hij liep de kamer uit en een ogenblik later kwam de verpleegster terug met een rolstoel.

Ze reed me naar de röntgenafdeling en hielp me te gaan liggen. De röntgenoloog nam de foto's en toen werd ik weer teruggebracht naar de onderzoekkamer. Het leek weer een uur te duren voor de dokter terugkwam.

'Hij is niet gebroken,' zei hij. 'Het is een ernstige verstuiking. Je hebt geluk gehad.'

Geluk? dacht ik. Ik moest bijna lachen.

'Ik zal hem voor je verbinden. Je mag hem een paar dagen niet gebruiken, en houd hem voorlopig omhoog. Leg er een paar kussens onder als je gaat slapen. Als de zwelling verdwijnt, moet je een vochtig thermoverband aanbrengen. Wees maar niet bang, het komt prima in orde.'

'Hoe lang mag ik hem niet gebruiken?'

'Je kunt op krukken lopen. Daar kunnen wij voor zorgen. Breng ze over een paar dagen terug. Ik weet zeker dat je enkel dan weer beter is.'

Hij liet de verpleegster een paar krukken brengen.

'Probeer er een tijdje geen gewicht op te laten rusten,' adviseerde ze.

Ik hobbelde naar de hal, waar señor Garman zat te wachten. De verpleegster vertelde hem over de bevindingen en de instructies van de dokter. Hij hielp me weer op de achterbank van de auto en zette de krukken naast me.

'Goed dat hij niet is gebroken,' mompelde hij, en we reden weg.

Plotseling werd alle pijn me te veel en een intense vermoeidheid maakte zich van me meester. Ik viel in slaap voordat we bij de *hacienda* waren. In plaats van me de trap op te laten hinken naar de voordeur, tilde señor Garman me weer op en droeg me als een baby naar boven. Ik voelde me heel erg verlegen, maar ik denk dat ik voor hem niet veel meer woog dan een baby.

Mijn tante kwam niet naar buiten om te zien wat ze met me gedaan hadden, maar señora Rosario kwam wél en luisterde naar de verklaring van señor Garman, die me nog steeds in zijn armen hield. Hij droeg me de trap op naar mijn kamer en zette me vlak achter de deur op de grond.

'Denk aan de kussens onder je enkel,' zei hij.

Ik bedankte hem. Ik zag Sophia's deur op een kier opengaan en meende haar naar ons te zien gluren. Toen señor Garman zich omdraaide en wegging, deed ze haar deur weer dicht. Ik wilde dat ik de kracht had om naar haar toe te gaan, maar ik kon alleen maar aan mijn bed denken. Het was al bijna halfdrie in de ochtend. Ik legde de kussens onder mijn enkel en viel zo snel in slaap dat het meer leek of ik het bewustzijn verloor.

Als iemand al kwam kijken hoe het met me ging, dan werd ik in ieder geval niet wakker. Ten slotte werd ik gewekt door mijn telefoon, en toen ik op de klok keek, zag ik dat het al bijna twaalf uur was. Ik schrok dat ik zo lang had geslapen. Toen ik me omdraaide om op te nemen, herinnerde mijn enkel me eraan dat het gebeurde geen nachtmerrie was geweest.

Met hese stem zei ik hallo.

Ik hoorde een mannelijke lach. 'Vertel me niet dat je nog slaapt, Delia,' zei Adan.

'Helaas wel,' zei ik, 'maar niet omdat ik zo lui ben. Ik ben gisteravond van de trap gevallen en moest naar de spoedeisende hulp. Ik heb een verstuikte enkel.'

'Dat meen je niet. Hoe kwam het dat je van de trap viel?'

'Ik had hulp,' zei ik raadselachtig.

Hij zweeg even. 'Bedoel je dat je geduwd bent?'

'Getrokken lijkt er meer op.'

'Wie heeft dat gedaan? Sophia?'

'Ik wil er niet over praten, Adan.'

'Afgrijselijk. Ik had gehoord dat ze nogal gemeen is, maar dit... kun je nog naar het feest van de Johnsons?'

'Ik weet het niet. Ik loop een paar dagen op krukken.'

'Dan is het enige dat je niet zult kunnen dansen,' zei hij. 'Ik heb al met Fani gesproken. Ik kan je om zeven uur komen halen. Weten we al of Sophia meegaat?'

'Ja, dat weten we. Ze gaat niet met ons mee. Hoe zeg je dat? Als ik haar niet meer zie of spreek, zou dat te gauw zijn.'

Hij lachte. 'Ik bel je later nog om te horen hoe het met je gaat. Laat je er niet onder krijgen. Denk er maar aan hoe nieuwsgierig iedereen zal zijn om je op krukken te zien lopen. Je zult het middelpunt van de belangstelling zijn.'

'Ik ben liever onzichtbaar.'

'Ik hou van je gevoel voor humor, Delia. Ik spreek je nog', en toen hing hij op.

Ik kermde toen ik rechtop ging zitten en naar mijn arme verbonden enkel keek. Als ik had ontbeten zou ik het thermoverband erom doen, dacht ik.

Er werd op mijn deur geklopt en Edward en Jesse kwamen binnen. Ik was vergeten dat ze vandaag zouden komen. Ze hadden blijkbaar alles al gehoord van señora Rosario of señor Garman, misschien zelfs wel van tante Isabela.

'Vertel me wat er is gebeurd, verdomme,' zei Edward kwaad. 'En verzin geen excuses voor haar of probeer haar minder schuldig te doen lijken.' Ik keek naar Jesse, die even kwaad keek als Edward. Ze waren een weerspiegeling van mijn eigen woede.

'Wees maar niet bang,' zei ik. 'Dat zal ik beslist niet doen.'

7

Een geschenk

Ik weet zeker dat oma Anabela het zou hebben afgekeurd dat ik een broer zo opzette tegen zijn eigen zus, maar met elke pijnscheut in mijn enkel verminderde mijn tegenzin. Edward en Jesse zaten op de rand van het bed aandachtig te luisteren toen ik de gebeurtenissen van die avond beschreef. Zodra ik klaar was, barstte Edward in woede uit en sprong overeind.

'Dat valse kleine kreng! Ik zal haar gezicht eens een beetje verbouwen.'

'Kalm, kalm,' zei Jesse en stak zijn arm uit toen Edward naar de deur van de slaapkamer stormde. 'Je doet er Delia geen goed mee als je Sophia een aframmeling geeft. Dan gaat ze bij je moeder uithuilen, en neemt je moeder wraak op Delia.'

'Ze heeft een flink pak slaag nodig. Als er ooit een geval is geweest van "Wie zijn kind liefheeft spaart de roede niet", dan is dit het wel.'

'Misschien wel, ja, maar niet nu en niet op deze manier.'

Gedeeltelijk voelde ik me teleurgesteld. Ik zou graag hebben gezien dat Sophia een pak slaag kreeg, maar mijn verstand gaf Jesse gelijk. Uiteindelijk zou Sophie als het slachtoffer worden gezien en zou ik op de een of andere manier de oorzaak van alles zijn, het gif dat een verziekte familie nog verziekter maakte. Edward ontspande zich en kwam terug naar het bed. Hij besefte het ook.

'Dus wat stel je voor, Jesse? We laten haar dit ongestraft doen?'

'Nee. Ik weet zeker dat jij en ik wel wat doeltreffenders kunnen verzinnen.'

'Wat het ook is, het kan niet streng genoeg zijn,' mompelde Edward. Hij keek naar mij. 'Wie heeft je gisteravond thuisgebracht, Delia?'

'Adan Bovio.'

'Adan Bovio?'

'De zoon van misschien de volgende senator,' zei Jesse.

Edward knikte, maar hij leek er niet erg blij mee. 'Hoe oud is hij, zesentwintig?'

'Ja, zoiets,' zei Jesse. 'Misschien zelfs zeven- of achtentwintig.'

'Fani heeft hem uitgenodigd voor het feest van de Johnsons vanavond.'

'Fani heeft hem uitgenodigd?' vroeg Edward. 'Het is niet haar feest. Hoe kan zij iemand uitnodigen?'

'Vergeet niet, Edward, dat zij een soort prinses is hier,' zei Jesse.

'Ja, dat is zo.'

'Adan komt me afhalen, als ik erheen kan,' zei ik.

'Nou ja, je zal geen rumba kunnen dansen, maar ik zie niet waarom je niet zou kunnen gaan,' zei Jesse.

'Hij komt je afhalen, hè? Je zult goed op je tellen moeten passen, Delia. Hij heeft wél een reputatie.'

'Wat wil dat zeggen, Edward?'

'Hij is een bekende rokkenjager.'

'Ze kan heus wel voor zichzelf zorgen,' zei Jesse glimlachend. 'Kom nou. Maak haar niet zenuwachtig. Ze heeft voorlopig genoeg meegemaakt.'

'Dat is waar,' zei Edward, knikkend en mompelend bij zichzelf.

Iedereen waarschuwde me voor Adan. Fani met haar seksdetector. En nu Edward met zijn rokkenjager. Ik kon er niks aan doen, ik begon zenuwachtig te worden.

'Laten we gaan, Delia,' zei Jesse. 'We zullen je de trap af helpen om te gaan ontbijten.'

'Ik moet eerst nog een thermoverband om mijn enkel doen,' zei ik. 'Voorschrift van de dokter.'

'Ik zal een washandje voor je onder het hete water houden,' zei Jesse.

'Goed idee,' zei Edward. 'Ze moet toch meer rust houden. Delia, ga jij liggen, dan zal ik je ontbijt boven brengen, of is het lunch?' zei hij glimlachend, op zijn horloge kijkend.

'Brunch,' riep Jesse uit de badkamer.

'Dank je, Edward. Ik weet dat tante Isabela kwaad op me is. Ze denkt dat het allemaal mijn schuld is.'

'Maak je niet ongerust. Dat zal ik wel rechtzetten,' zei hij en liep naar de deur. 'Ga jij nu maar weer liggen en laat je door ons verwennen.'

Ik glimlachte en hij liep weg en deed deur achter zich dicht. Jesse kwam terug uit de badkamer met een handdoek om onder mijn enkel te leggen en een dampend washandje om er omheen te binden. Hij ging aan mijn voeten zitten en verwijderde zorgvuldig het oude verband voor hij het nieuwe aanbracht.

'Is het te warm?'

'Nee. Dank je, Jesse.'

Hij glimlachte en keek naar mijn enkel alsof hij die met de minuut kon zien verbeteren, en streek er toen zachtjes over. Terwijl hij over me heen gebogen stond, stormde Sophia de kamer binnen.

'Wel, kijk eens aan wie hier tedere liefhebbende zorg krijgt!' riep ze uit. Haar vriendin Alisha kwam vlak achter haar aan en grijnsde zo breed dat het leek of haar mondhoeken haar oren zouden raken. 'Of is het soms wat meer? Wat denk jij, Alisha?'

'Meer.'

'Maak dat je wegkomt,' zei Jesse.

'Vertel me niet wat ik moet doen in mijn eigen huis, Jesse Butler,' zei Sophia met haar handen op haar heupen. 'Weet je dat ze gisteravond dronken thuiskwam?' Ze bewoog haar hoofd heen en weer. 'En er een verschrikkelijke toestand van maakte, waardoor iedereen wakker werd. Zelfs mij moeder! Het enige wat ze kan doen is problemen voor ons veroorzaken.'

'Spaar je adem en stop met je toneelspelletje. We weten precies wat er gisteravond is gebeurd, Sophia.'

'En dat weet ik ook,' zei ze en stapte opzij om me aan te kijken. 'Je kwam thuis met Adan Bovio. Je kunt voor mij niets geheimhouden. Je denkt nu natuurlijk dat je zo geweldig bent, maar geloof me, je wordt gewoon een van zijn hoeren. Je zult het zien en dan –'

Edward was achter haar aan gekomen en hield een dienblad in de hand met een kop koffie, eieren en bacon, en broodjes, boter en fruit. Hij hield het met opzet heel hoog en botste tegen Sophia op, zodat de koffie over de achterkant van haar hals stroomde. Ze gilde en maakte een luchtsprong.

'O, sorry. Ik zag je niet,' zei Edward. 'Dat verdomde probleem van dat ene oog.'

Sophia holde in tranen de kamer uit. Edward stak zijn voet naar achteren en schopte de deur voor Alisha's neus dicht.

'Ik zal andere koffie halen,' zei Jesse. 'Zonde van die goeie koffie.'

Edward lachte en zette het blad op mijn schoot. 'Sorry van die smeerboel,' zei hij, terwijl hij de koffie opdepte die op het blad gemorst was.

'Je bent al net zo erg als zij,' zei ik, hem plagend terechtwijzend, maar heimelijk verkneukelde ik me.

'De appel valt niet ver van de moederboom,' antwoordde hij.

'Ik weet het, ze is gewoon gemeen en jaloers, maar ze heeft het niet helemaal mis, Edward. Ik lijk een zus te zijn van de rampspoed.'

'Geloof dat niet, Delia. Ze zou het prachtig vinden als ze je dat hoorde zeggen.'

'Zijn jullie nooit close geweest als broer en zus?' vroeg ik, terwijl ik at en mijn sap dronk.

'Misschien toen mijn vader nog leefde. We deden veel dingen samen, gingen met hem mee op tochtjes of naar evenementen. Hij verwende ons allebei met een hoop cadeaus, maar haar vooral. Hij adoreerde haar, wat mijn moeder meer ergerde dan mij.'

Ik herinnerde me dat Casto me zoiets verteld had. Even bleef Edward stil zitten met zijn herinneringen. Ik at verder en dacht er ook over na.

'Misschien heeft zijn overlijden haar meer gedaan dan jou, Edward. Misschien is ze daarom zo geworden. Misschien is ze nog niet over haar verdriet heen.'

'Ik kan het gewoon niet geloven, Delia,' zei hij hoofdschuddend. 'Na alles wat ze je heeft aangedaan, niet alleen nu maar al eerder, vind je toch nog een reden om medelijden met haar te hebben.'

'Als je je hart te veel verhardt, verandert het in steen,' zei ik.

'Weer een gezegde van je oma?'

Ik glimlachte en bleef eten, verbaasd dat ik zo'n honger had.

'Kun je dat *en español* zeggen?' vroeg hij.

'*Si usted endurece el corazón demasiado, se convierte en una piedra para apedrear.*'

'Wow. Verwacht niet van me dat ik die onthoud,' zei hij.

'Welke?' vroeg Jesse die met een nieuwe kop hete koffie binnenkwam.

'Een van de gezegdes van haar oma.'

'O.' Jesse gaf me de koffie. 'Ik zal nog een heet doekje om die enkel binden,' zei hij, en liep naar de badkamer. 'We krijgen je in een mum van tijd weer op de been,' riep hij achterom.

Edward keek toe terwijl ik de rest van mijn ontbijt naar binnen werkte en Jesse een nieuw verband aanlegde. 'Ik geloof dat ik een idee heb,' zei hij.

'Waarover?' vroeg Jesse.

'Hoe we Miss Horror dit moment van wat ze denkt dat haar overwinning is kunnen ontnemen.'

'O?'

Edward stond op.

'Wat ga je doen, Edward?' vroeg ik nerveus.

'Pieker daar maar niet over. Jij moet rust houden, Delia. Jesse en ik moeten een boodschap doen. Over een paar uur zijn we terug.'

Hij tilde het blad van mijn schoot.

'Ik moet opstaan, douchen en me aankleden,' zei ik.

'Dat hoef je pas te doen als je je klaar moet maken voor het feest,' zei Jesse.

'Ik weet echt niet of ik wel moet gaan met die enkel.'

'Natuurlijk wel. Je moet erheen. Het gaat prima. Je moet afleiding hebben en de pijn vergeten. Luister naar dokter Edward en zijn assistent, dokter Jesse. Wij zijn specialisten in het doen vergeten van onaangename dingen, en ons recept is pret en jolijt, lekkere hapjes en muziek... nou ja, voorlopig alleen luisteren naar muziek, maar toch muziek.'

'Kom, idioot,' zei Edward tegen hem.

'Ga niet op die enkel staan,' riep Jesse om me te waarschuwen toen Edward hem naar de deur trok.

Wat gingen ze doen? Ik lachte bij mezelf. Ze waren binnengekomen als een frisse regenbui en hadden mijn geest schoongeveegd van alle zelfmedelijden en droefheid. Weer bedacht ik hoe gelukkig ik was dat ik zulke vrienden had.

Ik liet mijn hoofd weer op het kussen vallen en sloot mijn ogen. Ik voelde me beter nu ik gegeten had, en mijn enkel deed niet zoveel pijn meer. Ik dommelde met tussenpozen in en had geen idee hoeveel tijd er verstreken was. Plotseling stonden Edward en Jesse weer in mijn kamer.

'Hoe gaat het met onze patiënt?' vroeg Jesse.

'Een stuk beter,' antwoordde ik en kwam half overeind, steunend op mijn ellebogen. Ik keek op de klok. Er waren uren verstreken sinds ze vertrokken waren. 'Waar zijn jullie geweest? Wat hebben jullie gedaan?' vroeg ik, toen ik de zelfvoldane uitdrukking op beider gezicht zag.

'Doet er niet toe. We willen graag dat je nu opstaat. Ga douchen en trek wat aan.'

'Waarom? Waar ga ik naartoe?'

'Je gaat naar je wraakneming,' zei Edward lachend.

Ze keken me allebei aan met de grijns van de cyperse kat uit *Alice in Wonderland*. Achterdochtig maakte ik aanstalten om uit bed te komen. Jesse kwam snel naar me toe om me de krukken te overhandigen.

'Ik zal je kleren wel voor je uitzoeken,' zei Edward. 'Ga jij nou maar douchen en maak je op.'

Ik hobbelde naar de badkamer. Toen ik even achteromkeek, zag ik dat Edward en Jesse stonden te overleggen wat ik moest aantrekken. Het viel niet mee om te douchen zonder op mijn gewonde enkel te staan, maar het lukte en ik was extra voorzichtig met afdrogen en rondlopen. Ik hoorde op de deur van de badkamer kloppen en deed hem een klein eindje open, zodat Edward me mijn kleren kon overhandigen. Ze hadden zelfs een slipje uitgezocht en een beha en een paar zachte slippers.

'*Gracias*,' zei ik met enige gêne.

Toen ik me had aangekleed, ging ik terug naar de slaapkamer. Ze stonden als twee paleiswachters met over elkaar geslagen armen voor de deur.

'Doe het rustig aan,' zei Jesse.

Inmiddels heel nieuwsgierig, liep ik snel naar de deur toen ze die voor me openden en een stap achteruit deden.

'Voorzichtig op de trap,' adviseerde Edward.

Ik zocht Sophia toen we in de gang stonden, maar ik zag haar niet en hoorde ook geen luide muziek in haar kamer. Ik vroeg me af waar tante Isabela vandaag was. Ik had half en half verwacht dat ze mijn kamer zou komen binnenstormen om me te straffen en te bedreigen, maar ook zij was nergens te bekennen.

Toen we voorzichtig de trap afliepen, zag ik dat señora Rosario vol medeleven naar ons keek.

'*Cómo está?*'

'Het gaat goed, mevrouw Rosario,' verzekerde Jesse haar.

Ze knikte, glimlachte naar hen en liep weg.

Er was iets aan de hand, dacht ik. Ik keek naar de zitkamer en door de gang, maar zag niets. Ze draaiden me om naar de voordeur.

'Waar gaan we naartoe?'

'Naar buiten. Een heel klein eindje maar.'

Ze glimlachten naar elkaar als twee samenzweerders. Jesse sprong naar voren om de deur te openen. Ik liep naar buiten en zag een glanzend rode sportauto met een grote gele strik eromheen.

'*Qué es esto?* Wat is dat?' vroeg ik met ingehouden adem.

'Dat,' zei Edward, 'is je wraak.' Hij maakte een overdreven buiging.

'Ik... ik begrijp het niet.'

'Edward heeft een BMW-sportwagen voor je gekocht,' zei Jesse. 'We hebben de auto gekocht, de verzekering betaald en als cadeau laten verpakken.'

Ik staarde hen aan alsof ze allebei gek geworden waren, en ze begonnen te lachen.

'Kom dichterbij,' zei Edward, en gaf me een arm.

Ze hielpen me de trap af naar de auto, met stoelen van mooi crèmekleurig leer.

'Hij heeft een uitstekende geluidsinstallatie,' zei Jesse. 'Je zal naar hartenlust kunnen zingen onderweg.'

'En een navigatiesysteem,' voegde Edward eraan toe. 'We zullen je laten zien hoe alles werkt, dus maak je geen zorgen.'

'Waar is dat navigatiesysteem voor?'

'Die vertelt je hoe je moet rijden als je de weg niet goed kent,' zei Jesse.

'Dus kun je nooit verdwalen,' voegde Edward eraan toe.

'Heb je die voor mij gekocht?'

'Hij staat op jouw naam. Mijn moeder, noch mijn zus, noch iemand anders dan jij heeft er iets over te zeggen.'

'Kijk niet zo ongerust,' zei Jesse lachend. 'We zullen je om de beurt rijden, tot je je helemaal op je gemak voelt in die auto.'

'Je hebt de rijcursus van school en je rijbewijs met vlag en simpel gehaald,' bracht Edward me in herinnering.

'Sí, maar ik heb sindsdien niet veel meer gereden.'

'Dat zul je nu dus gaan doen en dan ben je van niemand meer afhankelijk. Overigens,' zei Edward en overhandigde me een creditcard, 'is dit je benzinepasje. Je weet toch hoe je benzine moet tanken, hè?'

Ik keek hem aan.

'Pak aan.'

'Maar je geeft me zoveel!'

'Dat doe ik graag,' zei hij. 'Weet je niet dat het beter is te geven dan te nemen? Heeft je oma je dat niet geleerd?'

Ik schudde mijn hoofd. '*Demasiado*. Dit is te veel, Edward. Je moeder zal erg kwaad zijn.'

'Dat zal niet de eerste keer zijn,' zei hij, met een blik op Jesse. Ze glimlachten allebei. 'Hoor eens, het is mijn geld, Delia. Ze heeft er niets over te zeggen.'

'Maar,' zei Jesse opgewekt, 'ik ken iemand die er heel veel over te zeggen zal hebben.'

'Uw sleutels, *señorita*,' zei Edward en overhandigde me twee sets. 'Als je hierop drukt, gaan de deuren van het slot en de lichten aan, en deze is om alles op slot te doen.'

'Ik raad je aan ze op slot te houden, zelfs hier. Vooral hier,' zei Jesse.

'Volgend weekend zul je niet meer op krukken lopen en zullen we met de rijlessen kunnen beginnen, zodat je je thuis voelt in je auto,' beloofde Edward.

We hoorden de voordeur opengaan en zagen Sophia en Alisha, die ons aanstaarden.

'Daar gaan we,' fluisterde Jesse.

'Wiens auto is dat?' vroeg Sophia, terwijl ze de trap afliep.

'Deze auto,' Edward legde zijn hand op het dak van de auto en boog zich voorover om haar aan te kijken, 'staat geregistreerd op naam van Delia Yebarra. Ken je die soms?'

Sophia opende haar ogen zo verbaasd en zo wijd, dat ik dacht dat haar oogleden zouden scheuren. Haar mond ging open en dicht. 'Heb je een auto voor haar gekocht?'

'Niet zomaar een auto. Dit is *Motor Scope's* sportauto van het jaar,' antwoordde hij. Hij liep om de auto heen en voegde er achteloos aan toe: 'Ik moest steeds weer denken aan al die verjaardagen van Delia die we gemist hebben, en ik dacht dat dit het misschien goed kon maken. Wat vind jij, Sophia? Is het voldoende of moet ik...'

'Je liegt,' zei Sophia. 'Je hebt geen auto voor haar gekocht.'

Edward keek achterom naar de auto.

'Het ziet eruit als een auto, hè, Jess?'

'Ruikt als een auto.'

'Beweegt als een auto.'

Samen riepen ze uit: 'Het moet een auto zijn!'

Sophia draaide zich om en holde de trap weer op, langs Alisha, het huis in. Alisha bleef ons even aanstaren en volgde haar toen naar binnen.

'Wraakneming?' vroeg Edward aan mij.

'Ik weet niet hoe je het moet noemen, Edward. Ik ben meer geschokt dan zij.' Ik keek weer naar de auto en naar de sleutels in mijn handen. Ik kon me zelfs niet voorstellen hoe mijn vader zou hebben gekeken. Van dit soort dingen hadden we zelfs niet kunnen dromen.

'Kom, dan beginnen we aan de voorbereidingen voor je feest,' zei Jesse.

We waren pas halverwege de trap toen de voordeur weer openging en tante Isabela verscheen. Ze keek naar ons en toen naar de auto. We zagen Sophia en Alisha achter haar staan.

'Is het waar, Edward? Heb je die auto voor haar gekocht?'

'Moeder, ik kan niet tegen je liegen. Het is waar,' zei Edward.

'Ben je helemaal gek geworden?'

'Dat geloof ik niet, moeder. Waarom vraag je dat?'

Tante Isabela nam hem even aandachtig op, draaide zich toen om en ging weer naar binnen.

'De enige reden waarom mijn moeder van streek is,' zei Edward tegen Jesse, 'is dat ze nu echt onder druk komt te staan om een auto te kopen voor mijn zus.'

'Ze zal me erom haten,' zei ik.

'Ze komt er wel overheen,' verzekerde Edward me. 'Ze heeft mij ook al eens gehaat. Wees maar niet bang.'

'Concentreer je maar op een heerlijke avond,' zei Jesse.

Toen we binnenkwamen, zagen we Sophia stampvoetend de trap oplopen met Alisha. Tante Isabela was terug in haar werkkamer of slaapkamer.

'Jesse heeft gelijk, Delia. Je moet je langzamerhand klaar gaan maken voor je feest,' zei Edward. Hij keek in de richting waarin zijn moeder was verdwenen. 'Jesse zal je de trap op helpen. Ik ga met de koningin praten.'

'Zorg ervoor dat ze goed weet dat ik niet om zo'n cadeau gevraagd heb,' riep ik hem na.

Hij lachte en liep weg. We liepen de trap op. Toen we in mijn kamer kwamen, ging de telefoon. Jesse liep haastig vooruit om op te nemen.

'En met wie spreek ik?' antwoordde hij op kennelijk dezelfde vraag. Hij luisterde. 'Wel, ik ben miss Yebarra's kamerdienaar. Ik zal haar aan de telefoon roepen,' zei hij op overdreven keurige toon.

Het was Adan. 'Heb je echt een kamerdienaar?'

'Nee, hij is de vriend van mijn neef Edward, Jesse. Ze hebben me vandaag geholpen.'

'Dus je gaat naar het feest?'

'Ik denk dat ik me heel stom zal voelen, maar ja, ik ga.'

'Mooi. Ik kom om zeven uur. Ben jij nog steeds de enige in mijn auto?'

'Absoluut,' zei ik, heimelijk lachend. Ik kon me niet voorstellen dat Sophia naast me zou zitten. 'O, wacht. Hoe krijg ik die krukken in zo'n kleine auto?'

Hij dacht even na. 'Goeie vraag. Ik kom in een van mijn andere auto's. Maak je geen zorgen.'

'*Gracias.*'

'*Es nada, señorita. Hasta luego.*'

'Ja, tot straks.'

Toen ik ophing, dacht ik aan Edwards waarschuwing

'Een rokkenjager,' vroeg ik aan Jesse. 'Hoe gedraagt zo'n man zich?'

'Dat zul je wel zien,' zei hij. 'Vertrouw op jezelf, Delia. Heb je nog iets anders nodig?'

'Nee, dank je, Jesse.'

'We komen boven om je de trap af te helpen en je uit te zwaaien,' zei hij en ging weg.

Ik bleef nog lange tijd bewegingloos staan, duizelig van de schok. Ik liep naar het raam en keek omlaag om zeker te weten dat de auto er echt stond en het geen droom was geweest. De zon scheen glinsterend op de motorkap. Het was fantastisch. Maar toen vroeg ik me af hoe ik zo'n cadeau moest verklaren en wat de mensen, vooral mijn medeleerlingen, zouden denken als Sophia hun vertelde dat Edward die auto voor me gekocht had. Zou dit het niet juist nog erger maken?

Kon het me wat schelen?

Een eigen auto betekende dat ik wanneer ik maar wilde naar de Davila's kon rijden voor een bezoek. Het zou me meer vrijheid geven. Ik zou zelfs... erover kunnen denken naar Mexico te rijden. Zou ik dat durven? Als ik eens gevolgd werd of betrapt? Ik moest me beheersen en niet te ambitieus worden. Ik zou op de mythische Icarus kunnen lijken, wie de wonderbaarlijke macht werd verleend van het kunnen vliegen met veren die met was aan hem bevestigd waren. Hij werd gewaarschuwd dat hij niet te hoog moest vliegen maar dat deed hij toch. Door de zon smolt de was van de vleugels en hij viel in zee.

Zou ik nu te hoog vliegen?

Mijn hart bonsde niet alleen van vreugde maar ook van angst. Kleed je nou maar aan, Delia, vermaande ik mezelf. Maak je klaar voor je feest. Net als een acrobaat op het slappe koord, moet je er niet aan denken en niet omlaag kijken, alleen vooruitgaan.

Toen Edward en Jesse terugkwamen, was ik aangekleed en klaar voor het feest, maar toen ik voor de spiegel van de toilettafel zat, staarde ik door het beeld van mijzelf naar het gezicht van mijn moeder. Nu mijn gedachten zo uitsluitend gewijd waren aan mijn eigen uiterlijk en geluk, kreeg ik plotseling het afschuwelijke gevoel dat ik mijn moeder de derde dood liet sterven. Al deze gebeurtenissen, mijn leven hier, al die nieuwe mensen die in mijn leven kwamen duwden mijn verleden steeds dieper in die afgrond van vergetelheid, het land van verloren herinneringen waar geliefden het uitschreeuwen om hun naam.

Ik loop het gevaar iemand anders te worden, dacht ik. Was dat een natuurlijk proces? Onderging iedereen zulke drastische veranderingen? Juist toen ik veranderde in een vlinder, werd mijn moeder, wier liefdevolle glimlach en omarming me zo zorgvuldig leiding hadden gegeven, me ontnomen. Ik had haar toen nodig en ik had haar nu wanhopig hard nodig. Mijn oma, al was ze nog zo vol liefde en bezorgdheid voor me, had me niet kunnen helpen alle emoties te begrijpen die in een vicieuze cirkel in mijn borst ronddraaiden. Mijn eigen gezicht en lichaam waren begonnen me te verblinden. Ik moest mijn wang aanraken om te bevestigen dat het echt Delia was die in de spiegel keek. Iets in me was heel sterk en dramatisch veranderd. Het leek alsof ik voor mijn ogen mijn jeugd zag verdampen en krimpen en mijn verleden, inclusief degenen van wie ik had gehouden, zag verzwakken en verschrompelen.

'Nee!' riep ik uit toen ik mijn eigen gezicht zag terugkeren en dat van mijn moeder verdwijnen. 'Laat me nu niet in de steek.'

Toen werd er op de deur geklopt. Ik drong mijn tranen terug en haalde diep adem.

'Ja?'

'Hé,' zei Edward. Hij deed de deur open en tuurde mijn kamer in. 'Hoe gaat het?'

'Ik ben nog steeds zenuwachtig voor dat feest,' bekende ik.

Ze kwamen allebei binnen.

'Je haar zit mooi,' zei Jesse.

Edward zette me de hoed van tante Isabela op en deed een stap achteruit.

'Perfect. Je ziet er werkelijk prachtig uit, Delia,' zei hij. 'Je hebt geen enkele reden om zenuwachtig te zijn. Het wordt een heel leuk feest, dat weet ik zeker. En wij zijn er ook nog. Je hoeft ons maar te bellen als je ons nodig hebt.'

'Ik weet het niet, Edward, ik voel me...'

'Te laat,' zei Jesse jubelend. 'Er staat beneden iemand op je te wachten.'

'Is hij er al?'

'Hij staat beneden met mijn moeder te praten, dus laat hem niet te lang wachten,' zei Edward. 'Zij kan Casanova in een monnik veranderen.'

Lachend pakte Jesse mijn krukken. 'Kom, laat je niet kisten door Sophia. Als je nu niet naar dat feest gaat, schenk je haar de overwinning.'

'Dat kan me niet schelen,' zei ik. Maar in mijn hart wist ik dat het me wel degelijk kon schelen. Ik nam de krukken aan en stond op.

Jesse deed de deur open en Edward kwam naast me staan.

'We kunnen je naar beneden dragen, als je wilt,' zei Jesse toen ik me niet verroerde. Hij deed alsof hij me op wilde tillen.

'Nee! Ik ga al. Ik ga al.'

Waarop ze allebei begonnen te lachen.

We liepen de trap af en ik keek achterom naar de deur van Sophia's kamer.

'Ik heb zo'n idee dat ze niet gaat,' zei Edward, die mijn blik volgde. 'Denk niet meer aan haar.'

Adan stond onmiddellijk op van de bank en keek naar ons toen we naar beneden kwamen. Tante Isabela zat tegenover hem en keek ook omhoog.

'Belachelijk,' hoorde ik haar zeggen. 'Op krukken naar zo'n feest gaan.'

'Jij bent eens naar een officieel diner gegaan met je arm in een mitella,' bracht Edward haar in herinnering.

'Dat was iets anders. Ik was herstellende van een polsgewrichtoperatie, niet van een val van de trap.'

Even zei niemand iets. Toen kwam Adan dichterbij en pakte mijn hand. 'Je ziet er fantastisch uit,' zei hij, 'en die hoed staat je geweldig. Heel Frans.' Hij gaf me een handkus. '*Enchanté*,' zei hij.

Ik keek even naar tante Isabela. Haar ogen waren zo wijd opengesperd dat ik bijna moest lachen.

'O,' ging Adan verder, 'en gefeliciteerd met je auto. Hij is heel mooi. Ik had erover gedacht precies dezelfde te kopen deze week, maar iemand is me blijkbaar voor geweest volgens je tante.' Hij keek glimlachend naar Edward.

Ik vond dat hij er nog knapper uitzag dan bij Fani. Hij droeg een op maat gemaakte smoking die hem een adembenemende elegantie verschafte, een kostbaar gouden horloge en een diamanten pinkring.

'Ik ben even verbaasd over die auto als wie dan ook,' zei ik, met een blik op mijn tante. Ze grimlachte naar Edward, wendde even haar hoofd af, stond toen op en kwam dichterbij om me aan een inspectie te onderwerpen.

'Hoe kom je aan die jurk?' vroeg ze, maar voor ik antwoord kon geven, draaide ze zich om naar Edward en zei: 'Alsof ik dat nog moet vragen.'

'De hoed maakt het geheel echt af, vind je niet, moeder?' vroeg hij.

Ik zag haar onwillige goedkeuring. 'Ja, maar die jurk doet het ook niet slecht. Ik ken de ontwerper. Goed, veel plezier. Maar ik hoop dat ik geen herhaling hoef te verwachten van wat er gisteravond is gebeurd.'

'Leg Miss Horror aan de ketting, en je zult er geen last van hebben,' zei Edward.

Adan sperde zijn ogen open. Hij scheen geen woord te durven zeggen. Maar de stilte was te drukkend.

'Laten we gaan,' zei hij, nam een van mijn krukken over en bood zijn arm aan. Toen liepen we naar de deur.

Achteromkijkend terwijl Adan het portier van zijn sedan voor me opende, zag ik Edward en Jesse in de deuropening staan en met een trots gezicht naar me kijken.

'Ze zien er inderdaad uit als twee moederkloeken,' mompelde Adan, die mijn krukken pakte en op de bank legde. 'Hebben ze niets beters te doen?'

'Wat kan er beter zijn dan voor mij zorgen?' vroeg ik.

'Ik heb je al gezegd, ik hou van je gevoel voor humor,' zei hij lachend en deed het portier dicht. Hij zwaaide naar Edward en Jesse en stapte in. 'We gaan,' zei hij, startte de auto en reed weg.

Toen we bij het hek kwamen, haalde een sportwagen ons in en reed ons bijna van de weg. Maar ik kon nog net zien wie het was.

'Wie was dat, verdomme?' vroeg Adan terwijl hij vaart minderde.

'Een jongen van school, Christian Taylor,' zei ik, achteromkijkend. Sophia kwam door de voordeur naar buiten.

'De date van je nichtje?'

'Lijkt erop,' zei ik. Ik kon me niet voorstellen dat Christian in haar geïnteresseerd was. Ik wist zeker dat ze niets goeds in de zin hadden.

Slechts de tijd zou me duidelijk maken welke nieuwe dolk ze had gesmeed om in mijn hart te steken.

8

Het feest

Het familielandgoed van Danielle Johnson was net zo mooi en luxueus als dat van Fani, maar minder groot en zonder heliport. Het zwembad en de tennisbaan waren zichtbaar vanaf de oprijlaan. Adan zei dat de eigen golfbaan van de Johnsons maar negen holes had. Arme Johnsons, dacht ik. Gaande van de *hacienda* van de ene rijke familie naar de andere, kon ik begrijpen dat iedereen die leefde en speelde in deze wereld van overdaad en luxe, met zijn bedienden en gourmetkeuken, zijn fonteinen van wijn, en glinsterende gouden en diamanten sieraden, onverschillig kon worden voor de andere wereld, de wereld waarin mensen zwoegden voor voedsel, warmte en geborgenheid. Het was werkelijk of deze rijke mensen op een andere planeet woonden, en ik een ruimtereiziger was die in een ander zonnestelsel terecht was gekomen.

Rijdend over Danielles oprijlaan, zag ik bedienden in een zwarte broek en een wit hemd heen en weer rennen om alle auto's te parkeren. Franse muziek klonk uit speakers langs de oprijlaan, zodat de mensen die aankwamen onmiddellijk werden ondergedompeld in het etnische thema van het feest. Net als in Fani's huis, en zoveel huizen van de rijke families hier, bevond zich voor de ingang aan de voorkant een groot plein. Vanavond was op dat van Danielle een replica gebouwd van de Eiffeltoren in Parijs, inclusief de verlichting. Later hoorde ik dat de replica de exacte details bevatte van het origineel en zes meter hoog was. Er was zelfs een kleine lift die echt functioneerde.

'En, wat denk je nu werkelijk van dit alles, Delia?' vroeg Adan, gebarend naar het schouwspel vóór ons.

'Als je wilt verdrinken in rijkdom, is dit de plaats om gelukkig te sterven,' zei ik. Hij lachte.

'Ik ben werkelijk onder de indruk van je gevatheid, Delia. Ik verlies al mijn stereotiepe vooroordelen tegen landelijke Mexicanen. Ik denk dat ik mijn eigen volk onderschat heb.'

'En dus ook jezelf,' zei ik. 'Vergeet niet dat je vader me verteld heeft waar zijn familie oorspronkelijk vandaan komt en waar je nog steeds familie hebt.'

Deze keer keek hij me minder geamuseerd, maar met meer waardering aan. Zijn blik was zo doordringend, dat mijn hart begon te bonzen. Een deel van me had gehuiverd voor elk verlangen dat hij me aardig zou vinden, en een gedeelte, waarvan ik begon te voelen dat het weleens de overhand zou kunnen krijgen, wilde niets liever. Op het ogenblik was elke gedachte aan Ignacio zo ver weg als de maan. Was ik bezig af te glijden van de berg van trouw en liefde? Hoe diep zou ik vallen?

De parkeerhulp die de deurknop vastgreep en mijn portier opende, wekte me uit mijn gedachten.

'Welkom op het feest,' zei hij automatisch.

'Ik moet iets van de achterbank halen,' zei Adan en liep haastig om de auto heen om mijn krukken te pakken. Toen hielp hij me uitstappen en ik plaatste de krukken onder mijn oksels. 'Oké?' vroeg hij.

Ik knikte en keek om me heen naar alles wat zich hier afspeelde. Kelners en serveersters in de kleding van Franse straatverkopers wachtten niet tot de gasten zich in het feestgewoel stortten. Ze kwamen naar buiten om de gasten te begroeten met drankjes en hors d'oeuvres. Het met dienbladen rondlopende personeel serveerde geen alcohol. Voor de volwassenen waren op het voorplein en in het huis bars opgesteld. Ik wist niet wat de minderjarige leerlingen van onze school zou beletten aan alcohol te komen, maar ik zag dat mannen die kennelijk bij de veiligheidsdienst hoorden, terzijde stonden en de mensen aandachtig observeerden, vooral de jongeren.

De entree en de zitkamer van het gigantische huis waren omgebouwd tot een balzaal in Parijs, zelfs met een klein toneel aan de rechterkant. Danielles vader had danseressen gehuurd voor de cancan. Hun kostuums lieten weinig te raden over, en hun publiek bestond voor het merendeel uit de vaders en vrienden van Danielles vader. Sommigen rookten sigaren, en dunne spiraaltjes rook stegen op en parfumeerden de lucht met het zware, geurige aroma van tabak. Dieper in het huis speelden een stuk of zes mannen en vrouwen op kleine accordeons, jongleerden en goochelden om de gasten te vermaken. Bijna overal waar ik keek waren kraampjes met hapjes, variërend van garnalen, kip en stukken vlees aan stokjes geregen, grote schalen kreeft en vis, brood en groenten, en in één hoek Franse taartjes en pasteitjes die beslist konden concurreren met alles wat in Parijs zelf te krijgen was. De obers die opdienden droegen koksmutsen.

Mijn eerste gedachte toen ik zo om me heen keek en zoveel mogelijk in me opnam, was hoe groot het verschil was met een verjaardagspartij voor een meisje van Danielles leeftijd in mijn Mexicaanse dorp. Ik herinnerde me zelfs de noodlottige avond toen ik op het verjaardagsfeest was van Ignacio's zuster. Al het eten was zelf bereid, meegebracht door vrienden en familie. Behalve het spandoek boven de ingang van het huis waarop stond GEFELICITEERD, DANIELLE, wees niets erop dat het een feest was ter ere van haar. Op de uitnodiging had gestaan dat het verboden was om cadeaus mee te brengen, met de simpele verklaring dat uw aanwezigheid een voldoende geschenk was. Als het spandoek werd neergehaald, zou het een nieuwjaarsfeest kunnen zijn. Zou zo'n feest haar blij of somber maken? Als dit haar verjaardagsfeest was, hoe zou haar bruiloft dan wel niet zijn?

'Je bent er!' riep Danielle. Ze klapte in haar handen en kwam haastig naar ons toe. Drie van haar goede vriendinnen op school, die ook vriendinnen van mij waren, slierden achter haar aan als de staart van een vlieger. 'Ik ben zo blij dat je toch hebt kunnen komen, ondanks je ongeluk. Heb je pijn?'

'Nee,' zei ik, me afvragend hoeveel ze wist over mijn zogenaamde ongeluk.

'Wat een mooie jurk, Delia,' zei Colleen. De andere twee vielen haar bij, verbaasd en afgunstig.

'Dank je.'

Danielle omhelsde me, maar bewaarde haar liefste glimlach voor Adan, die ze net als een Frans meisje op beide wangen kuste.

'Ik ben zo blij dat je kon komen,' zei ze. Ze wendde zich volledig van me af, net als de andere drie. Het leek of ik plotseling in een marmeren standbeeld was veranderd en zelfs niet de geringste aandacht waard was.

'Nee, ík ben degene die blij is. Wat een feest!' merkte Adan op.

'Ja, geweldig, hè?' Danielle boog zich zo ver naar hem toe dat ik dacht dat hij haar in zijn armen zou moeten opvangen om te voorkomen dat ze viel. 'Mijn vader grijpt elke gelegenheid aan voor een groots feest.'

'Dan is het hem beslist weer gelukt,' zei Adan. Hij veranderde van houding, zodat hij dichter bij me stond, en pakte mijn hand.

Ze keek even naar mij en ging weer rechtop staan. 'Fani staat met mijn moeder te praten,' zei ze. 'In het Frans! Ze spreekt drie talen.'

'Vier eigenlijk,' zei Adan. 'Ze kan zich redden met Duits omdat ze een tijdje in Berlijn is geweest met haar ouders.'

'Duits ook nog! Heb je geen hekel aan haar als ze zo perfect is?'

'Als we een hekel moesten hebben aan mensen omdat ze perfect zijn, zouden we ook een hekel aan jou moeten hebben, Danielle,' zei Adan. Ze keek hem stralend aan.

'Beloof me dat je me later vraagt om met je te dansen.' Ze knikte naar mij en keek even naar mijn enkel. 'Ik denk niet dat je date vanavond kan dansen. Jammer, Delia.'

Haar vriendinnen kwamen dichterbij.

'We hebben allemaal gehoord over je ongeluk, Delia,' zei Katelynn. 'Hoe is het echt gebeurd?' vroeg ze, op de toon van iemand die het antwoord al kent.

'O, niet nu, meiden,' zei Adan, en kwam tussen ons in staan. 'Vanavond willen we niet aan nare dingen denken. Het is Danielles verjaardagsfeest.' Hij gaf haar een knipoog. 'Ik zal later met je dansen. Ik beloof het je. Maar nu verga ik van de dorst.'

Ze keek naar haar teleurgestelde vriendinnen, die allemaal hadden gehoopt op een nieuwsbulletin voor hun roddelpraatjes. Glimlachend deed ze een stap opzij.

'Natuurlijk kun jij iets sterkers krijgen, Adan. Voer alleen geen alcohol aan minderjarige meisjes,' voegde ze eraan toe, met een glimlach naar mij. Ze suggereerde duidelijk dat hij misschien iets voor me zou halen.

Adan lachte. 'Als ik naar jullie kijk, wordt het steeds moeilijker uit te maken wie minderjarig is.' Danielles vriendinnen proestten van het lachen.

'Later,' ging hij verder, en trok me zachtjes mee. 'Red me,' fluisterde hij. 'Zorg dat je die krukken kwijtraakt.'

'Ik weet niet zeker of dat wel genoeg zou zijn. Het waren net hennen die tegen een haan stonden te klokken.'

Hij lachte en pakte een sapje voor me van een van de bladen. Bij een bar bestelde hij een wodka-martini voor zichzelf. We aten een paar hors d'oeuvres voor we door de kamer naar Fani liepen, die ons onmiddellijk voorstelde aan Danielles moeder.

'Welkom, Delia. Ik ben blij dat ik eindelijk Isabela's nichtje leer kennen. Ik heb al zoveel over je gehoord van Danielle en nu van Fani dat ik het gevoel heb dat ik je al ken.'

'*Merci, madame Johnson. Je suis honorée d'être ici.*'

Ze keek me met een verbaasd lachje aan. 'Zijn jullie allemaal zo slim en wereldwijs?'

Ik schudde mijn hoofd, boog me naar haar toe en bekende dat ik die zin uit mijn hoofd had geleerd. Ze lachte hartelijk en staarde me geamuseerd aan. Ik vond haar veel mooier dan Danielle. Fani keek naar me met de goedkeurende blik van een moeder of voogd.

'Wat is er met je enkel gebeurd?' vroeg mevrouw Johnson.

'Een ongelukje. *Ce n'est rien.*'

'Het is niets? *Bon.* Wel, kinderen, veel plezier. Ik ben blij dat Danielle zulke aardige vriendinnen heeft.'

Ze gaf me een klopje op mijn hand en ging naar een paar andere volwassenen die dichtbij stonden.

'Dat is een dure jurk,' zei Fani onmiddellijk. 'Heeft je tante die voor je gekocht?'

'Nee. Het is een cadeau van mijn neef Edward.'

'Is het heus? Heel royaal van hem.'

Royaal? Als ze dit al zo royaal vond, wat zou ze dan wel zeggen als ze het hoorde van mijn auto?

'Waar is die schat van een nichtje van je?' vroeg Fani, naar de ingang kijkend. 'Ik dacht dat ze zeker zou komen.' Het verbaasde me dat haar stem zo teleurgesteld klonk.

'Ze kan er elk moment zijn. Christian Taylor haalde haar af.'

'Christian Taylor? Heeft ze hem zover gekregen? Hm, het begint steeds interessanter te worden. Ik vraag me af wat die twee van plan zijn. Maak je niet ongerust. Ik heb de zaadjes geplant, dus iedereen weet dat zij verantwoordelijk is voor dat ongelukje van je.'

Dus Danielle en haar vriendinnen wisten het, dacht ik. Ik keek naar Adan. Hij had Fani natuurlijk verteld wat ik aan de telefoon tegen hem gezegd had. Ik was bang dat ze nu allemaal vastbesloten waren de kleinste details boven te krijgen.

'We kunnen het beter achter ons laten,' zei ik. 'Vooral op zo'n feest als dit.'

'Heb je me niet verteld dat je vader tegen je zei dat als je je als een schaap gedraagt, zij zich zullen gedragen als wolven?'

'Ja, maar...'

'Doe niet zo huichelachtig, Delia. Wees dapper en trots, of raap het wc-papier van je nichtje op,' snauwde ze.

'Fani, opstookster!' zei Adan.

'Nou en?' Ze keek naar de festiviteiten om ons heen, alle heerlijkheden, de muziek. 'Deze feesten kunnen zo vervelend zijn. Al die mannen die pretenderen jongens te zijn, al die jongens die pretenderen mannen te zijn.'

'Vervelend? Hoe kun je dat zeggen? Ik heb nog nooit zo'n geweldig verjaardagsfeest meegemaakt,' zei ik.

Ze grijnsde. 'Nou, verwacht maar geen *piñata*. Haal een glas champagne voor me, Adan.'

'Champagne? Wil je dat ik gearresteerd word wegens het bijdragen aan een overtreding van een minderjarige?'

'Spaar me. Het zou niet de eerste keer zijn dat je dat deed,' zei ze.

'Wacht hier,' zei hij lachend. 'Ik moet het gaan halen en overschenken in een limonadeglas.'

De danseressen begonnen weer de cancan te dansen, onder de aanmoedigingen van mannen en jongens.

'Adan vindt je echt aardig,' zei Fani. 'Ik heb hem nog nooit zoveel over een meisje horen praten. Hij bleef maar aan de telefoon hangen vanmiddag. Hij vindt dat je ver uitsteekt boven andere meisjes van jouw leeftijd. Wat heb je met hem gedaan toen hij je gisteravond naar huis reed?'

'Niks.'

'Zijn jullie rechtstreeks naar huis gegaan?' vroeg ze, hem nakijkend.

'Ja, we zijn meteen naar huis gegaan.'

'Ja, nou ja, wat je dan ook wel of niet gedaan hebt, het was genoeg om zijn fantasie aan het werk te zetten, en Adan heeft een wilde fantasie.'

Ze zweeg toen Adan terugkwam met de champagne in een limonadeglas. '*Gracias, señor.*' Ze klonk met hem en nam een slokje van haar champagne.

'Laten we iets voedzaams gaan eten,' stelde ze voor.

Toen we door de kamer liepen naar de uitstalling van gerechten, bleef Fani staan en gaf me een zachte por om me te doen omdraaien. Sophia en Christian kwamen net binnen.

'Dit gaat goed worden,' fluisterde ze met een knikje naar Danielle en haar vriendinnen, die Sophia ook hadden gezien. Ze begonnen opgewonden te praten. Ze deden me denken aan een zwerm nijdige bijen.

'O, ik hoop dat ze geen problemen gaan maken,' zei ik. Het klonk als een gebed.

'Ze krijgt alleen maar wat ze verdient,' verklaarde Fani. 'Bovendien is het Danielles feest. Ze kan doen wat ze wil.'

'Met een beetje hulp van jou, denk ik,' mompelde Adan. 'Je vindt het heerlijk om het leven van anderen te regelen.'

'Het is geen leuk karwei, maar iemand moet het doen,' zei ze, en ze lachten allebei.

Adan schepte een en ander voor me op en bracht me naar een van de tafeltjes die waren opgesteld als in een Frans café, met kaarslicht en mandjes croissants. Toen ik om me heen keek in de kamer zag ik

Danielle en haar vriendinnen afstevenen op Sophia, die ondanks het feit dat ze eleganter gekleed was dan ik haar ooit had gezien en aan de arm liep van Christian Taylor, toch de indruk wekte van een vis op het droge.

Adan maakte ook een bord klaar voor Fani, en ze ging naast me zitten. Het viel me op dat geen van de jongens van onze school probeerde haar aandacht te trekken. Waren ze allemaal zo bang voor haar, bang om te worden afgewezen? Ze scheen het zich niet aan te trekken.

Vlak voordat Adan terugkwam met zijn eigen bord, boog Fani zich naar me toe, terwijl we allebei keken naar Danielle en haar vriendinnen, die stonden te praten met Sophia en Christian, en fluisterde: 'Adan weet wat er met je gebeurd is. Hij weet alles van de beruchte Bradley Whitfield-affaire. Hij wist er meer van dan ik.'

Ik verslikte me bijna in het stuk kreeft dat ik net in mijn mond had gestoken, maar voor ik kon reageren kwam hij naast me zitten.

'Wat gebeurt er in de soap?' vroeg hij, terwijl hij een hap van zijn hamburger nam en naar Sophia en Christian knikte.

'Ik weet zeker dat ze haar een kruisverhoor afnemen,' zei Fani. 'Ze schijnt zichzelf te verdedigen, en Christian Taylor kijkt alsof hij haar advocaat is.'

Ze schenen nu in een serieus twistgesprek te zijn verwikkeld.

'Dat is niet leuk voor Danielles feest,' zei ik. 'Ze zal natuurlijk de pest in hebben.'

'Doe niet zo mal! Danielle is net als de anderen. Ze vindt het heerlijk om iemand te treiteren. Ik heb haar net wat nieuwe ammunitie bezorgd.'

'Wat ben je toch een kreng, Fani,' zei Adan glimlachend.

'Ik heb een goeie leermeester gehad.'

Sophia maakte zich los van Danielle en haar vriendinnen en liep de kamer door in onze richting, met Christian achter zich aan.

'Ojee,' zei Adan, 'hier komen de moeilijkheden.'

'Je vindt jezelf erg slim, hè?' zei Sophia, toen ze dicht genoeg bij ons was. 'Dat verhaal verzinnen over mij en dat snel rondvertellen om mijn avond hier te kunnen bederven.'

Ik schudde mijn hoofd. 'Ik heb tegen niemand iets over jou gezegd.'

'Ja, ja.' Ze keek naar Fani. 'Ik zou ze maar gauw bij me vandaan halen als je weet wat goed voor je is.'

'Ik? Ik heb niets over ze te zeggen,' antwoordde Fani. 'En ik hou er niet van om bedreigd te worden.'

'Kom, meiden,' zei Adan. 'Laten we gewoon plezier maken vanavond.'

'Ja, nou, we weten wat dat voor jou betekent, Adan Bovio. Jij zult waarschijnlijk wel plezier hebben. Je hebt de juiste vrouw ervoor.' Ze knikte naar mij, draaide zich om en liep weg.

Christian haalde zijn schouders op alsof hij er niets aan kon doen, maar we konden zien dat hij ervan genoot, misschien wel net zoveel als Fani.

Ik voelde dat ik een vuurrood gezicht had. Mijn wangen gloeiden.

Adan lachte.

'Zie je nou?' zei Fani. 'Dit maakt het feest toch veel interessanter? Ik verheug me al op de tweede ronde.'

Zoals in het kinderspelletje, waarin een geheim in het oor van iedereen in een kring wordt gefluisterd tot het dramatisch veranderd terugkomt in het oor van de oorspronkelijke bedenker, begonnen de roddels van Sophia en Christian zich te verspreiden via de oren en monden van de andere leerlingen op het feest. Mijn schoolvriendinnen waren weer jaloers op me omdat ik met Adan Bovio was gekomen. Ze luisterden gretig en gaven de fluisteringen door. Ik had geen idee wat voor verdachtmakingen en geruchten tijdens die avond ontstonden, maar Fani hoorde alles wat er gemompeld werd en berichtte ons dat Sophia en Christian beweerden dat Sophia mij in bed had gezien met Edward en Jesse. Ze vertelde rond dat mijn tante erg van streek was en tegen ze had gezegd dat ze niet meer bij mij in de buurt mochten komen. Sophia beweerde dat ik daarom dat verhaal had verzonnen dat ze me van de trap zou hebben geduwd.

Even snakte ik naar adem. Het scheen dat iedereen op het feest afkeurend en hoofdschuddend naar me keek. Het verbaasde me dat iemand, vooral de meisjes van wie ik dacht dat het vriendinnen van me waren, zo'n verhaal konden geloven, maar nu was Katelynn bezig te beschrijven hoe innig ik met Edward en Jesse was omgegaan in het restaurant, en natuurlijk beweerde Christian dat ik liever bij hen dan bij hem was.

Zoals alle nare geruchten waren ze in essentie gebaseerd op enkele feiten. In dit geval was het dat Edward een auto voor me had gekocht en dat ze beiden de jurk die ik droeg hadden uitgezocht en gekocht. Christian bevestigde alles. Hij had de auto vanavond gezien. Toen ik die feiten niet kon ontkennen won al het andere aan geloofwaardigheid, en nog vóór het eind van de avond was ík en niet Sophia het mikpunt van de valse roddels.

'Heeft je neef een sportauto voor je gekocht?' vroeg Fani toen ze dat hoorde.

'Sí. Het was een verrassing.'

'Dat geloof ik graag. Geen wonder dat Sophia zo roddelt. Ze gaat waarschijnlijk dood van jaloezie.'

Tot mijn verbazing en teleurstelling beschouwde Fani dat niet als onaangenaam voor me. Integendeel, ze vond de verbale strijd nog leuker. Adan moest uiteindelijk toch met Danielle dansen, en toen vroeg een van haar vriendinnen hem op de dansvloer. Jongens werden ten slotte dapper genoeg om Fani ten dans te vragen, maar niemand sprak verder met mij. Ik was bezig te verdrinken in ellende, terwijl ik naar iedereen zat te kijken. De stroboscooplampen werden aangezet en flitsten over hun lachende gezichten, gaven alle dansers een duivels aspect. Zelfs mijn enkel begon weer pijn te doen.

Hoe was die heerlijke avond zo verzuurd? Ik wilde niets liever dan vertrekken, maar niemand kon weg voordat de reusachtige verjaardagstaart naar binnen werd gereden. Danielle blies de kaarsjes uit, en toen volgde er een explosie van ballons die opstegen in de lucht. Tot ieders verrassing werden we daarna naar buiten geleid voor een spetterend vuurwerk, dat eindigde met de woorden *Happy Birthday, Danielle* in stralende letters tegen de inktzwarte lucht. Het was zo overweldigend allemaal dat ik in die ogenblikken elke gedachte aan Sophia en haar lasterpraatjes was vergeten.

Adan hield me dicht tegen zich aan. 'Je gezicht wordt verlicht door het vuurwerk,' zei hij, en kuste me. Het was een tedere, zachte kus, maar hartstochtelijk genoeg om een rilling van opwinding door me heen te laten gaan. Ik voelde dat ik bezig was alle weerstand te verliezen, en hij voelde het ook. 'Laten we hier weggaan,' fluisterde hij.

Ik keek naar rechts en zag dat Fani naar ons keek met een sluw glimlachje op haar gezicht. Ze had gezien dat hij me een zoen gaf.

'Kom,' drong Adan aan. Hij bleef even bij Fani staan toen we naar binnen gingen om afscheid te nemen van Danielle en haar ouders.

'Gaan jullie nu al weg?' vroeg Fani.

'Della heeft last van haar voet,' zei hij.

Ze glimlachte nog stralender. 'Niet alleen van haar voet denk ik.'

'Je bent een mormel,' zei hij.

'*Bonne nuit, mon amie*,' zei ze tegen mij. 'Ik spreek je morgen.'

'*Buenos noches*,' antwoordde ik. Daarna gingen we naar Danielles ouders.

'Ik ben erg blij dat je hebt kunnen komen,' zei haar moeder. Haar vader gaf Adan een hand en wenste zijn vader succes met de verkiezingen. Hij zei ook dat hij een bijdrage aan de campagne zou sturen.

Alle leerlingen van onze school die ze had uitgenodigd omringden Danielle, maar toen ze zag dat wij aanstalten maakten om te vertrekken, maakte ze zich los uit het groepje.

'Waarom gaan jullie zo vroeg weg?' jammerde ze. 'Het feest begint pas. De band blijft tot twee uur spelen.'

Adan legde uit dat mijn enkel pijn deed en dat ik naar huis moest om te rusten.

'Natuurlijk,' zei Danielle. 'Maar je kunt altijd terugkomen als je haar thuis hebt gebracht,' voegde ze er flirterig aan toe. Hij reageerde niet. 'Ik hoop dat je je gauw beter voelt, Delia. Zie je op school.'

'Dank je. Nog veel plezier vanavond.'

Ze glimlachte en keerde snel terug naar haar entourage. Ik keek om me heen of ik Sophia en Christian zag. Adan merkte het.

'Ik heb je nichtje ruim een halfuur geleden weg zien gaan. Ik weet zeker dat het niet was om naar huis te gaan.'

De parkeerhulp reed Adans auto voor en hij legde mijn krukken weer achterin.

'Nou, dat was me het verjaardagsfeest wél,' zei hij, toen we over de oprijlaan naar het hek reden. Hij keek me aan toen ik niet reageerde. 'Het spijt me dat Fani zo'n opschudding heeft veroorzaakt. Ze heeft zo'n geprivilegieerd, luxe leven geleid, zoveel glamoureuze en dure plaatsen bezocht en haar leven lang in dat paleis gewoond, dat ik denk dat ze zich gewoon verveelt en dit soort dingen doet om zich te amuseren. Ik maak me zorgen over haar.'

'Je maakt je zorgen over Fani? Met alles wat zij heeft, schoonheid, hersens, rijkdom?'

'Er ontbreekt iets belangrijks, Delia. Ze benijdt je.'

'Mij? Ik heb helemaal niks vergeleken met haar.'

'Je hebt een verdomd mooie nieuwe auto,' zei hij lachend.

'Je weet wat ik bedoel, Adan. Ik heb mijn familie verloren. Mijn neef Edward is royaal en lief voor me, maar ik zal zelf mijn weg moeten vinden in deze wereld. Ik ga gebukt onder lasten waarvan Fani zich geen voorstelling kan maken.'

'Dat weet ik, maar het heeft je sterker gemaakt, Delia. Dat kan ik zien, en Fani ook, en ze is jaloers op je innerlijke kracht, je trots. Geloof me.'

Ik zei niets. Het was troostvol dat te horen, maar ik wist niet zeker of het niet gewoon vleierij was.

'Ik wil je iets laten zien als je het goedvindt,' zei hij. 'Je wilt vast niet meteen naar huis.'

'Me iets laten zien?'

Die woorden, dat idee, wekten mijn pijnlijke herinneringen aan Bradley Whitfield.

'Het is niet meer dan een stuk grond,' zei hij. 'Ik weet wat er met je gebeurd is. Wees maar niet bang, ik heb een meisje nooit tot iets gedwongen dat ze niet zelf wilde. Dat soort mannen is onzeker en meelijwekkend.'

'Waar ligt die grond? Waarom wil je me die laten zien?' vroeg ik, niet in staat mijn zenuwachtigheid te verbergen. Was dit de rokkenjager die eindelijk boven water kwam?

'Een beetje geduld. En een beetje meer vertrouwen,' zei hij lachend.

We reden nog een eindje verder en toen nam hij een bocht die ons wegvoerde van de lichten en huizen. De weg liep over een lage heuvel. Toen hij stopte keken we uit op de lichten van Palm Springs. Het was een adembenemend uitzicht.

'Hier ga ik mijn eigen huis bouwen,' zei hij. 'De grond is van mij. Mijn vader heeft er niets mee te maken.'

'Het is een prachtig uitzicht.'

'Ja, en ik bezit ook het land eromheen, zodat ik aan beide kanten zeker zestienduizend vierkante meter privacy heb.'

'Wanneer ga je dat huis bouwen?'

'Ik ga beginnen op de dag dat ik de vrouw van mijn dromen heb gevonden,' zei hij. 'Ik wil dat het het eerste en misschien enige huis wordt dat we zullen hebben. Je ziet,' ging hij glimlachend verder, 'dat ik een heel serieuze kant heb en weet wanneer het tijd is mijn wilde haren kwijt te raken. Weet je,' vervolgde hij, starend naar zijn terrein, 'als mijn vader gekozen wordt en zich met succes van zijn taak kwijt, is het niet ongebruikelijk dat zijn zoon zijn politieke voetspoor volgt. Misschien word ik later zelf wel senator. Het is heel belangrijk dat je een goed huisvader bent als je de politiek in wilt.'

'Waar is die vrouw van je dromen?'

'Hier.' Hij wees naar zijn slaap. 'En hier', wijzend naar zijn hart. 'Ik zal het weten als ik haar tegenkom.'

'Ik wens je veel succes, Adan.'

Hij glimlachte naar me. 'Ik ben niet een van die mannen die je het hoofd op hol brengen met romantische leugens om je in bed te krijgen, Delia, maar ik wil je wel zeggen dat ik genoeg jonge vrouwen heb gekend om te weten wanneer iemand oprecht is, authentiek, en dat ben je. Ik wil meer over je weten, over de familie die je had in Mexico, over je kindertijd, alles, want als ik meer over jou te weten kom, denk ik dat ik ook iets over mijzelf te weten zal komen.'

Hij hief zijn handen op.

'Niet meer, *no más*. Vorm je nu nog geen oordeel over me. Wees wantrouwend en sceptisch. Ik wil je vertrouwen verdienen.' Hij schakelde weer en reed terug.

Ik begon me te ontspannen. Allerlei gedachten tolden door mijn hoofd. Ik voelde me uitgeput door de achtbaan van emoties van deze avond. Ik aarzelde over mijn gevoelens voor Adan. Ik vond hem aardig, maar ik was bang dat ik hem te aardig zou gaan vinden en Ignacio de derde dood zou laten sterven nog voordat hij echt gestorven was. Elk warm gevoel voor Adan voelde aan als verraad jegens Ignacio. Hij had zoveel opgeofferd voor mij, voor ons.

'Wat ben je stil, Delia,' zei Adan. 'Ik heb toch niet iets gezegd dat je beledigd kan hebben?'

'O, nee, het spijt me. Ik ben gewoon erg moe.'

'Natuurlijk. Dat is begrijpelijk. Hoe gaat het met je enkel?'

'De pijn is niet zo erg meer. Ik denk dat hij gauw beter wordt.'

'Ik zou die krukken maar gauw wegleggen,' zei hij, toen we over tante Isabela's oprijlaan reden. 'Er staat een auto op je te wachten,' ging hij verder met een knikje naar mijn auto, die glanzend in het maanlicht voor tante Isabela's *hacienda* stond.

'Ja,' zei ik, nog steeds geschokt toen ik het me realiseerde.

We stopten achter de auto en hij stapte haastig uit om mijn krukken te pakken. Hij hielp me uit zijn auto en de trap op naar de voordeur.

'Ik hoop dat je ondanks enkele nare incidenten toch een prettige tijd met me hebt gehad vanavond.'

'O, ja!'

'Dus je gaat morgenavond met me eten? Ik beloof je dat ik je vroeg thuis zal brengen.'

'Ik ga 's avonds liever niet uit als ik de volgende dag naar school moet. Ik heb nog helemaal niets aan mijn huiswerk gedaan.'

'Ik snap het. Wat zou je zeggen van vrijdagavond? Een vriend van me opent een geweldig nieuw restaurant in Indian Wells, en ik zou daar graag met jou naartoe gaan.'

Zijn glimlach begon te verdwijnen bij mijn aarzeling. Mijn hart sloeg even over toen ik het zag. Het was of je een vlieger met een gebroken touw zag wegdrijven in de wind.

'Goed,' zei ik haastig. 'Dat zou ik fijn vinden. Dank je.'

'Ik dank jou, Delia. Ik heb een fantastische avond gehad.' Hij kuste me weer. Toen liep hij de trap af. 'Hé,' zei hij toen ik de deur opendeed. 'Misschien kun je me uitnodigen voor een ritje in je auto. Ik kan je helpen hem in te rijden.'

'Binnenkort,' zei ik.

Hij wachtte tot ik binnen was. Ik deed de deur achter me dicht en bleef even in de entree staan om op adem te komen. De trap doemde hoog voor me op en leek plotseling op een berg die ik moest beklimmen. Ik ging naar boven met mijn krukken in mijn linkerhand, terwijl ik me vasthield aan de leuning om niet te veel gewicht op mijn gezwollen enkel te plaatsen. Ik voelde me net een oude vrouw; ik bewoog me zo langzaam als señora Baca. Ik was halverwege de trap toen de voordeur open- en dichtging. Sophia keek naar me omhoog.

'Eerder thuis dan ik? Dat moet een vluggerdje zijn geweest,' zei ze, terwijl ze de trap opkwam. 'Misschien is Adan minder goed dan zijn reputatie.'

Ik gaf geen antwoord, maar keerde haar evenmin de rug toe. De manier waarop ik woedend omlaag keek deed haar aarzelen. Haar blik ging van mij naar de trap en toen naar haar verbeelding.

'Ik zou me maar niks in mijn hoofd halen,' zei ze.

Ik genoot van de angst in haar ogen. Langzaam liep ze verder de trap op, bleef zoveel mogelijk aan de linkerkant lopen, en toen ik de kruk een beetje omlaag bewoog, holde ze voor me uit naar boven. Ik moest onwillekeurig even lachen.

'Je zou terug moeten naar Mexico,' riep ze toen ze boven was. 'Terug naar de plaats waar je thuishoort!'

'Dat zou ik moeten, ja,' mompelde ik, maar ze was al halverwege haar kamer.

De opschudding was voldoende om Edward en Jesse uit hun kamer te lokken. Ze kwamen snel naar me toe om me de rest van de trap op te helpen.

'Het gaat prima,' zei ik, maar ze droegen me bijna verder naar boven.

'We willen alles over het feest horen,' zei Edward. 'Ga even mee naar onze kamer.'

'Ik ben moe, Edward. Kunnen we het er morgen over hebben voor jullie teruggaan naar Los Angeles?'

'Natuurlijk. Blijf jij maar in bed,' zei Jesse. 'We zullen je je ontbijt brengen.'

'Nee, ik sta op,' zei ik snel, misschien te snel. Ik kon er niets aan doen maar ik was overgevoelig voor alles wat ze tegen me zeiden en voor me deden. Ik wist dat Sophia het zou opblazen en de afgrijselijke verhalen nog geloofwaardiger maken.

Edward kneep zijn ogen samen. 'Wat is er, Delia?'

'Heb je moeilijkheden gehad met Adan Bovio?' vroeg Jesse.

'Nee, hij was heel aardig, Jesse. Aanstaande vrijdag ga ik met hem eten in het nieuwe restaurant van zijn vriend.'

'O,' zei Edward.

'Het is goed, heus,' zei ik glimlachend. 'Ik ben alleen erg moe.'

'Natuurlijk. Slaap lekker.'

Ze keken me na toen ik naar mijn kamer ging. Ik glimlachte naar hen voor ik naar binnen ging en de deur zachtjes achter me dichtdeed.

'Nu had ik nog een geheim voor ze, dacht ik triest. Voor de twee mensen die het zorgzaamst en het liefdevolst voor me waren geweest. Zouden ze me meer haten als ze de waarheid hoorden of omdat ze die niet hadden gehoord? En hoe zouden ze zich tegenover mij gedragen als ze het wisten van die gemene geruchten die Sophia en Christian verspreidden?

Het leek me dat in welke richting ik ook keek of welke beslissingen ik ook nam, ik altijd gevangen zou raken in dit web van verwarring en gevaar. Mijn volk uit Mexico kwam hier voor bescherming, veiligheid, opleiding en gezondheid, maar ik zag slechts een storm van problemen komen opzetten.

Zelfs in mijn dromen dreven de donkere wolken mijn richting uit. De wind waaide harder, krachtiger, en de greep die ik had om de hand van mijn grootmoeder verzwakte.

Ik viel door een nachtmerrie heen in het licht van de ochtendzon, doodsbang waar de wijzers van de klok me heenvoerden.

9

Een ongemakkelijke deal

Hoewel ik tegen Edward en Jesse had gezegd dat ze me niet moesten verwennen met ontbijt op bed, werd er 's morgens op mijn deur geklopt. Ik had me niet gerealiseerd hoe lang ik had geslapen. Even raakte ik in de war door het heldere zonlicht dat door mijn ramen naar binnen scheen, maar toen riep ik: 'Ja?'

Ze kwamen binnen als twee obers, met servetten over de arm. Een van hen droeg een blad met het ontbijt, de ander koffie en een lokale krant.

'Wat is dat nou?' zei ik, terwijl ik rechtop ging zitten. 'Ik heb toch gezegd dat jullie me geen ontbijt moesten brengen.'

Jesse zette het blad neer en het bedtafeltje op mijn schoot en daarop het dienblad. Edward hield glimlachend de krant op.

'Dat was voordat we ons realiseerden hoe belangrijk je bent geworden.'

'Hè?'

'Je hebt de societypagina's gehaald,' zei hij. 'En hóé!'

'Ik?'

Hij vouwde de krant open en liet me een foto zien van Fani, Adan en mijzelf op Danielle Johnsons feest. Fani keek naar mij, maar Adan en ik keken naar de camera. Iemand had de fotograaf mijn naam doorgegeven. Daarnaast stond geschreven: 'In gezelschap van Adan Bovio, de zoon van Ray Bovio, kandidaat voor het senatorschap'. Fani's naam werd zelfs niet genoemd.

'Wist je niet dat die foto werd genomen?' vroeg Jesse.

'Er waren zoveel flitslichten... Danielles eigen fotograaf, maar nee,' zei ik verbluft. 'Ik wist niet dat er een persfotograaf was.'

'Delia Yebarra verovert de society,' zei Edward, die lachend een krantenkop tekende in de lucht. Hij boog zich fluisterend naar me toe, omdat de deur openstond. 'Gesignaleerd op het feest met de zoon van de kandidaat-senator.' Dat zal beslist diepe indruk maken op mijn moeder. De societypagina's zijn pagina's uit haar bijbel.'

'Sophia zal wel de pest in hebben,' zei Jesse. 'Zij heeft de society-pagina's niet gehaald.'

Ze lachten.

Ik keek van het ontbijt naar hen en toen weer naar de krant.

'Het is niet erg om een beetje beroemd te zijn,' zei Edward, die mijn bezorgde gezicht zag.

Wat hij niet kon begrijpen was dat mijn eerste gedachte toen ik die foto in de krant zag, was dat Ignacio's ouders die waarschijnlijk ook zouden zien. Wat zouden ze dan wel denken van mij en mijn trouw aan Ignacio?

'Naar wat ze erover schrijven, schijnt het een fantastisch verjaardagsfeest te zijn geweest,' zei Jesse. 'Goochelaars, cancan-danseressen, vuurwerk! Wat hadden ze niet?'

'Zelf klaargemaakt eten,' zei ik. 'En familie.'

Ze staarden me beiden aan met een bijna identieke glimlach.

'Je mist Mexico nog steeds, hè? Een beetje veel...'

'Sí. *Tanto*.'

'Wat is het precies dat je zo mist, Delia?' vroeg Jesse.

'Ik mis de muziek op het plein, de troost die ik vind in de kerk, de vriendinnen van mijn oma die 's avonds zachtjes met elkaar zitten te babbelen, mijn vader die naast mijn moeder zit en met haar praat over de dag die achter hen ligt of over hun dromen. Ik mis het lopen op straat en de geuren van eigengemaakte chili, rijst en bonen, burrito's, fajita's, tortilla's, het gelach van kleine kinderen die door de straten hollen maar geen van allen denken aan hun armoede. Ik mis de eerlijkheid.'

Ik zweeg, besefte dat ik doordraafde, en dat ze me allebei verbaasd aankeken.

Edward glimlachte. 'Weet je, ik vind dat we nu een definitief besluit moeten nemen,' zei hij knikkend. 'In de vakantie gaan we naar Mexico, rijden naar je dorp, waar mijn grootmoeder en grootvader ook hebben gewoond. We zullen beginnen met het maken van serieuze plannen.'

'Goed idee,' zei Jesse. 'Ik zal alles wel regelen en de route plannen.'

Het idee was nog even opwindend als altijd, maar ik moest er onwillekeurig aan denken wat zo'n reis van ons drieën zou betekenen voor de akelige geruchten als het bekend werd. Het zou zijn of je een snelgroeiend onkruid bemestte.

'Vind je dat geen prettig vooruitzicht meer, Delia?' vroeg Edward, toen ik niet onmiddellijk reageerde.

'Natuurlijk wel.'

'Waarom kijk je dan zo, als iemand die net haar beste vriendin heeft verloren?'

Ik haalde diep adem en ging wat verliggen, zodat ik het ontbijt even opzij kon schuiven. 'Willen jullie me beloven niet kwaad te worden en iets vreselijks te doen als ik jullie iets vertel?'

'Nee,' zei Edward.

'Dan vertel ik het niet.'

'Wat het ook is, uiteindelijk komen we er toch achter, Delia. Als het zo slecht is dat je ons een dergelijke belofte afdwingt, dan weet natuurlijk iedereen het behalve Jesse en ik. Oké,' zei hij toen ik bleef zwijgen. 'We zullen diep ademhalen en ons beheersen. Je weet wat dat betekent?'

Ik knikte. Waarschijnlijk had hij gelijk. Uiteindelijk zouden die verhalen ook hem en Jesse bereiken.

'Nou?'

'Je zus verspreidt verhalen over ons. Zij en Christian strooiden ze gisteravond met kwistige hand rond op het feest, en voor we weggingen, stond iedereen over ons te fluisteren en waren we het mikpunt van hun geroddel.'

'Wat voor verhalen?' vroeg Jesse.

'Daar hoef je geen antwoord op te geven,' zei Edward. Hij keek naar Jesse. 'Sophia heeft al eerder dingen gesuggereerd, Jess. Het is niet moeilijk te bedenken hoe ze erop heeft voortgeborduurd.' Hij ging verder tegen mij. 'En de mensen geloven haar? Hoe kan iemand Sophia's woord serieus nemen?'

Ik haalde mijn schouders op. 'De mensen weten nu wat je voor me hebt gekocht en hoeveel jullie voor me hebben gedaan. Daar hebben zij en Christian wel voor gezorgd. De tongen kwamen in beweging.'

'Dat betekent niet automatisch dat we met je naar bed gaan.'

'Nee. Maar mijn oma zei altijd: "*La envidia es la madre del chisme.*" Afgunst is de moeder van de roddel.'

'En we weten hoe jaloers Sophia is,' zei Jesse.

'Veel van de meisjes waren jaloers,' zei ik. 'Het is nauwelijks te geloven, maar ik denk dat zelfs Fani me benijdde.'

Ze zwegen even. Ik wist zeker dat de meest wanstaltige scènes voor hun ogen zweefden. Ondanks Edwards voorspelling, vond ik het afschuwelijk de brenger van zulk slecht nieuws te zijn.

'Het spijt me, Edward.'

'Het spijt je? Jij hebt geen reden tot spijt. Verdomme. Ik zal haar krijgen! Ik zal haar eens goed onderhanden nemen,' viel Edward uit. 'Maak je over ons geen zorgen, Delia. Dit verandert niets.'

'Wat ga je doen, Edward? Je zei dat je je rustig zou houden.'

'Dat doe ik ook, maar het wordt tijd dat mijn moeder en ik eens een hartig gesprek hebben over Sophia en dit alles. We moeten het op de spits drijven en er op een of andere manier een eind aan maken. Het is duidelijk dat dit zo niet kan doorgaan. Jesse en ik hebben elders een ander leven en zullen het wel overleven, maar jij moet hier blijven en in die modder rondwentelen.'

Jesse knikte en glimlachte naar me. 'Weet je, Delia, ironisch genoeg is het feit dat je uitgaat met Adan Bovio de snelste manier om dit vuurtje te doven.'

'Ze hoeft met helemaal niemand uit te gaan,' snauwde Edward. 'Zeker niet met Adan Bovio.'

Jesse haalde zijn schouders op. 'Als ze hem aardig vindt en met hem wil afspreken, kan dat geen kwaad. Dat wilde ik alleen maar zeggen. Natuurlijk moet je doen wat je zelf wilt, Delia, maar het kan geen kwaad als je hem aardig vindt.'

Plotseling voelde ik me nog meer in een hoek gedreven. Het lag op het puntje van mijn tong hun ook het laatste geheim te vertellen, en misschien zou ik dat ook hebben gedaan als Sophia niet met een zelfvoldane grijns in de deuropening had gestaan.

'Ik vraag me af waarom je mijn ontbijt niet boven brengt, Edward, en met me praat terwijl ik mijn doorzichtige nachthemd nog aanheb.'

Op hetzelfde moment dat ze het zei trok ik het dekbed omhoog over mijn borsten. Ik kon Edwards woede voelen. De lucht in de kamer leek het kookpunt te bereiken.

Jesse ging voor hem staan toen hij naar haar toe wilde lopen. 'Je moeder,' bracht Jesse hem in herinnering. 'Ga met je moeder praten. Dat is de verstandigste oplossing, Edward. De enige.'

'Geniet van je ontbijt en wat je verder ook doet,' zei Sophia en liep weg.

Ik keek naar het dienblad. Alleen al de gedachte aan eten maakte dat mijn maag en mijn keel samenknepen.

'Toe dan,' drong Jesse aan. 'Ga doen wat je moet doen. We moeten ook nog terug naar L.A. Je weet hoeveel werk we nog hebben.'

Edward haalde diep adem om tot rust te komen. 'Goed. Pak jij onze spullen. Ik ga mijn moeder een bezoek brengen. Op zondag komt ze pas om twaalf uur 's middags uit haar slaapkamer. Je hoeft je niet af te vragen waar Sophia haar gewoontes heeft geleerd.' Hij kneep even zacht in mijn hand om me gerust te stellen en liep de kamer uit.

'Wacht!' riep Jesse. Hij gaf hem de krant. 'Zorg dat ze dit eerst leest. Goeie psychologie!'

Edward nam hem glimlachend aan. 'Je hebt gelijk. Als ze hoort hoe die schat van een Sophia onze reputaties besmeurt, bezien in het licht hiervan, zal ze zich nog meer opwinden. Misschien ontneemt ze haar haar ademhalingsprivileges,' zei hij en liep de kamer uit.

'Ademhalingsprivileges?' vroeg ik. 'Wat bedoelt hij daarmee?'

Jesse lachte. 'Hij overdrijft... maar niet veel. Eet wat, Delia. Het komt allemaal goed. Denk maar aan onze reis naar Mexico en vergeet Sophia voorlopig.'

Hij ging weg om te gaan pakken voor de terugtocht naar Los Angeles, en ik at wat brood en jam. Ik dacht ook aan onze reis naar Mexico en hoe geweldig dat zou kunnen zijn, vooral voor Ignacio en mij. Ik moest Ignacio de details in handen spelen zodra Edward en Jesse hun plannen hadden gemaakt. Natuurlijk moest ik dat allemaal doen zonder dat zijn vader het wist. Hij zou bang zijn dat ik de politie op het spoor van Ignacio zou kunnen brengen.

Toen ik uit bed stapte, merkte ik dat mijn enkel aanzienlijk beter was. Ik had de krukken niet meer nodig, maar zorgde er wel voor dat ik niet te veel gewicht op mijn voet liet rusten. Toen ik aangekleed was, pakte ik het blad op om naar beneden te brengen, maar aarzelde toen iemand door de gang holde en de deur van Sophia's kamer dichtsloeg. Ik hield mijn adem in, bang voor verdere moeilijkheden.

Vrijwel onmiddellijk daarna hoorde ik voetstappen. Ik verwachtte Edward, maar toen de deur openging zag ik tante Isabela in haar rode badjas, haar haren loshangend op haar schouders. Ik had haar bijna nooit zonder make-up gezien. Ze zag eruit alsof ze in één nacht oud was geworden. Ze had donkere kringen onder haar ogen en haar gezicht zag bijna ziekelijk bleek.

'Nu alle spotlights schijnbaar op deze familie zijn gericht, heb ik besloten dat het tijd wordt dat jij en ik eens een goed gesprek hebben, Delia. Ik heb veel verdragen ter wille van Edward en ook van jou, maar al die kleinzielige jaloezie en stomme blunders beginnen aan mijn gezondheid en mijn geluk te knagen, en ik duld het niet langer.'

'Ik heb niets gedaan dat schande over dit huis kan brengen, tante Isabela.'

'Soms,' zei ze, terwijl ze naar een stoel bij de toilettafel liep, 'hoef je moeilijkheden niet uit te nodigen. Die nodigen zichzelf wel uit.' Ze ging zitten. 'Ik dacht niet dat Sophia zo zelfdestructief was, maar het is duidelijk dat ze op sociaal gebied suïcidaal is. Ze maakt zich zeker niet druk over mijn reputatie en geluk. Ik heb haar verboden de komende maand in de weekends uit te gaan, maar straf voor het aanwakkeren van die walgelijke geruchten zal niet genoeg zijn. Ga zitten,' beval ze.

Ik ging op het bed zitten.

Even staarde ze me aan, toen wendde ze haar blik af. 'Je bent veel mooier dan je moeder en ik op jouw leeftijd waren,' merkte ze op.

Een compliment van haar was zo onverwacht, dat ik haar sprakeloos aankeek.

'Het is niet meer dan fatsoenlijk om iemand te bedanken als hij of zij je een compliment maakt, Delia.'

'Dank je,' zei ik.

Ze knikte even bij zichzelf, alsof ze een gedachte bevestigen wilde. 'Er valt nog wel een en ander te doen aan je sociale vaardigheden, maar het verbaast me niets dat de societyfotografen een foto van je hebben genomen op het feest.'

'Dat was waarschijnlijk vanwege Adan of Fani,' zei ik snel.

'Jij neemt een prominente plaats in op de foto en Fani's naam wordt zelfs niet genoemd. Geloof me, dat is geen toeval. In gezelschap van Adan Bovio, zoon van de kandidaat voor het senatorschap,' las ze hardop voor. 'Vind je Adan Bovio aardig?'

'Hij was heel prettig gezelschap,' zei ik. 'Hoffelijk. Hij heeft me gevraagd vrijdagavond met hem te gaan eten. In het nieuwe restaurant van een vriend van hem,' voegde ik eraan toe. 'Dus heb ik ja gezegd.'

'Mooi,' zei ze. 'Niets... niets,' herhaalde ze nadrukkelijk en gezaghebbend, zich naar me toe buigend, 'kan sneller een eind maken aan die stupide verhalen dan een relatie met iemand als Adan Bovio.'

Jesse had hetzelfde gesuggereerd, dacht ik, maar het leek me niet de eerlijkste manier, en bovendien was Ignacio er nog met dat gezicht vol hartbrekend verdriet in het Mexiaanse busstation. In de loop van de tijd was de herinnering niet minder levendig en pijnlijk geworden.

'Ik heb niet gezegd dat het een relatie is, tante Isabela.'

'Speel nou niet weer de onschuld, Delia. Als je hem aardig vindt en hem vaak ziet, zal het een relatie worden. Laat me alleen zeggen dat ik er erg blij mee zou zijn.'

'Ja, maar –'

'Ik heb Edward en zijn vriend gevraagd je de ruimte te geven die je nodig hebt om een normale omgang te kunnen hebben met leden van het andere geslacht. Het dringt eindelijk tot hem door dat het kopen van die dure auto en die jurk er niet bepaald toe bijdraagt de situatie te normaliseren. Ik denk dat dit een alarmsignaal is geweest voor ons allemaal. Hij heeft beloofd minstens een maand, of langer nog, niet thuis te komen.

'In ruil daarvoor,' ging ze verder voordat ik kon protesteren, 'heb ik erin toegestemd meer een tante voor je te zijn, je te voorzien van de garderobe die je nodig hebt, je voor te stellen aan andere vooraanstaande families en' – ze zweeg even en keek achterom naar de deur – 'je te beschermen tegen alles wat Sophia kan doen of proberen te doen om je in enig opzicht schade te berokkenen. Als ik zou horen dat ze verder nog iets over dit onderwerp zegt...' Ze richtte zich op. 'Ik heb Edward beloofd dat ik serieus in overweging zal nemen haar naar een andere particuliere school te sturen, ver genoeg weg om alleen zichzelf kwaad te kunnen doen. Edward was tevreden.'

'Ik wil Edward niet wegjagen, tante Isabela.'

'Je jaagt hem niet weg. Hij geeft je gewoon de ruimte die je nodig hebt om normale relaties aan te knopen met jongemannen, vooral jongemannen van het niveau van Adan Bovio. Zoals ik al zei, ik zou het prettig vinden als die relatie tot bloei kwam.'

'Maar –'

'Ik kan me niet voorstellen dat mijn dochter volwassen genoeg is voor zo'n relatie,' voegde ze er triest aan toe.

'Ik heb geen relatie,' protesteerde ik. 'Ik ben alleen maar met Adan naar een feest geweest en ik ga met hem eten. Dat is misschien alles wat we zullen doen,' ging ik verder, denkend aan Ignacio.

'Ik hoop dat je niet zo arrogant bent om iemand als Adan Bovio af te wijzen voordat er iemand anders aan de horizon verschenen is, Delia.' Ze glimlachte. 'Dat heb ik nooit gedaan toen ik zo oud was als jij en ik begin te geloven dat je meer op mij lijkt dan op je moeder, of je dat wilt toegeven of niet.'

Hoofdschuddend begon ik: 'Ik ben niet arrogant, maar –'

Haar glimlach verdween, dus hield ik gauw mijn mond.

Edward heeft om toestemming gevraagd om met jou een of andere stomme Mexicaanse reis te maken tijdens de vakantie. Jullie schijnen dat allemaal erg graag te willen. Ik heb hem gezegd dat ik het goedvind, maar wel op mijn voorwaarden. Je staat nog steeds onder mijn voogdij, en anders zou ik het verbieden, begrepen?'

Waar had ze het over? Wat waren haar voorwaarden? Dat ik een romance kreeg met Adan Bovio?

'Wil je die reis maken of niet?'

'Sí,' zei ik. Het was mijn beste hoop om Ignacio dit jaar te kunnen ontmoeten.

Ze glimlachte. 'Eén woord over Mexico en je gaat onmiddellijk Spaans spreken. Hoe toepasselijk. Goed dan. Dat is dus geregeld. Ik zal trots op je kunnen zijn. Edward zal ophouden met om je heen te hangen. De geruchten zullen wegsterven. Sophia zal zich behoorlijk gedragen, en we zullen dit uiteindelijk toch veranderen in een gelukkige, productieve familie.'

Ze liep de kamer uit, maar draaide zich bij de deur nog even om.

'Jij en ik zullen nu meer tijd met elkaar doorbrengen, Delia. Ik kan je dingen leren over de high society, waar je zelf niet achter zou komen. Ik had niet verwacht dat het allemaal zo snel in zijn werk zou gaan. Ik geef toe dat ik je onderschat heb, maar dat zal ik goedmaken. Eens zul je me dankbaar zijn. Eens zul je zelfs respect voor me hebben.'

Ik zei niets.

Ze knikte en ging weg. Ik bleef zitten en staarde naar de grond.

Waarom had ik het gevoel dat ik zojuist gedwongen was tot een pact met de duivel?

Er werd weer op de deur geklopt. Edward kwam binnen.

'We gaan naar L.A., Delia. Ik denk dat het nu allemaal wel goed zal gaan.'

'Je had niet zo'n afspraak met je moeder moeten maken, Edward.'

'Voorlopig is alles in orde. We zullen zien of ze haar deel van de afspraak nakomt. Ze weet dat je mij onmiddellijk zult bellen als ze dat niet doet, en ze weet ook dat ik van tijd tot tijd zelf zal komen controleren. Ik moet de koningin één ding nageven, Delia. Als ze belooft iets te doen, dan doet ze het. In dat opzicht is ze volkomen betrouwbaar. Mijn moeder is haar eigen grootste criticus.

'Bovendien heeft ze in veel dingen gelijk. Ik veronderstel dat Jesse en ik je op onze eigen manier hebben belemmerd. Je had nu wat vrienden moeten hebben, meer afspraakjes moeten maken.'

'Nee,' zei ik. 'Dat heeft niets met jou te maken.'

Weer stond ik op het punt Ignacio's naam en alles wat geheim was gehouden eruit te flappen.

'Het heeft heel beslist niets met jou te maken,' antwoordde hij. 'Mijn moeder geeft toe dat je een uitzonderlijk mooie latina bent. Ik hoorde zelfs een zweem van familietrots in haar stem. Misschien is dit wat ze nodig heeft, wat haar weer bij ons terug zal brengen. Ik haat mijn moeder niet, Delia. Ik haat wat ze van zichzelf heeft gemaakt, maar iets ervan kan ik ook wel begrijpen. Laten we haar gewoon een kans geven. Ik denk dat Miss Horror nu vergaat van de spijt en beseft dat ze alleen zichzelf benadeeld heeft. Wie weet, misschien zal dit haar ook goed doen, al is het moeilijk te geloven dat iets dat zal kunnen.'

'Edward –'

Hij legde zijn vinger op mijn lippen.

'Sst... maak je geen zorgen. Misschien zal Adan Bovio je helpen gewend te raken aan je nieuwe auto. Hij heeft in ieder geval meer ervaring met auto's dan ik. Geniet ervan, Delia. Maak plezier. Beleef niet elke dag zo serieus, zo intens, anders mis je de mooiste momenten van je leven... Moet je mij horen. Ik sta te praten alsof we al aan ons pensioen toe zijn. Ik kan maar beter weggaan.'

Hij gaf me een zoen op mijn wang en vertrok voordat ik nog iets kon zeggen. Ik wilde achter hem aanhollen, maar liep in plaats daarvan naar het raam en zag hem en Jesse instappen nadat Jesse omhoog had gekeken en gezwaaid. Ik zwaaide terug. Ondanks alles wat Edward had gezegd en gehoopt, voelde ik me alsof een reddingsboot in de verte verdween toen ze de oprijlaan afreden en na een bocht niet meer te zien waren.

Bijna alsof hij ons van dichtbij geobserveerd had, belde Adan Bovio een paar ogenblikken later. 'Hoe gaat het met je enkel?' vroeg hij eerst.

'Een stuk beter.'

'Misschien zul je vlugger dansen dan je denkt. Ik neem aan dat je je foto in de krant van vandaag hebt gezien of erover gehoord hebt?'

'Ja, mijn neef Edward bracht hem mee,' zei ik. Adan zweeg even. 'Hij en zijn vriend Jesse zijn terug naar Los Angeles.'

'Oké. Als ik kan, kom ik over een uur of zo even langs om je iets te geven.'

'Mij iets geven? Wat dan?'

'Dat is een verrassing. Niets bijzonders. Geen auto,' ging hij lachend verder. 'Ik blijf niet lang. Ik weet dat je huiswerk hebt voor school.'

'Dat heb ik, ja.'

'Ik wip even naar binnen en ben weer weg. Tot straks.' Hij hing op voordat ik een reden kon bedanken om hem te beletten te komen. Misschien... misschien wilde ik er geen bedenken, dacht ik.

Ik bracht mijn ontbijtblad naar beneden en bleef even staan praten met señora Rosario en Inez. Ze waren allebei bezorgd over mijn enkel, maar ik verzekerde hun dat het goed ging. Ze hadden ook mijn foto in de krant gezien en waren onder de indruk.

'Ik herinner me nog de eerste dag dat je uit Mexico kwam,' zei señora Rosario. 'Je keek zo bang.'

'U weet dat ik daar al gauw genoeg reden toe had.'

'Sí,' zei ze. 'Maar die tijd is voorbij. Je bent niet langer een klein meisje, Delia. Je bent een jonge vrouw, en denk eraan, *vale más una madura que cien verdes*. Een rijpe vrucht is honderd onrijpe waard.'

Inez knikte instemmend. Ik bedankte hen en ging terug naar mijn kamer om aan mijn huiswerk te beginnen. Kort daarna kwam Inez boven en vertelde me dat Adan Bovio er was en op me wachtte in de zitkamer. Ik keek naar Sophia's gesloten deur toen ik Inez volgde naar beneden. Ik kon tante Isabela's vertrouwen in haar eigen macht niet helemaal delen. Sophia was onberekenbaar en zou beslist haar tijd afwachten. Haar stilte nu was bedrieglijk. '*Guardate del agua mansa*, kon ik oma Anabela horen waarschuwen. Wees op je hoede voor stille wateren.

Ik had alleen vertrouwen in mijn eigen ogen en oren.

Adan stond op toen ik in de zitkamer kwam. Hij droeg een mooi rood hemd, een witte broek en witte gympen. Hij zag er nog knapper uit dan de vorige avond.

'Je loopt zonder krukken?'

'Ik hink, maar dat geeft niet.'

Hij overhandigde me een gele roos.

'*Gracias.*' Ik glimlachte om de eenvoud van zijn geschenk.

'Ik maakte me zorgen over je, over alles wat er op dat feest gebeurd is. Ik dacht dat je misschien wat somber zou zijn door dat alles en je ondanks alle feestelijkheden niet zo'n leuke avond had gehad.'

'Ik had het echt naar mijn zin, Adan. Maak je niet bezorgd.'

'Die foto in de krant was heel opwindend. Toen ik die zag, wist ik dat ik het perfecte cadeau had.'

'Het is een prachtige roos.'

'Nee,' zei hij lachend. Die is maar symbolisch.' Hij bukte zich en nam een klein pakje dat ik niet had zien liggen, van de lage marmeren tafel.

'*Qué es?*'

'Maak maar open, dan zie je het.'

Ik scheurde het papier eraf en keek naar de foto die in de krant had gestaan, bijgesneden, zodat alleen Adan en ik erop stonden, en in een prachtige gouden lijst. Het was ook geen reproductie van de krant, het was de originele foto.

'Hoe ben je daaraan gekomen?'

'We kennen de uitgever. Ik heb hem vanmorgen gebeld en ben toen meteen naar een cadeauwinkel gegaan. Ik hoop dat je de lijst mooi vindt die ik heb uitgezocht.'

'Ja, hij is heel mooi.'

'Ik denk,' zei hij, 'dat dit de eerste zal zijn van een hele reeks foto's van je in de kranten.'

Ik vond het angstig dat te horen. 'Waarom?'

'Dat gebeurt gewoon,' zei hij. 'Oké, ik ga ervandoor. Ik heb beloofd dat ik niet lang beslag op je zou leggen.'

Hij boog zich voorover om me een zoen op mijn wang te geven, precies op het ogenblik dat tante Isabela binnenkwam.

'O, mevrouw Dallas. Hoe maakt u het?'

Ze keek van hem naar mij en glimlachte. 'Heel goed, dank je, Adan. Ik neem aan dat jullie een prettige avond hebben gehad gisteren.'

'Het was een groot feest.'

'Ja, ik zou zelf ook zijn gegaan, maar ik had een afspraak die ik niet kon afzeggen. Wat heb je in je hand, Delia?'

'O, een kleinigheid waarvan ik dacht dat ze die misschien graag zou hebben,' zei Adan snel.

Ik liet het haar zien en ze glimlachte. 'Heel attent, Adan. Het is een goede foto van jullie beiden.' Ze gaf me de foto terug. 'En ik zie dat je ook een prachtige roos voor haar hebt meegebracht.'

'Ja. Mijn vader gaf mijn moeder altijd één enkele roos. Hij zei dat het meer betekende omdat het een enkeling was en geen groep.'

Tante Isabela lachte. 'Heel lief. Wil je blijven lunchen?'

'O, nee. Ik heb Delia beloofd dat ik haar niet van haar huiswerk zou houden.'

'Ze zal toch even moeten stoppen voor de lunch. Gezellig op de patio. Ik was net op weg naar de keuken om Inez en mevrouw Rosario te vragen een lekkere, frisse garnalensalade voor ons te maken. Voel je daar iets voor?'

'Eh...' Hij keek naar mij. 'Is dat oké, Delia?'

'Delia?' zei tante Isabela toen ze zag dat ik aarzelde.

'Ja, natuurlijk,' zei ik. 'Ik zal de foto even naar mijn kamer brengen.'

'O, ik zal Inez wel vragen dat te doen. Ga jij maar met Adan naar de patio. Als Inez de foto in je kamer heeft gezet, zal ik haar wat ijsthee buiten laten brengen.'

Ze pakte de foto uit mijn hand voordat ik kon protesteren en liep naar de keuken.

'Het spijt me. Het was niet mijn bedoeling om moeilijkheden te veroorzaken,' zei Adan.

'Nee, het is goed. Hierheen,' zei ik en ging hem voor naar de openslaande deuren en naar de patio, die uitkeek op het zwembad. De tuinlieden hadden gisteren het gras gemaaid, en de zoete geur hing nog in de lucht. Ik bracht hem naar een tafel en legde de roos neer.

'Dit is een mooi landgoed,' zei Adan. 'Ik kan me je oom nog herinneren. Een heel gedistingeerde heer, altijd goed verzorgd, elegant gekleed. Hij was het soort man die zich nooit liet verrassen, als je begrijpt wat ik bedoel. Mijn moeder noemde hem Palm Springs' eigen Cary Grant. Je weet wie Cary Grant was?'

'Ja. Ik heb hem op de televisie gezien. Eén keer zelfs op onze televisie in Mexico – als die het tenminste deed.' Ik lachte. 'Er was niet altijd elektriciteit.'

'Ik kan me geen voorstelling maken van de wereld waarin je toen verkeerde.'

'Ik wel.' Ik staarde naar het landgoed. '*Tenía más.*'

'Hè? Bedoel je dat je meer had?'

'Sí, Adan,' zei ik glimlachend.

'Maar hoe kon je meer hebben dan dit?' Hij gebaarde naar het land om ons heen.

'Ik had mijn ouders en mijn oma,' zei ik. '*Cuando usted está pobre, la familia significa más.* Als je arm bent, betekent familie meer.'

'Ik begrijp het.'

We zwegen allebei. Inez kwam naar buiten met een kan ijsthee en twee glazen. Ze legde ook placemats op de tafel. Ik zag dat ze naar Adan keek en daarna naar me glimlachte en haar wenkbrauwen optrok. Iedereen stelde zich er te veel van voor, hun fantasie sloeg op hol, dacht ik, maar ik had geen idee hoe ik daar verandering in moest brengen, niet nu tante Isabela fungeerde als koppelaarster.

Ze kwam bij ons zitten en kort daarna bracht Inez de garnalensalade en brood. Tante Isabela raakte met Adan in gesprek over zijn vader, de campagne, hun huis, of liever gezegd huizen. Ik hoorde dat señor Bovio een condo had in Los Angeles en een huis in Big Bear, in de bergen niet ver hier vandaan. Ik zat te luisteren naar hun herinneringen aan de grote sociale evenementen die ze vroeger beiden hadden bijgewoond, en voor het eerst vroeg ik me af hoe tante Isabela alles had weten te verwerken toen ze voor het eerst in aanraking kwam met al die rijkdom en glamour. Ze kwam uit dezelfde arme wereld als ik. Er waren nog veel dingen die ik van haar zou moeten leren, dingen die ze nu liever mij bijbracht dan haar eigen dochter.

Ik durfde niet naar Sophia te informeren. Zat ze nog boven in haar kamer te mokken? Was ze uitgenodigd om samen met ons te lunchen? Wist ze zelfs wel dat Adan hier was?

Adan en tante Isabela dronken koffie na de lunch en toen liep ik met hem mee naar zijn auto. We bleven staan om naar mijn nieuwe sportauto te kijken waarin ik nog niet had gereden.

'Het is een schoonheid,' zei Adan. 'Denk je, nu je voet minder erg is dan we vreesden, dat je van de week een dag voor me beschikbaar hebt om je te helpen hem in te rijden? Ik zou na het werk langs kunnen komen. Ik heb het tegenwoordig voor het zeggen en kan mijn eigen werktijden bepalen en komen wanneer je vrij hebt.'

Hij liep om de auto heen en keek er met meer verlangen naar dan naar mij, dacht ik, en lachte.

'Wat is er?'

'Je houdt echt van auto's, Adan.'

'Ik moet toegeven dat ze mijn zwakte zijn.' Hij glimlachte. 'Sommige zwakheden zijn niet erg om te hebben. Wat vind je ervan? We kunnen die schoonheid toch niet laten wegkwijnen?'

'Bel me morgen maar.'

'Dat zal ik doen. Ik hoop dat je niet kwaad bent dat ik zoveel tijd van je in beslag heb genomen.'

'Nee. Zoals tante Isabela zei, ik moest toch lunchen. Misschien wat minder uitgebreid. Meestal maak ik mijn eigen lunch klaar.'

'Dat geloof ik.'

Hij gaf me een zoen op mijn wang, wachtte toen even en zoende me op mijn lippen. 'Ik bel je morgenavond,' fluisterde hij.

'Bedankt voor je cadeau,' zei ik. Hij stapte in zijn auto en keek naar me door het open raam.

'Die foto was een cadeau voor ons allebei. Ik heb twee afdrukken laten maken en mijn exemplaar staat op het tafeltje naast mijn bed. Ik zal elke ochtend als ik wakker word naar je kijken.'

Bij die gedachte liep er een rilling over mijn rug. Alles tussen ons ging te snel. Het was of je probeerde een stroom emoties tegen te houden met een papieren dam. Hij glimlachte en reed weg. Toen ik me omdraaide en naar binnen wilde gaan, zag ik Sophia. Ze was in mijn kamer en stond achter mijn raam naar me te kijken. Zodra ik omhoogkeek, werd het gordijn dichtgeschoven en was ze bliksemsnel verdwenen.

Ondanks tante Isabela's geruststellingen twijfelde ik er niet aan of Sophia was ook nu nog even gevaarlijk. Haastig ging ik naar binnen naar mijn kamer, in de verwachting dat ze wel iets vernield zou hebben. Ik sloeg zelfs het dekbed open om te zien of ze er iets afgrijselijks in gestopt had, zoals punaises of zelfs slangen. Bij Sophia waren er geen grenzen aan de vreselijke dingen die ze kon bedenken.

Ik kon niets vinden, maar ze moest de foto in de gouden lijst hebben gezien. Ze hield alles bij wat ik had en kreeg.

Tante Isabela had Inez precies verteld waar ze hem neer moest zetten.

Ook mijn exemplaar stond op het tafeltje naast mijn bed.

Adans gezicht zou het eerste zijn wat ik zou zien als ik wakker werd.

De foto van Ignacio durfde ik nergens anders te bewaren dan in het voorraam van mijn geheugen.

En op het ogenblik verdrong Adans knappe gezicht dat van Ignacio – in de schaduw van de derde dood.

10

Pas op voor de doornen

Tijdens het eten 's avonds trok ik de conclusie dat Sophia een veldslag had verloren maar niet de oorlog. Toen ze eindelijk uit haar kamer kwam, was ze keurig gekleed, zonder ringetjes in haar neus of iets anders waar tante Isabela zich gewoonlijk aan ergerde. Ze had haar haar geborsteld en netjes vastgestoken, en ze droeg een van haar mooiere blouse-rokcombinaties. Ze had zich niet overdreven opgemaakt. Ze had zelfs geen lippenstift op, noch zwart – wat tante Isabela verafschuwde – noch felrood noch welke kleur dan ook.

Aan tafel was ze een en al beleefdheid, hield zich perfect aan de etiquette en zei niets waarover haar moeder zich zou kunnen opwinden. Ze was zelfs beleefd tegen mij, gaf schalen door en bedankte me voor alles wat ik haar doorgaf, maar ik trapte er niet in. Er was meer voor nodig dan een maand huisarrest in de weekends en bedreigingen met zwaardere straffen om Sophia Dallas te rehabiliteren. Als ze werkelijk een nieuw blad had omgeslagen, zou het een blad zijn met nieuwe doornen, en zou de enige verandering zijn dat die doornen moeilijker te zien waren.

Niettemin begon ze aan tafel een toespraak te houden die ze beslist in een boek had gelezen of aan de telefoon had doorgekregen van een vriendin.

'Ik heb spijt van mijn gedrag. Ik weet dat ik er geen rechtvaardiging voor kan aanvoeren. Mijn excuus is slechts dat ik me zelf ellendig heb gevoeld. Ik ben teleurgesteld omdat ik er niet in geslaagd ben af te vallen, en ik heb me als een kreng gedragen, speciaal tegen jou, Delia. Ik geef toe dat ik jaloers was en dingen heb gedaan die ik niet had moeten doen. Sommige zogenaamd goede vriendinnen van me hebben me er ook toe aangezet. Ik zal mijn best doen om een beter nichtje te zijn.'

Ik keek naar tante Isabela, in de verwachting haar gebruikelijke sceptische glimlachje te zien. Ze moest toch weten, dacht ik, dat Sophia het niet oprecht meende, maar tot mijn verbazing deed ze net of ze haar geloofde en accepteerde haar verontschuldiging.

'Ik ben blij dat ik je dat hoor zeggen, Sophia. Ik hoop dat het waar is.'

'Dat is het.'

'Mooi. We zullen zien,' voegde ze eraan toe, en liet de belofte van een kwijtschelding in de lucht zweven.

'Denk je dat je me kunt helpen met mijn wiskunde vanavond?' vroeg Sophia aan mij, met één oog op haar moeder. 'Ik heb niet goed genoeg opgelet in de klas, en zoals gebruikelijk is het allemaal abracadabra voor mij.'

'Ja, ik zal je helpen,' antwoordde ik.

'Dank je.' Ze glimlachte weer naar haar moeder.

Ben ik in een of ander toneelstuk verzeild geraakt? vroeg ik me af. Liegen ze zo vaak tegen elkaar dat ze geleerd hebben dat te accepteren en ermee te leven?

'Moeder,' kirde Sophia, 'mogen Delia en ik morgen in haar auto naar school?'

'O, ik moet er eerst nog in oefenen,' zei ik haastig. 'En ik moet mijn enkel zeker nog een dag rust gunnen.'

'Ja, dat moet je,' gaf Sophia toe. 'Weet je, moeder, het is een heel gecompliceerde auto. Je zou iemand moeten huren om het haar te leren.'

'Ik denk dat ze al een goede leraar heeft,' zei tante Isabela. Dat verbaasde mij evenzeer als Sophia. Hoe wist ze wat Adan had aangeboden te doen?

'Wie dan?' vroeg Sophia.

Tante Isabela glimlachte naar mij en drong er met een knikje op aan het Sophia te vertellen.

'Adan heeft het aangeboden,' bekende ik. 'Hij komt van de week een dag langs.'

Een secondelang verdween Sophia's bedrieglijk lieve gezicht, maar het kwam snel weer terug.

'Dat is een goed idee. Hij heeft een hoop sportwagens, heb ik gehoord. Ja toch?' vroeg ze aan mij.

'Ik weet niet hoeveel auto's hij heeft en wat voor auto's het zijn.'

'Dat zul je vast gauw genoeg weten,' mompelde ze. Het kwam haar mond uit zoals water of iets dat ze te veel had geslikt, naar buiten zou druppen. Ze sloeg snel haar ogen neer naar haar bord en begon weer te eten. Ik keek naar tante Isabela.

Er lag een vreemde uitdrukking op haar gezicht. Ze keek meer bezorgd dan kwaad. Was ze bang dat Sophia op de een of andere manier Adan van me zou vervreemden?

De rest van de maaltijd ging voorbij in de maar al te vertrouwde stilte. Later kwam Sophia naar mijn kamer met haar wiskundeboek en probeerde op te letten terwijl ik het huiswerk uitlegde. Ik kon zien dat praten over het huiswerk en haar ertoe aan zetten de opgaven zelf te maken, was alsof je haar dwong een bitter medicijn te slikken tegen hoofdpijn of maagklachten. Ze luisterde en wist de sommen op te lossen, maar ze haatte elke seconde ervan.

'Hoe kun je hiervoor belangstelling opbrengen?' vroeg ze, vol afkeer starend naar de pagina's van het wiskundeboek.

'In Mexico zou ik die kans nooit hebben gekregen,' antwoordde ik. 'Denken aan een universitaire studie was hetzelfde als denken aan een reis naar de maan. Toen ik klein was, vertelde mijn vader me dat ik een kans op kennis of informatie nooit de rug moest toekeren, want dat het op een gegeven moment een plaats zou weten te vinden in je leven, vaak als je dat het minst verwacht.'

Ze grijnsde minachtend en keek toen peinzend. 'Hoe is het mogelijk dat als jullie zo arm waren en iedereen zo hard werkte, je zoveel tijd met je ouders kon doorbrengen?'

Ik glimlachte.

'Waarom is dat zo grappig?' vroeg ze kwaad.

'Ik lach je niet uit. Ik lach om wat je zou zeggen als je een feest zag in mijn dorp, of ouders die wat je hier noemt een avondje uit gingen. Het gezin is altijd bijeen. Een babysitter bestaat daar niet. De meeste huizen in het dorp hebben maar één slaapkamer. Ouders en hun kinderen zijn veel en veel vaker samen. Sommige kinderen gaan zelfs met hun ouders mee naar het werk. Ik werkte al op de sojafarm toen ik nog heel klein was, feitelijk zodra ik een paar productieve handen had, zoals mijn oma het zou uitdrukken.'

Alsof ze besefte dat ze geïnteresseerd raakte, schudde ze nadrukkelijk haar hoofd en pakte haar boeken op. 'Lijkt me een vreselijk leven. Ik zou zijn weggelopen.'

'Je loopt toch weg voor je leven hier?' kaatste ik terug, misschien een beetje te scherp.

Ze zweeg zo plotseling alsof ze een klap in haar gezicht had gekregen. 'Hè?'

'Je drijft de spot met je school, ook al is het een dure school die leerlingen meer kansen biedt dan de openbare scholen. Je wilt zelfs niets weten over de zaken van je moeder. Je zegt dat je niet naar de universiteit wilt. Je hebt een hekel aan zoveel andere leerlingen. Je schijnt je altijd te vervelen.'

Haar ogen begonnen zowaar vochtig te glanzen, en ik voelde me schuldig. 'Goed, misschien zal ik je voorbeeld volgen en sojabonen gaan plukken en me gelukkig voelen,' zei ze. 'Bedankt voor je hulp met die stomme wiskunde.'

Ze draaide zich om, stormde naar buiten en sloeg de deur hard achter zich dicht. We zijn nog geen centimeter nader tot elkaar gekomen, dacht ik.

De volgende ochtend kwam ze beneden om te ontbijten in plaats van te verlangen dat het haar boven werd gebracht. Maar later kwam ik erachter dat tante Isabela Inez opdracht had gegeven Sophia geen ontbijt te brengen. Het was een deel van haar straf. Ze moest ook direct uit school thuiskomen; señor Garman zou haar aan het eind van de schooldag afhalen. Bij overtreding van een van de nieuwe regels zou een uitgebreidere straf volgen.

Het zwaard van dreigementen boven Sophia's hoofd werkte als een stalen kooi en hield haar in ieder geval op school in bedwang. Ik kon zien dat haar vriendinnen teleurgesteld waren in haar. Ze hadden niets liever gewild dan de aanvallen op mijn reputatie voortzetten en lol trappen, of wat zij als lol beschouwden, door mij te vernederen. Mijn foto in de krant met Adan, en Fani's aanhoudende vriendschap met mij werkten ook op hen deprimerend. Het was alsof ik een plaats had gekregen in het vorstenhuis. De meisjes, inclusief Katelynn, die hadden geholpen het vuurtje van de misselijke roddels op te stoken met hun praatjes over mij en Edward en Jesse in het restaurant, waren nu extra attent voor me, alsof ik de prinses was en niet Fani, of in ieder geval net zo belangrijk. Iedereen wilde alles horen over Adan en hoe het was om met een 'oudere man' uit te gaan.

Ik voelde me erdoor gevleid maar tegelijk ook gedeprimeerd. Blijkbaar was het waar wat tante Isabela en Jesse hadden gesuggereerd. Een relatie met Adan, of tenminste een schijnbare relatie, was het beste tegengif voor het gif dat Sophia, Christian en hun vriendenkliek in de oren van de anderen druppelden. Ik had het duidelijke gevoel dat als ik niet goed zou kunnen opschieten met Adan en niet met hem bleef uitgaan, de geruchten als een agressief kankergezwel onmiddellijk zouden terugkomen om mij te breken en tante Isabela woedend te maken. De reis naar Mexico zou worden verboden. En algauw zou ik degene zijn in een kooi en niet Sophia. Ik voelde me als een hoertje dat niet kan ontkennen dat haar klant aantrekkelijk is, want ik had nog niets onappetijtelijks of onaangenaams aan Adan kunnen ontdekken. Deels hoopte ik dat dat nog zou gebeuren, en deels vreesde ik dat.

Hij belde die avond en we spraken af dat we elkaar de volgende dag zodra ik thuiskwam uit school zouden ontmoeten in het huis van mijn tante. Mijn enkel was al zo goed genezen dat ik nauwelijks meer hinkte. Señor Garman bracht de krukken terug naar het ziekenhuis. Sophia vroeg me voortdurend wanneer Adan zou komen om me te leren hoe ik in mijn nieuwe auto moest rijden. Ik wist dat ze hoopte dat tante Isabela dan toestemming zou geven om met mij mee naar school te rijden. Misschien geloofde ze heimelijk dat ze me zou kunnen overhalen haar ook naar andere plaatsen te brengen.

Ik kwam tot de ontdekking dat Fani bijna net zo snel als ikzelf wist wat er tussen Adan en mij gebeurde, en misschien zelfs nog iets eerder. Ik kreeg de indruk dat ze elkaar vaak spraken en dat ik het voornaamste onderwerp van gesprek was. Ik begon te geloven dat Fani bijna net zo enthousiast als tante Isabela voor koppelaarster speelde.

'Jullie vormden een mooi stel op Danielles feest,' zei Fani tegen me.

'Met die krukken? We konden niet eens dansen.'

'Toch maakten jullie een goede indruk, en die fotograaf wist de krukken buiten de foto te houden, toch? Ik heb allemaal goede dingen gehoord over jullie beiden. Mijn ouders zeiden dat ook, en ze hebben ook met andere volwassenen gesproken op het feest. Je bent hét onderwerp van gesprek, Delia, onze eigen latina assepoes.'

Al dat gepraat maakte me erg zenuwachtig toen Adan die woensdag kwam. Hij bracht nog een cadeau voor me mee, een designerzonnebril, die, zoals ik later te weten kwam, honderden dollars kostte. Zelfs mijn tante zou er jaloers op zijn.

'Je mag me geen cadeaus blíjven geven,' zei ik toen ik het doosje uitpakte.

'Je kunt niet in zo'n auto rijden met een doodgewone zonnebril, Delia. Dat is bijna misdadig.'

Ik lachte en zette de bril op. Toen ik in de spiegel in de entree keek, was ik onder de indruk van mijzelf. Meteen tuurde ik naar de schaduw achter me, zoekend naar een teken van het *ojo malvado*. Adan sloeg me gade met een flauw glimlachje om zijn lippen.

'Wat is er?' vroeg hij, toen hij de uitdrukking op mijn gezicht zag.

Met Ignacio zou ik geen moment geaarzeld hebben hem mijn geloof in het boze oog uit te leggen, maar ik was bang dat Adan me zou uitlachen en misschien niets te maken zou willen hebben met een meisje dat zo bijgelovig was.

'Niets. Hij is prachtig. *Gracias*, Adan. Maar je geeft te veel geld voor me uit.'

'Het stelt niets voor vergeleken met wat je neef Edward voor je uitgeeft,' zei hij. Het kwam hard aan. Hij zag de pijnlijke uitdrukking op mijn gezicht en voegde er haastig aan toe: 'Bovendien koop ik graag dingen voor je. Jij weet iets echt te waarderen. De meeste meisjes die ik ken en heb gekend zijn zo verdomde verwend dat ik een jumbojet voor ze zou moeten kopen om een gemeend bedankje te krijgen.'

Ik bleef hem in de spiegel aankijken. Het leek veiliger om op die manier met hem te praten. Het was meer als een droom, een fantasie, een denkbeeldige relatie die niet te vergelijken was met de realiteit van Ignacio en mij. Het was alsof Adan en ik acteurs waren in een film waar we beiden naar keken. Voor de andere meisjes op school leek het daar inderdaad op. We waren algauw geworden wat onze Engelse docent zou noemen, citerend uit Shakespeare, de stof waarvan dromen werden gemaakt. Misschien, als ik dat ook geloofde en me ernaar gedroeg, zou ik Ignacio en mijzelf niet echt in gevaar brengen. Kon ik er maar zo luchtig mee omgaan, in en uit mijn lichaam glippen en praten als een marionet. Zou Adan het merken, en zou hij zich daaraan ergeren?

'Dank je, Adan,' zei ik. Hij glimlachte en stak zijn hand naar me uit toen ik me naar hem omdraaide.

'Kom, laten we naar de auto gaan. Je hebt de sleutels?'

'Heb ik,' zei ik, lachend om zijn enthousiasme.

We liepen snel naar buiten. Ik opende de gesloten portieren zoals Jesse me had voorgedaan, en Adan ging achter het stuur zitten. Eerst ging hij elke knop, elk contact na. Hij zette mij achter het stuur om positie en hoogte van de stoel in het geheugen op te slaan. Het enige wat ik hoefde te doen was op een cijfer drukken en de stoel zou in de voor mij geschikte stand komen. Zelfs de zijspiegels bewogen naar de juiste stand.

We bestudeerden de airco en de geluidsinstallatie, en toen begon hij het navigatiesysteem uit te leggen. Eerst sloegen we het adres van tante Isabela's *hacienda* op.

'Je hoeft alleen maar op de knop te drukken waarop HOME staat en de auto zal je vertellen welke weg je moet nemen om thuis te komen.'

Ik kon merken dat hij genoot van mijn verbazing. 'De meeste wegen buiten ons dorp hebben geen borden,' vertelde ik hem. 'Maar er is altijd wel iemand die je kan vertellen waar je naartoe moet of hoe je er kunt komen.'

'Hier heb je dat niet altijd,' zei hij. 'En je kunt trouwens niet op hun aanwijzingen vertrouwen. Bovendien moet je oppassen tegen wie je praat als je in deze auto rijdt. Een mooie jonge vrouw die er welgesteld uitziet is een geliefd doelwit.'

Ik knikte, geïmponeerd door zijn bezorgdheid.

'Wil je de kap open of dicht?'

'Open, denk ik.'

'Het is een hardtop cabriolet. Kijk.' Hij drukte op een knop. Het dak zoefde omhoog en naar achteren. 'Goed, hè?'

'Ja, wat kan die auto veel.'

'Alleen wat je hem vertelt te doen,' zei hij glimlachend.

We reden weg en hij legde alles uit over de motor, de versnellingsbak en het rijden. Ten slotte stopte hij aan de kant van de weg en we wisselden van plaats. Ik drukte op de geheugenknop voor mijn stoel, en die schoof dichterbij en hoger. Ik gaf een gilletje van verrukking, en hij lachte. Het duurde even voor ik gewend was aan het gaspedaal. De motor was zo krachtig dat als ik er te hard of te snel op drukte, we allebei gillend met een klap achterovervielen. Maar eindelijk werd het allemaal veel gemakkelijker en begon ik me op mijn gemak te voelen.

'Het is een prachtig stuk mechaniek,' zei hij en streelde het dashboard alsof de auto een levend wezen was. 'Je zult er een hoop plezier van hebben.'

'Bedankt voor je hulp,' zei ik toen we stopten bij de *hacienda*.

We deden het dak weer dicht.

'Je hebt het voortreffelijk gedaan. Je bent een goede leerling, Delia. Je docenten zullen wel blij zijn met je.'

'Dank je, Adan.'

'Kan ik het weekend beslag op je leggen?' vroeg hij voor hij het portier opende.

'Beslag op me leggen? Hoe bedoel je?'

'Nou, we gaan vrijdagavond eten, niet?'

'Ja.'

'Ik zou je zaterdag willen meenemen naar Newport Beach en een tochtje met je maken op mijn boot.'

'Heb je ook nog een boot?'

'Ja,' zei hij lachend. 'Het is geen groot jacht, maar er wordt perfect weer voorspeld. We kunnen naar Catalina Island gaan voor een goede lunch en op de terugweg naar huis kunnen we dineren.'

'Het is wel veel allemaal,' zei ik. 'Ik kan het me niet goed voorstellen.'

'Niet doen. Je hoeft het je niet voor te stellen. We doen het gewoon. Oké?'

Ik aarzelde.

'Vind je dat ik naar binnen moet om je tante om toestemming te vragen?' vroeg hij, denkend dat het de reden was waarom ik nog geen antwoord had gegeven.

'Nee.' Ik moest bijna lachen. Ze zou waarschijnlijk een luchtsprong maken terwijl ze ja zei.

'Dus ik kan plannen maken voor zaterdag?'

'Ik ben nooit verder gekomen dan een roeiboot.'

'Je zult een geweldige tijd hebben, Delia. Weet je,' hij boog zich naar me toe en pakte mijn hand vast, 'als je van iets kunt genieten met iemand die het echt waardeert, ga je het zelf ook echt waarderen. Je wordt dankbaar, en dat is toch goed, *no*?'

'Sí.'

'Dan zul je me een grote gunst bewijzen door met me mee te gaan.'

Hij was óf heel oprecht óf heel slim, dacht ik, maar op het ogenblik wilde ik niet al te veel mijn best doen om het uit te puzzelen. Hij boog zich dichter naar me toe om me te kussen, en toen stapte hij uit. Hand in hand liepen we naar zijn auto.

'Het was een heerlijke middag,' zei hij. 'Bedankt, Delia.'

'Nee, jíj wordt bedankt omdat je me hebt geholpen.'

'Pik niet meteen een nieuwe man op met die auto,' waarschuwde hij plagend. 'Ik wil niet verantwoordelijk zijn voor je verdwijning.'

'Dat zou ik nooit doen,' zei ik.

'Ik maak maar gekheid, Delia. Je bent fantastisch,' zei hij en zoende me weer.

Toen stapte hij in zijn auto, glimlachte naar me en reed weg. Ik keek hem na tot hij uit het zicht verdwenen was en ging naar binnen. Toen ik de deur achter me dichtdeed, kwam tante Isabela zo snel tevoorschijn, dat ik de indruk had dat ze achter een raam naar ons had staan kijken.

'Wat een mooie zonnebril,' zei ze, terwijl ze naar me toekwam. Ze plukte hem van mijn hoofd en bekeek hem. 'Ik denk dat je die van Adan hebt gekregen.'

'Ja.'
'Heb je enig idee hoeveel die kost?'
'Nee.'
'Ik heb een soortgelijke bril, maar niet zo mooi. Pas er goed op.' Ze zette me de bril weer op. 'Hij staat je uitstekend.'
'Dank je, tante Isabela.'
'En, hoe was je rijles?'
'Goed. Hij zegt dat ik goed genoeg ben om er zelf in te rijden.'
'Dat is prettig. Verder nog iets?' Haar stem klonk zo vol verwachting dat ik me afvroeg of ze soms geheime microfoontjes had aangebracht in de struiken om onze gesprekken af te luisteren.
'Hij vroeg of ik zaterdag met hem naar Newport Beach ga voor een tochtje met zijn boot.'
'Dat is geweldig, Delia. Ik ben blij voor je.'
Plotseling drong het tot ons allebei door dat Sophia boven aan de trap stond.
'Waar heb je die zonnebril vandaan?' vroeg ze, terwijl ze een tree lager kwam.
'Waar denk je, Sophia? Het is nog te vroeg voor de Kerstman.'
'Niet voor haar,' zei ze. 'Hij staat je goed,' ging ze verder, snel beseffend dat ze weer was teruggevallen in haar normale valse, jaloerse houding.
'Dank je,' zei ik.
'En, ging de les goed?'
'Ja.'
'Mooi. Mag ze ons naar school rijden, morgen en altijd, moeder?'
'Dat moet ze zelf weten. Het is haar auto,' zei tante Isabela.
Sophia keek me hoopvol aan.
'Alleen heen en weer naar school,' zei ik vastberaden.
'Waar kan ik anders naartoe?' zei ze nukkig.
'Precies,' zei tante Isabela. 'En laat ik niet horen dat je probeert Delia over te halen je ergens anders heen te brengen.'
Ze keek met een dreigende blik naar Sophia, draaide zich toen om en liep weg.
Sophia bleef op de trap staan en keek omlaag naar mij. Als haar

ogen dolken waren, dacht ik, zou ik doodbloeden. Maar ze glimlachte snel en ging terug naar haar slaapkamer, vol zelfvertrouwen, dat wist ik zeker, en in de overtuiging dat ze me gauw genoeg kon manipuleren om te doen wat ze wilde.

Ik ging naar boven naar mijn kamer om een brief te schrijven aan Ignacio. Mijn geweten schreef me de woorden zo snel voor dat ik meteen pen en papier moest pakken.

Lieve Ignacio,
Ik blijf je missen en bid dagelijks voor je. Mijn neef Edward heeft me een schitterend cadeau gegeven. Als ik je zie, zal ik iets van de reden ervoor verklaren. Het heeft te maken met zijn relatie met zijn zus en met het feit dat ze mijn leven hier zo moeilijk heeft gemaakt, zoals je weet.
Het cadeau is een auto. Ik denk dat je geschokt zult zijn dat te horen, maar niet zo geschokt als ik was toen ik die auto zag. Ik heb geleerd hoe ik erin moet rijden en zal er heen en weer mee naar school gaan, en nu ook naar het huis van je ouders. Ik hoop dat zelfs heel gauw te kunnen doen, al zal het door de week moeilijk zijn, omdat Sophia met me mee naar huis rijdt. Misschien ga ik er aanstaande zondag heen als je ouders terug zijn uit de kerk.

Ik stopte en bleef met mijn pen in de lucht zitten. Ik wilde niet liegen tegen Ignacio, maar ik wilde hem ook niet al te veel vertellen over Adan. Toch was ik bang dat de krantenfoto op de een of andere manier zijn weg naar hem zou vinden, en als ik niets zei, zou hij beslist achterdochtig en gekwetst zijn.

Omdat ik nu naar de particuliere school ga, waar alleen de rijkste mensen hun kinderen naartoe sturen, ben ik uitgenodigd op een paar feesten. Ik heb geprobeerd niet al te vriendschappelijk om te gaan met de andere leerlingen. Ik denk niet dat ze goede vrienden en vriendinnen zullen zijn, maar ik ben ook bang dat als ik me afzijdig houd, het achterdocht kan wekken.
Een foto van mij op een van die feesten heeft in de krant gestaan.
Het bijwonen van zulke feesten zal er echt niet toe leiden dat ik jou vergeet.
Dat beloof ik je, en nu moet ik je een heel mooie verrassing vertellen.

Edward en zijn vriend Jesse willen in de komende schoolvakantie met me naar Mexico. Ze willen naar mijn dorp. Zodra ik de bijzonderheden ken, zal ik ze je laten weten. Misschien kun je me daar op een of andere manier ontmoeten.
Ik heb ze natuurlijk niets over jou verteld, dus zullen we er iets op moeten vinden, maar is het niet fantastisch?
Ik zal de dagen aftellen tot het zover is.
Met heel mijn hart,
Delia

Zo, zei ik tegen mijzelf, ik heb hem de waarheid verteld, zonder iets te laten doorschemeren dat hem bedroefd zou kunnen maken, en ik heb hem zelfs hoop gegeven. Maar als en wanneer ik deze brief verstuurde, moest ik er wel zeker van zijn dat die Mexicaanse reis met Edward en Jesse doorging, dacht ik. Natuurlijk betekende het dat tante Isabela tevreden over me moest blijven. Ik staarde naar mezelf in de spiegel. Ik had nog steeds mijn nieuwe zonnebril op en had het me niet eens gerealiseerd.

Ik vroeg me af of tante Isabela tevredenstellen werkelijk mijn enige zorg was.

Ik ontwaakte uit mijn gepeins, vouwde de brief op en stopte hem in een envelop, in de hoop hem zondag naar de Davila's te kunnen brengen. Ik zou proberen stiekem weg te glippen, en nu ik niet afhankelijk was van Casto om me te rijden, zou het een stuk gemakkelijker zijn.

Vlak na het eten belde Adan. Ik was net aan mijn huiswerk begonnen.

'Ik weet dat je bezig bent met je huiswerk,' zei hij, 'maar ik wilde alleen even weten of je het met je tante nog over zaterdag hebt gehad.'

'Ja.'

'Geen probleem, hoop ik.'

'Nee.' Hij moest eens weten hoe hard ze me in zijn richting duwde, dacht ik.

'Mooi, dan zal ik het nodige voor ons gaan regelen. Geniet van je nieuwe auto.'

'Ik zal het proberen.'

'O-o, ik meen iets onplezierigs te horen in je stem. Dat betekent dat je een passagier krijgt, hè?'

'Sí, *señor.*' Hij lachte.

'Ze zouden die auto's met een schietstoel moeten maken, zodat je je passagier als een straaljagerpiloot door het dak naar buiten kunt schieten.'

Ik moest lachen om het beeld van een wegschietende Sophia.

'Het is goed je te horen lachen, Delia. Het is net muziek.'

Ik viel in slaap terwijl die zinnen door mijn hoofd gingen. 'Het is goed je te horen lachen, Delia. Het is net muziek.'

Normaal viel ik altijd in slaap met gedachten aan Ignacio.

Toen ik 's morgens naar beneden ging om te ontbijten, zat Sophia al gekleed en wel te wachten. Tante Isabela moest nog uit haar slaapkamer komen. Ze zou tevreden zijn, dacht ik. Sophia had zich heel anders gekleed dan ze gewoonlijk deed voor school. Ze droeg een heel mooie lichtgele rok en bijpassende blouse, had haar haar geborsteld en vastgestoken, en had zich alweer bijna niet opgemaakt. En ze droeg een paar oorbellen die zowaar pasten bij haar outfit. In plaats van haar gebruikelijke sombere, slaperige stemming, was ze klaarwakker en opgewekt.

'Goeiemorgen, Delia. Ik heb tegen mevrouw Rosario gezegd dat ze roereieren voor je moet maken. Ik weet dat je daarvan houdt. Je moet goed ontbijten vandaag. Het is een grote dag voor je,' zei Sophia. 'In je eigen auto naar school rijden. Je bent een bofferd! Maar ik ben niet jaloers,' voegde ze er snel aan toe. 'Ik weet dat mijn moeder gauw genoeg een auto voor mij zal kopen. Met jouw hulp kan ik mijn cijfers opkrikken. Dat wil je toch? Dan hoef je me niet overal naartoe te rijden en kun je iemand anders meenemen in je twoseater.' Ze gaf me een knipoog.

'Ik zal je zoveel mogelijk helpen met je werk, Sophia, maar je proefwerken kan ik niet voor je maken. Je zult meer tijd moeten besteden aan je studie.'

'O, dat zal ik zeker doen,' beloofde ze.

Señora Rosario kwam binnen met mijn roereieren.

'*Gracias, señora.*'

Ze keek even naar Sophia en gaf me een onopvallend waarschuwend knikje. Ik knikte.

'*No se preocupe,*' zei ik. Ik wilde haar verzekeren dat ze zich geen zorgen over me hoefde te maken. '*Antes se atrapa al mentiroso que al cojo.*'

Ze lachte.

'Wat zei je?' vroeg Sophia.

'Ik bedankte haar voor de eieren en zei dat zij ze net zo maakte als mijn oma vroeger,' zei ik, wat natuurlijk ironisch was, want het was een leugen. Wat ik werkelijk had gezegd was: 'Het is gemakkelijker een leugenaar te pakken dan een kreupele.'

Ik vond het maar raar dat Sophia, die zo gewend was aan leugens en bedrog, zich zo gemakkelijk voor de gek liet houden. Misschien had ze de waarheid zo ver achter zich gelaten dat ze die nooit meer zou kunnen vinden.

'Goed,' zei ze. 'Heel goed, mevrouw Rosario. Dank u.'

Mevrouw Rosario kon een glimlach niet onderdrukken, en liep haastig de kamer uit.

'Weet je,' fluisterde Sophia, zich naar me toebuigend, 'ik zal toch ook wat beter moeten opletten tijdens de Spaanse les. Ik wil het kunnen spreken, zodat ik weet wanneer de bedienden iets achter onze rug zeggen.'

'Er zijn betere redenen om Spaans te leren, Sophia,' zei ik lachend.

Ook tante Isabela keek verbaasd op toen ze Sophia zo vroeg beneden zag, klaar om naar school te gaan en zo netjes gekleed. Ze keek naar mij alsof ik op de een of andere manier een goede invloed op haar had gehad. Ik voelde me schuldig omdat ik lof kreeg toegezwaaid voor een gunstige verandering in Sophia.

'Wat ga je vandaag doen, moeder?' vroeg Sophia. Ik had haar nog nooit zoiets horen vragen. Gewoonlijk had ze geen enkele belangstelling voor het zakelijke leven van haar moeder of zelfs maar haar sociale leven. Tante Isabela trok haar wenkbrauwen op.

'We acquireren een klein winkelcentrum, Sophia. Weet je wat dat betekent?'

'Nee.'

‘Het wordt ons eigendom, en iedereen, alle winkels erin, moeten ons huur betalen. Het is een vaste bron van inkomsten.’

‘Verdomme, er is nog zoveel dat ik moet leren.’ Sophia schudde haar hoofd en nam een laatste slok koffie. ‘Ik ben zó terug, Delia.’

Haastig liep ze de kamer uit naar de trap.

Señora Rosario bracht tante Isabela haar sap en koffie en de krant.

‘Ik denk dat ik vandaag ook je beroemde roereieren wil, mevrouw Rosario.’

‘Goed, mevrouw Dallas.’

Ze ging terug naar de keuken en tante Isabela en ik keken elkaar aan. Ze glimlachte.

‘Ik weet wat je denkt, Delia, maar ik wil je een goede raad geven. Zelfs de illusie van geluk en hoop is beter dan het alternatief. Het stelt je in staat om verder te gaan. *Comprende, señorita?*’

‘Sí, *tía* Isabela.’

Waarom zou ik het niet begrijpen? dacht ik.

Dat was precies wat ik nu deed en had gedaan sinds de dag waarop ik hier was gekomen.

11

Chauffeur van Sophia

Een van mijn Mexicaanse klasgenootjes in de Engels-Spaanse klas op de openbare school die ik bezocht toen ik hier pas aankwam, had me verteld dat de gemakkelijkste manier om nieuwe vrienden te maken in Amerika was het bezit van een auto. Ik ontdekte algauw dat ze niet had overdreven. Bliksemsnel verspreidde Sophia het nieuws dat ik haar naar school bracht in de sportwagen die haar broer Edward voor me gekocht had. Ik kon bijna voelen hoe de andere leerlingen me nu bekeken. Veel meisjes die meestal geen woord tegen me zeiden glimlachten naar me en probeerden een gesprek aan te knopen. Het was alsof ik geaccepteerd werd in een privéclub.

Ik had pret om de manier waarop Sophia de auto beschreef aan haar vriendinnen, bij alles de nadruk leggend op 'wij'. Ze maakte ook duidelijk dat nu ik een auto had, haar moeder er binnenkort ook een voor haar zou kopen. Volgens Sophia was tante Isabela zelfs al bezig te informeren naar modellen en prijzen.

'Je kent mijn moeder,' zei ze tegen Alisha en de meisjes die in een groepje om haar heen stonden bij het Spaanse leslokaal. 'Ze wil er zeker van zijn dat ze niet wordt opgelicht en de beste deal sluit. Ze heeft vrienden in de autohandel. Ze heeft Edward zelfs de mantel uitgeveegd omdat hij niet eerst naar haar toe was gekomen voor hij geld uitgaf voor Delia's auto. Ze had hem duizenden kunnen besparen, al kan hem dat weinig schelen.'

Ze bracht sommigen zelfs in de waan dat ik spoedig bereid zou zijn haar de auto te laten gebruiken.

'Tot ik mijn eigen auto krijg,' benadrukte ze.

Ik moest lachen als ik Sophia's gesprekken met haar vriendinnen hoorde, maar het bevestigde ook dat er geen sprake was van enige verandering in haar gemoedstoestand. Haar lieve praatjes en glimlachjes voor mij waren als vliegen die tegen een gesloten raam vlogen. Ik betwijfelde of er ooit een tijd zou komen dat ik het raam opende en haar binnen liet, een tijd waarin ik haar meer zou kunnen vertrouwen.

Christian Taylor was onder de indruk van mijn auto. Tijdens de lunchpauze ging hij naar buiten met een paar amigo's om hem te bekijken. Sophia probeerde me over te halen haar de sleutels te geven, zodat ze de auto aan Christian en zijn vrienden kon laten zien, maar ik liet haar beleefd weten dat ik dat liever niet deed.

'Kom jij dan naar buiten en laat jij hem zien,' drong ze aan.

'Ik moet nog een les doornemen voor maatschappijleer,' zei ik. 'Later misschien.'

'Je moet leren relaxen, Delia. Je bent veel te gespannen. Die les voor maatschappijleer loopt niet weg.'

'Later misschien,' herhaalde ik.

Pruilend zei ze: 'Weet je, je zou me best halverwege tegemoet kunnen komen. Ik probeer een beter nichtje voor je te zijn.'

Halverwege, dacht ik, en herinnerde me iets dat Edward gezegd had. 'Geef mijn zus een vinger, en ze neemt niet alleen je hele hand. Ze neemt alles van je.'

'Het spijt me,' zei ik. 'Ik mag Christian Taylor niet. Ik negeer hem liever.'

'Hij is gewoon maar een jongen. Doe niet zo verkrampt. Ik kan Christian Taylor wel aan.'

'Ik kan een ratelslang aan,' zei ik. 'Dat heb ik zelfs wel eens gedaan, maar toch liever niet.'

'Is dat echt waar?'

'Waar ik vandaan kom, leer je om te gaan met alles in de natuur. Als jij ze met rust laat, laten ze jou ook met rust, in tegenstelling tot Christian Taylor. Slangen zijn misschien slimmer dan wij. Ze negeren ons liever.'

Ze schudde haar hoofd. 'Ik weet niet of ik je ooit zal begrijpen.'

'Doe beter je best met Spaans,' zei ik. Ik wist dat het niet was wat ze bedoelde, maar ik voelde me zelfverzekerder en wilde haar plagen en dwarszitten.

Ze trok een lelijk gezicht en liep weg, maar aan het eind van de dag stond ze bij de auto op me te wachten met haar vriendinnen.

'Wat een mooie auto, Delia,' zei Trudy. 'Hij is vast heel snel.'

'Te snel,' zei ik, 'als je niet voorzichtig bent.'

'Wie wil er nou voorzichtig zijn?' zei Alisha onder het gelach van de anderen.

Ik opende de deuren en Sophia maakte aanstalten om in te stappen. Maar ze bleef nog staan en glimlachte naar haar vriendinnen.

'Moet je dat leer eens voelen,' zei ze, en deed een stap naar achteren zodat ze de stoel konden betasten.

Snel stapte ik in en startte de motor. 'We moeten naar huis,' zei ik.

'Oké. Ik zie jullie later wel,' zei Sophia tegen hen. 'Wil je even stoppen voor een ijsje, Delia?' vroeg ze, luid genoeg dat ze het allemaal konden horen. 'Ik trakteer.'

'Nee, dank je, Sophia. Je moeder wacht misschien op ons.'

'Waarschijnlijk zit ze in een of andere bespreking.'

'Kan zijn. Maar het is beter dat we rechtstreeks naar huis gaan, zoals we hebben beloofd.'

'Kun je tenminste het dak opendoen?'

Ik dacht er even over na en knikte.

Haar vriendinnen slaakten verrukte gilletjes toen ze het dak omhoog en naar achteren zagen gaan. Sophia leunde vergenoegd achterover.

Ik reed langzaam weg, en dat was maar goed ook, want voor we bij de uitgang van het parkeerterrein waren, stond Christian Taylor plotseling lachend midden op de weg. Ik moest hard op de rem trappen.

'*Estupido!*' schreeuwde ik tegen hem.

Hij lachte en boog zich over de auto heen. 'Wow! Is dit niet te veel auto voor je? Ik weet dat ik te veel man ben.'

'Jij bent de enige die dat weet,' zei ik, en schakelde. Hij sprong achteruit, en Sophia sloeg dubbel van het lachen.

'Zo mag ik het zien,' zei ze. 'Nu ga je tot mijn soort horen, nicht!'

Ik keek naar haar en in de achteruitkijkspiegel naar Christian, die zich beklaagde tegen zijn vrienden.

Sophia zette de radio hard aan en stak een sigaret op.

'Wil je er ook een?'

'Nee. Zo'n soort meisje ben ik niet. Het spijt me dat ik me zo gedroeg, maar hij maakt me...'

'Ik weet wat je bedoelt,' zei Sophia. 'Je hoeft me niets uit te leggen over Christian of welke jongen dan ook.'

Het scheen dat ze, wat ik ook zei, een manier zou vinden om mijn nieuwe maatje te worden, en dat allemaal vanwege die auto.

Ik reed door, innerlijk kokend van woede.

Adan belde die avond om te horen hoe het met me ging, en we praatten bijna een halfuur. Hij was wild enthousiast over belangrijke politieke steun voor zijn vader. Hij zei dat het er goed voor hem uitzag en dat hij ook steun kreeg uit arbeiders- en politiekringen.

'Ik begin te denken dat mijn vader echt weleens zou kunnen winnen,' zei hij, wat me verbaasde.

'Dacht je dat eerst dan niet?'

'Ik hoopte het, maar nu is het meer dan hoop. Er zijn veel latino stemgerechtigden in deze staat, en daar zullen we een groot deel van in de wacht slepen,' voegde hij eraan toe. 'Maar dat is allemaal saaie gespreksstof. Ik praat liever over jou.'

Als hij door de telefoon heen had kunnen kijken, zou hij een heel peinzend en niet een blij lachend gezicht zien. Elk warm gevoel dat ik voor hem had en elk moment van vreugde dat we samen beleefden waren steken in mijn hart vanwege mijn gevoelens voor Ignacio. Later, toen ik ging slapen, droomde ik dat hij het had gehoord van Adan en mij, en dat hij daardoor een crimineel was geworden in Mexico. Zijn familie, vooral zijn vader, vervloekte mij. Ik werd snakkend naar adem wakker en moest bijna huilen, zo levendig was de nachtmerrie geweest.

Mijn brief aan Ignacio lag nog onder mijn slipjes in de la van mijn kast. Ik deed mijn best om een manier te verzinnen om naar het huis van de Davila's te gaan, maar nu Sophia zich zo aan me vastklampte, was dat extra moeilijk. Ik had gehoopt dat mijn gezelschap, zelfs in de sportauto, haar op den duur zou gaan vervelen, maar ze genoot nog van de uitstraling ervan en van de afgunst van haar vriendinnen. Ten slotte, op donderdag, vroeg ze me om een gunst die ik misschien maar al te graag inwilligde.

'Mijn moeder is vandaag naar een vergadering in Los Angeles, en ze komt vanavond pas thuis. Dat vertelde ze me gisteravond na het eten,' zei ze tijdens de rit naar school. 'We zouden even bij mijn vriendinnen langs kunnen gaan bij Alisha thuis, dat zou leuk zijn. We kunnen wat praten en drinken en naar muziek luisteren en –'

'Nee, ik kan daar niet naartoe,' zei ik. 'Ik heb te veel te doen.'

Ze zweeg tot we bijna bij de school waren.

'Oké, maar wil je me tenminste een gunst bewijzen en het niet verklikken? Na school ga ik met Alisha mee, en zij brengt me rond etenstijd weer thuis.'

'Wat je doet en waar je naartoe gaat zijn mijn zaken niet,' antwoordde ik, in plaats van te zeggen dat ik een leugen voor haar zou vertellen. Het was voldoende om haar tevreden te stellen.

'Het is dom van je om niet met ons mee te gaan na school,' zei ze toen we parkeerden. 'Maar,' ging ze verder, 'het geeft niet zolang je maar niet klikt tegen mijn moeder. We moeten elkaar vertrouwen en helpen als we echt nichtjes willen zijn, Delia.'

'Tante Isabela heeft me niet gevraagd je te bespioneren. Wat ik niet weet, dat weet ik niet.'

Ze glimlachte. 'Goed. Prettige dag,' zei ze en stapte uit.

Als je eens wist hoeveel prettiger die nu zal zijn, dacht ik, en volgde haar. De wetenschap dat ik vrij was om later naar het huis van de Davila's te rijden, maakte me nerveus en ongeduldig in de klas en zelfs tijdens de lunch. Fani zag het en maakte er een opmerking over.

'Zit je iets dwars?' vroeg ze. 'Is het Adan?'

'Nee, niks.'

'Laat het me weten zodra hij iets doet wat je niet bevalt, Delia. Hij is wel ouder dan ik, maar ik voel me als een grote zus voor hem.'

'Heeft hij geen serieuze liefdesrelaties gehad?' vroeg ik.

'Adan?' Ze lachte. 'Voor hem is elke relatie serieus, maar serieus is geen langdurige toestand. Maar misschien is hij bezig te veranderen,' ging ze snel verder, toen ze mijn reactie zag en dacht dat ik diep teleurgesteld was. Deels voelde ik me opgelucht. Ik danste nog steeds op een koord van emoties. 'Per slot,' ging ze verder, 'wordt hij een dagje ouder, en nu zijn vader een serieuze kandidaat is voor de senaatszetel, moet hij tenminste een wat evenwichtigere indruk maken. Zijn dagen als playboy zijn geteld. Misschien werk jij daaraan mee.'

Ik zei niets. Mijn gedachten waren nu bij Ignacio en de Davila's. Zodra de bel ging voor het eind van de schooldag, was ik de deur uit. Ik reed weg voordat Sophia en haar vriendinnen me konden tegenhouden en proberen me over te halen met hen mee te gaan. Ik reed iets te snel om thuis te komen en de brief te halen die ik had geschreven, maar dit was mijn grote kans.

Ik pakte de brief en stond alweer buiten voordat iemand zelfs maar besefte dat ik binnen was gekomen. Rijdend over de oprijlaan, zwaaide ik naar señor Casto, die bij de oostelijke muur met een tuinman aan het werk was. Toen schoot ik het hek door en was op weg. Ignacio's vader en broer waren niet thuis toen ik kwam, maar zijn moeder en zijn jongste zusje waren bezig te koken voor het avondeten. Toen zijn zusje me binnenliet en ik in de keuken kwam, zag ik de blijdschap en opluchting op het gezicht van zijn moeder.

'Delia, het is al zo lang geleden dat we je gezien hebben,' zei ze, terwijl ze haar handen afveegde aan een keukendoek en me omhelsde. 'Hoe gaat het met je?'

'Goed. Het was moeilijk om weg te komen.'

Ze knikte, maar ik zag haar blik gaan naar de krant op het tafeltje bij de deur van de bijkeuken. Hij lag opengeslagen bij de foto van mij en Adan en Fani. Ik liep erheen.

'Dit was een verjaardagsfeest waar ik naartoe moest,' begon ik.

'Ignacio's vader wilde hem die foto toesturen, maar ik heb hem gesmeekt dat niet te doen. Hij zegt dat Ignacio eraan moet wennen dat je een nieuw leven hebt, en dat hij zelf ook een nieuw leven moet beginnen.'

'Nee!' zei ik. 'Dit heeft niets te betekenen. Ik ben overigens van plan in de vakantie naar Mexico te gaan, en ik zal hem zien als hij naar mijn dorp kan komen.'

'O,' zei ze geïmponeerd. Ze dacht even na, wierp weer een blik op het artikel en schudde haar hoofd. 'Voorlopig is het beter als je niets over die reis zegt tegen mijn man. Hij zal er iets verkeerds aan weten te vinden.'

'Sí. Dit is mijn brief aan Ignacio. Ik zal u de informatie over mijn reis laten weten zodra ik de details ken, zodat u die aan hem door kunt geven.'

Ze pakte de brief aan.

'Ignacio krijgt hem toch?' vroeg ik, bang dat zijn vader verdere brieven had verboden.

'Sí,' zei ze. 'Ik zal ervoor zorgen.'

'*Gracias, señora.*'

Ze stond erop dat ik ging zitten en een glas Jarritos-limoensap dronk, met een van haar pasgebakken Mexicaanse chocoladekoekjes. Ik zei dat ze net zo verrukkelijk waren als die van mijn oma vroeger. Ik bleef langer dan een uur, vertelde over mijn school, mijn nieuwe auto en het leven op de *hacienda* van mijn tante. Nu en dan keek ik naar de deur, denkend dat Ignacio's vader elk moment kon binnenkomen, maar hij verscheen niet zolang ik daar was. Ze zag dat het me zenuwachtig maakte en verzekerde me dat ze alles zou regelen.

We omarmden elkaar, beiden in tranen bij de gedachte aan Ignacio, en toen ging ik weg. Toen ik de snelweg opreed, passeerde ik Ignacio's vader en broer die in hun truck naar huis gingen. Ik reed met open dak, en ze draaiden allebei verbaasd hun hoofd om toen ze mij in zo'n auto zagen. Ik had nauwelijks de tijd om te knikken.

Op de terugweg kwam mijn maag in opstand. Ik maakte me ongerust over Ignacio's moeder als ze mij verdedigde. Nu was ik de bron van onenigheid in hun *casa*, dacht ik. Ik bracht nog steeds ongeluk aan de mensen die van me hoorden te houden en van wie ik hield. Wanneer zou daar een eind aan komen?

Rijdend naar tante Isabela's *hacienda*, zag ik tot mijn verbazing Alisha's auto staan. Waarom had ze Sophia zo vroeg thuisgebracht? Ik had verwacht dat ze niet eerder terug zou komen dan vlak voor het eten. Ze zou bang zijn dat señora Rosario het zou vertellen als ze niet op tijd aan tafel kwam. Ik parkeerde en ging naar binnen. Beneden was alles stil, maar toen ik de trap opliep, hoorde ik muziek in

Sophia's kamer. De deur stond gedeeltelijk open. Ik merkte algauw dat het was om te kunnen zien wanneer ik naar mijn kamer ging. Onmiddellijk kwamen Sophia, Alisha, Trudy en Delores achter me aan.

Aan de manier waarop ze keken en de glazige blik in hun ogen kon ik zien dat ze allemaal gedronken hadden, waarschijnlijk wodka, omdat ze dat konden camoufleren met vruchtensap. Trudy had een kartonnen beker in haar hand en dronk er glimlachend van.

'Waar was je?' vroeg Sophia. 'Ik dacht dat je te veel werk had en daarom na school niet naar Alisha's huis kon.'

'Waarom zijn jullie hier?' vroeg ik, in plaats van antwoord te geven.

'Alisha's moeder ging niet weg, zoals we gedacht hadden. Dat was niet bevorderlijk voor onze plannen. Hè, Trudy?' vroeg ze voor ik kon antwoorden.

'Dat is zo. Het was niet bepaald de juiste plek voor onze festiviteiten,' zei ze giechelend.

'Dus? Waar was je?' vroeg Sophia. 'Nou?'

'Ik had iets te doen,' zei ik.

'Iets te doen?' Ze keek naar haar vriendinnen die allemaal glimlachend terugkeken. 'Toch niet om bij Adan Bovio te zijn, wel?'

'Zou kunnen.'

'Flauwekul!' gilde ze, met haar handen op haar heupen. 'Adan Bovio heeft net een halfuur geleden gebeld. Ik hoorde de telefoon en heb opgenomen.'

Ik staarde haar alleen maar aan. Zelfs liegen tegen haar gaf aanleiding tot problemen. Leugens leven nooit lang. Sommige sterven al op het moment dat ze geboren worden.

'Je had toch niet toevallig een afspraakje met een andere jongen, hè? Een van je Mexicaanse vriendjes misschien?' Ze keek met een ondeugende bik naar haar vriendinnen, die dichterbij kwamen alsof ze hun steun wilden verlenen. Ze hadden allemaal dezelfde voldane blik in hun ogen.

'Wat ik doe en waar ik naartoe ga, gaat jou niets aan,' zei ik.

'Ha!' Ze stond te zwaaien op haar benen. De wodka steeg naar haar hoofd. 'Wat heb ik je gezegd, meiden? De latina assepoes heeft een andere latino prins gevonden. Wie is het? Hoe vindt Adan dat? Waar heb je hem ontmoet? Het is toch niet iemand van school, hè? Nou?'

'Je moeder zal niet erg blij zijn als ze hoort van je buitenschoolse feestje,' antwoordde ik, me op haar concentrerend. Ik deed een stap naar haar toe. 'Misschien verzwaart ze je straf wel.'

'Ze zal niet blij zijn als ze hoort dat jij met andere jongens gaat, de hoer uithangt.'

'Mijn kamer uit! Jullie allemaal!' zei ik, wijzend naar de deur.

'Ik denk dat ik een gevoelig plekje heb geraakt.' Ze knikte. De kille glimlach bleef op haar gezicht.

'Ja, haar g-plek,' zei Trudy, waarop iedereen begon te lachen.

'Weet je wat dat is, Delia?' vroeg Alisha.

'Dat weet ze,' zei Sophia. 'Die heeft Bradley Whitfield haar aangewezen.'

Iets in me brak. Het was alsof de dam die de hitte in mijn bloed tegenhield doorbrak en alles naar mijn hoofd stroomde. Ik draaide me met een ruk om, pakte de kruk die aan het voeteneind van mijn bed stond en kwam op ze af met de poten van de kruk naar voren. Ze schreeuwden toen ik op hen aanviel. Trudy liet haar beker vallen en ze holden mijn kamer uit. Ik smeet de deur achter hen dicht.

Ik zou tante Isabela vragen een slot op mijn deur te laten maken, dacht ik, hijgend en ziedend van woede. Ik hoorde Sophia's deur ook dichtgaan, nadat ze naar me geschreeuwd had dat ik een gevaarlijke gek was.

Het duurde even voor ik tot bedaren was gekomen, maar toen moest ik lachen om de schrik die ik ze had aangejaagd. Ik hoefde niet bang voor ze te zijn.

Ongeveer een halfuur later belde Adan weer. Ik verwachtte dat hij zou vragen waar ik geweest was, maar dat deed hij niet. We praatten over het weekend, het dinertje op vrijdagavond, en het programma voor zaterdag. Ik luisterde meer dan ik sprak. Hij besefte dat ik ongewoon stil was en vroeg of alles in orde was.

'Het is Sophia,' antwoordde ik.

'Wat doet ze nu weer?'

'Het is beter haar gewoon te negeren. *Ella cocinará en su propio jugo.*'

'Wat betekent dat?'

'Haar in haar eigen sop gaar laten koken.'

'Ik zal je hulp nodig hebben met sommige van die mooie Spaanse spreekwoorden van je. Ik help mijn vader met zijn toespraken.'

'Het is geen spreekwoord. Soms verzin ik ze zelf. In dat opzicht lijk ik op mijn oma.'

'Ik vind het prachtig. Wat je kunt gebruiken, kun je gebruiken. Ik zie je morgenavond. Ik heb het nummer van de dierenambulance als je die nodig mocht hebben voor die nicht van je.'

'Misschien wel,' zei ik lachend.

Ik hoorde Sophia's vriendinnen vertrekken, nam een douche en kleedde me voor het eten. Sophia kwam ingetogen aan tafel maar vatte weer moed toen señora Rosario en Inez alles hadden binnengebracht en weer vertrokken waren.

'Als jij niets over mij zegt, zeg ik niks over jou,' bood ze aan.

'Ik hoef het niet op een akkoordje te gooien met je. Er is niets waarover ik me zou moeten schamen.'

Toch kunnen we beter niet over elkaar gaan kletsen tegen mijn moeder. Afgesproken?'

'Blijf uit mijn kamer en neem nooit mijn telefoon aan,' zei ik vastberaden. 'Als je je daar niet aan houdt –'

'Oké, oké. Wie kan het trouwens iets schelen wat jij in je kamer doet of wie je ontmoet.'

Ze trok een pruillip en prikte rond op haar bord, liet het meeste eten liggen.

'Mijn moeder kan me maar beter gauw mijn eigen auto geven,' mompelde ze. 'Anders zal ze er spijt van krijgen als mijn trust in werking treedt. Zodra ik iets te maken krijg met die bezittingen en zaken... dan neem ik een eigen advocaat in dienst om alle documenten te controleren die mijn vader heeft nagelaten.'

Ik zei niets om haar aan te moedigen of te ontmoedigen.

'Ik wil geen dessert,' zei ze tegen Inez, en stond op. 'Ik ga morgen niet met je naar school. Christian Taylor komt me afhalen en brengt me ook weer thuis.'

'Je zegt voortdurend dat je hem maar niks vindt, maar je doet van alles met hem,' merkte ik op.

'We hebben dingen te bespreken. Je kunt iemand niet aardig vinden en toch gezamenlijke interesses hebben, weet je.'

'Nee, dat weet ik niet.' Ik schudde mijn hoofd en keek haar glimlachend aan.

'Oké,' zei ze met samengeknepen, kille ogen. 'Dan niet. Je weet niet alles, Delia.'

Stampvoetend liep ze de kamer uit en de trap op.

Later belde Edward. 'Ik heb zo lang mogelijk gewacht,' zei hij. 'Hoe gaat het in de nieuwe wereld?'

'Sophia verandert niet echt, maar ik kan haar aan. Maak je geen zorgen, Edward.'

'Niemand kan haar aan, Delia. Ik maak me wél zorgen. En Adan Bovio? Hoe staat het met de zoon van de mogelijk nieuwe senator?'

Ik vertelde hem over Adans uitnodigingen en de dingen die we van plan waren te doen.

'Ik ben blij voor je als jij blij bent, Delia. Overigens heb ik mijn moeder vandaag gesproken. Ze kwam zowaar langs toen ze in Los Angeles was en ging met mij en Jesse koffiedrinken. Ze gelooft heel erg in je relatie met Adan, dus als je er een eind aan maakt, breng het haar dan heel voorzichtig aan haar verstand. Meer zal ik er niet over zeggen. Ik ben geen expert in dit soort zaken.'

'Dank je. Heb je nog over Mexico nagedacht?'

'Wil je nog steeds met ons mee?' vroeg hij verbaasd.

'O, ja, erg graag, Edward. Ja!' zei ik. Hij moest lachen om mijn enthousiasme.

'Ik dacht alleen dat je die tijd met Adan Bovio zou willen doorbrengen, maar als je het zeker weet...'

'Ja, ja.'

'Goed dan. We vertrekken de dag nadat je vakantie krijgt. Jesse zegt dat het te lang duurt om met de eigen auto te gaan en stelde voor dat we naar Mexico City vliegen en daar een auto huren. We kunnen diezelfde avond of de volgende dag of zo naar jouw dorp, afhankelijk van wat we onderweg doen.'

'Ik zou er graag gauw naartoe willen en andere dingen bezichtigen op de terugweg.'

'Ja, dat lijkt me een goed plan.'

'Er zijn een paar mensen die ik graag wil laten weten dat we komen, een paar vriendinnen van mijn oma.'

Hij draaide zich om naar Jesse om het uit te leggen en toen liep Jesse naar de telefoon.

'Je kunt ze vertellen dat we er de zondag na je laatste schooldag zijn,' zei hij. 'Ik heb het uitgezocht op de computer. Hoe is dat hotel Los Jardines Hermosos?'

Ik lachte. 'Dat is een hotel in het dorp. Het heeft misschien zes kamers en een stuk land met wat cactusbloemen, maar de eigenaars zijn aardig en de kamers zullen zeker schoon zijn. Het is niet meer dan een plek om te slapen,' zei ik. 'Verwacht er niet te veel van.'

'Zes kamers? Dan zal ik maar gauw reserveren,' zei hij.

'Ze zullen geschokt zijn als ze je verzoek horen.'

'Ik zal jouw naam noemen.'

'Ja, noem mijn naam maar,' zei ik, glimlachend bij de gedachte aan hun reactie. 'Dank je, Jesse.'

Edward kwam weer aan de telefoon om me te vertellen dat hij onze tickets zou boeken en raadde me nogmaals aan om uit te kijken voor Sophia en op mijn tellen te passen. Hij wenste me ook veel plezier in het weekend.

Het was moeilijk om daarna in slaap te vallen. Mijn verwachtingen voor de reis naar mijn dorp waren hooggespannen. Ik popelde van ongeduld om ze op schrift te stellen en naar Ignacio te sturen. Dat ik ze zo gauw zou sturen nadat ik hem had verteld over de mogelijkheid, zou hij geweldig vinden.

En ik ook, dacht ik.

Een tijdlang vergat ik alles over Adan en ons komende weekend. De enige naam op mijn lippen en het enige gezicht in mijn dromen en gedachten waren van Ignacio. Het hielp me om goed en rustig te slapen.

De volgende ochtend was tante Isabela eerder beneden dan Sophia of ik. Als señora Rosario haar iets had verteld over ons diner de vorige avond, liet ze dat niet merken toen Sophia haar begroette. Ik zat toen al aan tafel met haar te praten over mijn aanstaande uitstapje met Adan naar Newport Beach. Ze vertelde me over de tijd toen zij en haar man een boot hadden die ze beschreef als een klein jacht. Het lag gemeerd in Newport Beach en ze waren er zelfs mee naar enkele havens in Mexico gevaren. Ze zei dat er acht mensen konden slapen, en dat er vaak gasten meegingen, zakenrelaties en hun vrouwen. Het klonk alsof ze Edward en Sophia zelden hadden meegenomen. Ze legde uit dat ze de meeste tijd op de boot waren toen de twee kinderen nog te klein waren om ervan te kunnen genieten.

'Toen mijn man ziek werd, hebben we de boot verkocht,' zei ze.

'Wat is er met de boot?' vroeg Sophia, die net binnenkwam.

'Zo, ik ben blij dat je op bent en aangekleed, en nog tijd hebt om te ontbijten voordat je weg moet,' zei tante Isabela.

Sophia plofte neer op haar stoel. 'Het zou geweldig zijn als we die boot nog hadden, al herinner ik me er niet veel van,' zei ze. 'Waarom hebben jullie het nu daarover?'

Ik realiseerde me dat ze niets wist van mijn plannen voor zaterdag met Adan.

'We hadden het over Delia's tochtje met Adan aanstaande zaterdag,' zei tante Isabela.

'Tochtje?'

'Ze gaan varen met het jacht van de Bovio's.'

'Heus?' vroeg ze aan mij. 'Waarom heb je me dat niet verteld?'

'Waarom zou ze dat jou moeten vertellen?' vroeg tante Isabela.

Sophia keek haar moeder met zoveel haat aan dat mijn hart even stilstond.

'Je behandelt haar alsof ze je dochter is en niet alleen maar je nicht.'

'Als je me toont dat je respect hebt voor je familie, voor mij, zal ik het gemakkelijker vinden aan jou te denken als mijn dochter,' antwoordde tante Isabela.

'Ik doe alles wat je wilt,' jammerde Sophia. 'Ik heb een achtenhalf voor wiskunde en een acht voor maatschappijleer, ja toch, Delia?'

Ik knikte.

'Goed. Blijf zo doorgaan,' zei tante Isabela.

'We zijn elke dag meteen naar huis gegaan en aan ons huiswerk begonnen,' ging Sophia verder met een blik op mij.

'Uitstekend.'

'Ik heb tegen Christian gezegd dat hij me vandaag kan komen afhalen om naar school te gaan,' zei Sophia. 'Ik ga alleen maar heen en weer naar school.'

'Je had eerst om toestemming moeten vragen,' zei tante Isabela.

'Waarom? Anders zou ik met Delia zijn meegereden. Het is maar een ritje naar school, moeder.'

'Pas op, Sophia. Ik weet wanneer ik bedrogen word.'

'Ik bedrieg je niet, verdomme.'

'Let op je taalgebruik.'

Sophia sloeg haar ogen neer.

'Je kunt met Christian naar school, maar ik wil niets horen over te hard rijden of uitstapjes of wat dan ook, begrepen?'

'Ja, moeder.'

Sophia keek tevreden, wat me nog ongeruster maakte.

Tante Isabela ging verder met haar herinneringen aan gelukkiger tijden met haar man, maar in mijn achterhoofd zoemde een waarschuwing die me de hele dag bij zou blijven. Ik probeerde aan alles te denken, behalve aan school, en zodra ik de kans kreeg schreef ik de aanvullende brief aan Ignacio.

Aan het eind van de schooldag liep ik haastig naar mijn auto. Fani, die in haar eigen auto reed, stond op de parkeerplaats.

'Wil je even met mij mee naar huis?' vroeg ze. 'Dan kunnen we het nog wat langer hebben over je-weet-wel-wie.'

'Dank je, Fani, maar ik heb iets belangrijks te doen.'

Haar haren gingen overeind staan. Niemand sloeg een uitnodiging af van Estefani Cordova.

'Kan ik komen zodra ik klaar ben met dat karweitje?' ging ik snel verder.

'Hm, hoe lang duurt dat?'

'Niet langer dan een uur.' Ze was er niet blij mee, maar mijn snelle gedachtegang redde me.

'Als het langer duurt, hoef je niet te komen,' zei ze, en stapte in haar eigen auto.

Haastig liep ik naar die van mij. Alle leerlingen verlieten de school, en ik zag Sophia en Christian haastig naar zijn auto lopen. Ik reed snel weg en kreeg bijna een boete voor te hard rijden, want een politieagent die me volgde kwam naast me rijden en hief waarschuwend zijn vinger naar me op. Ik glimlachte, knikte en minderde vaart. Hij reed door.

Ignacio's broer Santos was in de voortuin toen ik aankwam. Ik was verbaasd hem te zien. Als hij uit school kwam, ging hij meestal meteen aan het werk met de groep arbeiders van zijn vader. Ik zag dat hij wat gereedschap bij zich had. Hij bleef staan toen ik bij de oprit kwam.

'Hoe kom je aan die auto?' vroeg hij onmiddellijk.

'Van mijn neef.'

'Je bent nu echt rijk, hè?'

'Nee. Mijn tante is rijk. Wat doe je?'

'Ik repareer die trap,' zei hij, met een knikje naar de trap van de voordeur.

'Is je moeder binnen?'

Hij knikte. 'Mag ik even naar die auto kijken?'

'Sí,' zei ik. Ik overhandigde hem de sleutels en zijn ogen begonnen te glanzen.

Ik ging naar binnen en vond señora Davila, die bezig was de handdoeken op te vouwen die ze net gewassen had.

'Zo gauw alweer terug? Is er iets mis?'

'Nee, alles gaat goed, señora Davila. Hebt u de brief naar Ignacio kunnen sturen?'

'Vanmorgen,' zei ze knikkend.

'Dit moet nu naar hem toe,' zei ik, en overhandigde haar de brief met de informatie. 'Daarin staat alles over mijn reis.'

'Dus je gaat echt?'

'Sí!'

'Kom je nog terug voor je vertrekt?'

'Als u dat wilt.'

'Ik heb een paar dingen die ik graag zou willen dat je voor hem meeneemt.'

'Dan kom ik terug. Maar ik moet nu weg,' zei ik. 'Sorry.'

Ze pakte de brief aan en we omarmden elkaar. Ik liep haastig naar buiten. Santos zat in de auto en droomde dat hij erin reed. Snel stapte hij uit, verbaasd dat mijn bezoek maar zo kort geduurd had.

'Het is een prachtige auto,' zei hij en gaf me de sleutels terug.

'Als ik de volgende keer kom heb ik misschien tijd om een kort ritje met je te maken.'

'Misschien,' zei hij.

Ik stapte in en startte de motor.

'Kan het dak omlaag?'

'Ja. Ik zal het je laten zien.'

Ik liet het dak zakken en hij sperde zijn ogen bewonderend open.

'Als je met me gaat rijden, wil ik het ook met open dak.'

'Oké. Tot gauw,' zei ik en reed achteruit. Ik was erg opgewonden over alles en moest me dwingen mijn aandacht bij de weg te houden.

Toen ik draaide en wegreed, keek ik in mijn achteruitkijkspiegel.

Mijn hart zonk in mijn schoenen.

Geparkeerd in de straat stond de auto van Christian, en hij en Sophia observeerden me.

Ze waren me gevolgd.

Daarom had ze hem gevraagd haar af te halen en daarom was het alarmbelletje bij me gaan rinkelen. Instinctief, als een wild dier in de woestijn, had ik het gevaar gevoeld. Ik had naar het alarm moeten luisteren en iets als dit moeten voorzien.

Ik minderde vaart om te zien of ze me weer zouden volgen. Toen ik bij de hoek was stopte ik en keek naar hen. Christian startte de auto en reed naar het huis van de Davila's. Ik zag dat Santos zich verbaasd omdraaide toen Sophia uitstapte. Ze liep naar hem toe.

Een auto kwam achter me aan en de bestuurder toeterde. Ik maakte een luchtsprong van schrik en reed snel verder naar Fani's huis, met een hart dat meer lawaai maakte dan de motor.

12

Chantage

Ik wist dat Santos niet met opzet het grote geheim van de familie zou verraden, maar ik was bang voor wat Sophia kon zeggen of vragen. Ze was de sluwste intrigante die ik ooit had ontmoet, en ik twijfelde er niet aan of ze hunkerde er met hart en ziel naar op de een of andere manier mijn leven te verwoesten. Op z'n minst kon ze nu naar haar moeder gaan en haar vertellen dat ik mijn relatie met de familie Davila voortzette. Ze wist dat haar moeder me elk contact met hen verboden had.

Maar ik vreesde iets ergers. Ik was bang dat ze er op de een of andere manier achter zou komen wat er aan de hand was met Ignacio.

'*Nadie reconoce el engaño asi como alguien que engaña*', zou mijn oma zeggen. Niemand ontdekt een bedrog zo snel als iemand die bedriegt.

'Soort kent soort', had ik leerlingen op school horen zeggen. En dat ging zeker op voor Sophia. Het was spelen op haar terrein en zij was veel en veel beter in het spel van de leugen dan ik, want ze had het haar leven lang al gespeeld.

Ik was op van de zenuwen. Ik beefde zo erg dat ik bang was niet goed meer te kunnen rijden. Om de paar minuten keek ik in mijn achteruitkijkspiegel om te zien of ze me nog volgden, maar ik zag ze niet. Waar waren ze? Waarom bleven ze zo lang bij het huis van de Davila's? Wat voor moeilijkheden zou Sophia hun kunnen veroorzaken? Was Ignacio's vader teruggekomen en had hij ze daar aangetroffen? Had Sophia het lef om aan te kloppen en señora Davila te ondervragen? Wat zou Ignacio's moeder denken? Ze zou zich natuurlijk afvragen waarom ik die mensen naar haar huis had gelokt. Welk nieuw gevaar had ik voor hun familie in het leven geroepen?

Mijn eigen verzonnen vragen en zorgen deden de tranen in mijn ogen springen. Toen ik voor Fani's huis stopte, zat ik zelfs te snikken. Ik stopte ermee, veegde de tranen van mijn wangen en vermande me. Als Fani me zo zag, zou ze de reden willen weten. Even vroeg ik me af of ik haar voldoende kon vertrouwen om haar de waarheid te vertellen. Maar ze zou het ongetwijfeld doorvertellen aan Adan, dacht ik. Het geheim moest veilig in mijn hart verborgen blijven.

Ik moest aanbellen op de intercom bij het hek. De huismeester opende het en ik reed naar het huis. Fani's ouders hadden meer fulltime personeel dan tante Isabela. Een vrouw die jonger was dan señora Rosario had binnen de leiding en begroette me bij de deur. Fani kwam haastig naar buiten.

'Je bent er binnen een uur,' zei ze, terwijl ze met me meeliep naar haar kamer.

'Ik had bijna een bon voor te hard rijden gekregen,' antwoordde ik en vertelde over de politieman die zijn vinger naar me schudde.

'Je boft. Hij was in een goeie bui. Waarschijnlijk had mijn vader die boete trouwens wel voor je kunnen regelen,' zei ze zelfingenomen. 'Dat heeft hij voor mij ook een paar keer gedaan.'

'Een paar keer?'

'Politieagenten doen niets liever dan mooie vrouwen in mooie dure auto's beboeten. Dat is te verwachten, Delia. En, wat was dat voor belangrijks dat je moest doen?'

Het leek onmogelijk om leugens te vermijden in deze wereld, dacht ik. Als je altijd eerlijk was, verkeerde je vaak in groot gevaar, of anders iemand die je lief was. Maar toch, of de leugen bedoeld was om een ander te beschermen of om te vermijden iemand te kwetsen van wie je hield, het bleef bedrog, en je moest er bedreven genoeg in zijn om de toehoorder te overtuigen.

En dan waren er natuurlijk nog de mensen die experts waren in het zichzelf bedriegen. Daarin was tante Isabela nummer één, dacht ik.

Ik had veel geleerd van Sophia. De beste leugenaar was degene die een deel van de waarheid gebruikte en daarmee de ander vertrouwen gaf in wat er gezegd werd, en de beste manier om dat te doen was de ander een of ander geheim te vertellen.

We gingen naar Fani's kamer en namen plaats in de zithoek. Ze wachtte op mijn antwoord.

'Het is iets waar mijn tante Isabela niet blij mee zou zijn,' zei ik. 'Ze heeft het zelfs verboden, maar ik kan niet anders dan doen wat me juist lijkt.'

'En dat is?'

'Op bezoek gaan bij de familie Davila.'

'De ouders van die gestorven jongen?'

'Ja. Ik ben erg gesteld op Ignacio's moeder, en ik heb het altijd vreselijk gevonden wat er gebeurd is.'

'En?'

'Vandaag is het Ignacio's verjaardag, of zou dat geweest zijn.'

Ze sperde haar ogen open. 'Echt waar? Dus je bent haar gaan bezoeken?'

'Ja, ik kom er net vandaan. Ze wonen in Indio.' Dat was ook een deel van de waarheid dat ik kon vertellen.

'Nou, dat is een heel aardig gebaar. Het spijt me dat ik je zo onder druk heb gezet en je bezoek verkort, maar als je me dat meteen verteld had...'

'Ik ben bang, en nu heb ik nog meer reden om dat te zijn,' ging ik verder.

'Waarom?'

'Ik ben gevolgd naar het huis van de Davila's.'

Ze staarde me aan en toen klaarde haar gezicht op. 'Die krengerige nicht van je?'

'En Christian Taylor.'

'Wat zeiden ze?'

'Ik heb niet met ze gesproken. Toen ik buiten kwam zag ik dat ze daar stonden en me gevolgd waren. En toen ik wegreed, zag ik dat Sophia uitstapte om met Ignacio's broer, Santos, te gaan praten. Ze zal natuurlijk meteen naar huis rijden om het mijn tante te vertellen.'

'Verstandig van je om mij in vertrouwen te nemen, Delia,' zei Fani na een ogenblik. 'Ik kan je helpen.'

'Heus? Hoe?'

Glimlachend stond ze op en liep naar een kast. Ik wachtte terwijl ze een doos openmaakte op de grond en een paar mappen doorbladerde. Ze haalde er iets uit en overhandigde me een foto.

'Dit zou kunnen helpen,' zei ze.

Ik bekeek de foto. Het was Sophia, misschien een jaar of zo jonger, naakt op een bank met een jongen, Gregory Potter. Hij zat in onze klas, maar ik had nooit gezien dat hij ook maar enige tijd doorbracht met Sophia of haar enige aandacht schonk.

'Hoe kom je aan zo'n foto?'

'Het is ongeveer anderhalf jaar geleden, een wild feest. Een andere jongen in onze klas, Danny Rosen, heeft alle apparatuur en maakte heimelijk foto's. Ik kwam erachter en heb een paar foto's van hem gekocht.'

'Waarom?'

'Om te beginnen omdat ik het leuk vond en verder om iets achter de hand te hebben dat ik zou kunnen gebruiken tegen Sophia en een paar andere meiden.'

'Weten ze het?'

'Sommigen vermoeden het, maar Sophia niet. Ik heb nog geen reden gehad om die foto te gebruiken, maar nu heb ik die wél. Als zij klikt over jou, klik jij over haar, en het ergste voor haar is dat jij het kunt bewijzen. Als Isabela Dallas denkt dat mensen zulke compromitterende foto's kunnen maken van haar dochter, zal ze niet alleen woedend zijn, maar een zenuwinzinking krijgen, en Sophia waarschijnlijk wegsturen naar een of ander opvoedingskamp, misschien zelfs wel naar Europa of Zuid-Amerika.'

'Wat is dat voor kamp?'

'Een opvoedingskamp is een van die instellingen waar ze heel, heel slechte kinderen naartoe sturen, kinderen die door hun ouders niet in de hand kunnen worden gehouden. De kinderen worden gewoon opgesloten, ze kunnen niet naar buiten en hebben met niemand contact. Er was een jongen bij ons op school, Philip Deutch. Hij eindigde in zo'n instelling.'

'Wat is er met hem gebeurd?'

'Dat weet ik niet. Ik heb nooit meer iets over hem gehoord en hij is niet meer teruggekomen. Zijn familie doet of hij nooit bestaan heeft. Ik weet zeker dat Isabela er zo over zou denken, of zou willen denken. Je hebt een hoop macht, Delia,' zei Fani, met een knikje naar de foto in mijn hand. 'Sophia weet niet of er nog meer foto's zijn of waar het negatief van die foto is. Hij is genomen met een digitale camera en staat in een computerfile. Die heb ik niet, maar die kan ik wel krijgen, voor een prijs, dat weet ik zeker.'

'Zijn daarom zoveel meisjes in onze klas bang voor je, Fani?'

'Sommigen. Anderen zijn gewoon... bange hazen. Als je "boe" zegt schrikken ze zich een ongeluk.' Ze ging zitten.

Ik keek weer naar de foto en schudde mijn hoofd. 'Vreselijk.'

'Walgelijk, hè? Ze is ruim zeven kilo te zwaar en die jongen bij haar is een nul. Stop hem in je tas, Delia. Zodra je thuis bent, ga je de confrontatie met haar aan. Ze kan proberen je vóór te zijn met een dreigement of met chantage. Dan haal je die foto tevoorschijn en zegt dat ze zich koest houdt, want dat je anders die foto aan je tante laat zien. Als ze wil weten hoe je eraan komt, kun je haar zeggen dat je hem van mij hebt. Dat zal overtuigender zijn en haar nog banger maken, omdat ze weet dat ik haar niet mag. Het zou het einde kunnen zijn van al je problemen met haar.'

Triest schudde ik mijn hoofd en keek weer naar de foto. Tante Isabela zou beslist die zenuwinzinking krijgen waar Fani over sprak.

'Het is heel naar om zo met je nichtje te moeten omgaan,' zei ik.

'Wat zou je zeggen van een moeder met haar eigen dochter? Als Sophia haar moeder kon chanteren, denk je dat ze dan zou aarzelen?'

Weer keek ik naar de foto. Hoe kon Sophia zich zo laten betrappen? Ze was natuurlijk *borracha*, waarschijnlijk van de wodka.

'Ik weet niet of ik het wel kan.'

'Je zult weten dat je het kunt zodra ze je bedreigt. En je wilt de familie Davila toch ook beschermen? Wees toch niet zo'n watje. Stop die foto weg en denk er voorlopig niet meer aan. Laten we het liever over Adan hebben.' Ze trok haar benen onder zich. 'Hij is een knappe man en een prima partij. Ik heb van tijd tot tijd zelf weleens met het idee gespeeld. Hij is maar mijn achterneef of zo, maar hij is niet voor mij.'

'Waarom niet? Wie is dan wel voor jou?' vroeg ik terwijl ik de foto in mijn tas stopte.

'Dat zal ik weten als het zover is, als ik er klaar voor ben. Maar laten we over jou praten, niet over mij. Mag je hem erg graag?'

'Hij is erg aardig, ja. We gaan vanavond samen eten,' zei ik met een blik op de klok.

'Dat weet ik. En morgen gaan jullie varen op zijn jacht. Hij neemt je mee naar Catalina. Je krijgt de superbehandeling. Die geeft Adan niet zomaar aan iemand. Ik heb je al gezegd dat hij erg op je gesteld is. Het wordt nog een echte romance.'

Ze dacht even na. Ik vond dat ze me te aandachtig opnam en wendde mijn ogen af.

'Heb je het, afgezien van die afschuwelijke ervaring, ooit met een jongen of man gedaan, Delia? Met die jongen van Davila, die gestorven is?'

'Zo'n discussie maakt me verlegen, Fani.'

'Daar moet je overheen komen. Je bent nu hier. Je ziet hoe de andere meisjes zijn. Niemand heeft nog last van verlegenheid.'

'En jij, Fani? Praat jij over je romances?'

Ze glimlachte. 'Ik snap het. We gaan dat spelletje spelen van "ik vertel het jou als jij het mij vertelt".'

'Nee, dat soort spelletjes wil ik niet spelen, maar kunnen we geen vriendinnen zijn en toch bepaalde dingen voor onszelf houden, Fani?'

Ze staarde me weer heel doordringend aan en knikte toen bij zichzelf. 'Weet je, Delia Yebarra,' zei ze, 'misschien ben je net anders en authentiek genoeg om het hart van Adan Bovio te veroveren. Oké.' Ze stond op. 'Ga naar huis en maak je klaar voor je date. Als je me meer in vertrouwen wilt nemen, dan ben ik er voor je. Gebruik die foto. Als je te lief bent om dat te doen, zal ze je tot zaagsel vermalen waar je tante bij staat en Adan Bovio of wie dan ook blijft een onbereikbare droom.'

'Dank je, Fani,' zei ik en stond op. 'Ik sta bij je in het krijt.'

'Dat weet ik. Op een dag zal ik ongetwijfeld jou om een gunst vragen en dan kun je je schuld aflossen.'

Ik kon me niet voorstellen dat ik ooit iets zou hebben of zou kunnen doen waar Fani behoefte aan zou hebben.

Ze liep met me mee naar mijn auto.

'Bel me zondag,' zei ze, 'tenzij je haar er nog vóór je dinertje vanavond mee confronteert. Ik wil het tot in de kleinste details horen.'

'Ik zal het doen.'

Ik stapte in de auto en reed weg en keek naar haar in de achteruitkijkspiegel. Ze stond me na te kijken en ik vroeg me af hoe haar leven werkelijk was – het meisje dat alles had, maar weinig belangstelling had voor haar eigen leven en meer geïnteresseerd was in het manipuleren van dat van anderen, alsof we allemaal stukken waren op een schaakbord. Zij was degene die opgesloten zat in een kasteel en leefde op haar fantasieën, niet ik. Ik reed door het hek en naar huis. Wat zou me daar te wachten staan?

Het was bedrieglijk stil in huis toen ik binnenkwam. Mijn hart klopte wild. Ik had half en half verwacht en gevreesd dat Sophia eerder thuis was gekomen dan ik en linea recta naar tante Isabela was gegaan. Beiden zouden op me af komen zodra ik een voet in de hal had gezet, maar er was niemand te bekennen, zelfs niet señora Rosario of Inez. Zachtjes liep ik de trap op. Toen ik door de gang liep, zag ik dat de deur van Sophia's kamer gesloten was. Ik had Christian Taylors auto niet gezien, dus was het mogelijk dat hij haar had thuisgebracht en weer vertrokken was of dat ze nog niet terug waren.

Met gebogen hoofd en in gedachten verdiept liep ik mijn kamer in, zodat ik Sophia eerst niet zag. Ik legde mijn tas neer en bedacht wat ik aan zou trekken voor mijn diner met Adan. Toen hoorde ik haar stem.

'Bij wie ben je nog meer op bezoek geweest?' vroeg ze. Ik draaide me met een ruk om. Ze lag op mijn bed, mijn kussens onder haar hoofd. Ze keek me met een zelfvoldane grijns aan.

'Wat wil je?'

'Je bent niet rechtstreeks naar huis gegaan, dus bij wie ben je verder nog geweest? Heb je de ronde gedaan, ben je bij alle ouders van je Mexicaanse vriendjes langs geweest?'

Ik gaf geen antwoord.

'Wat ik weleens zou willen weten,' ging ze verder, 'is hoe je die Davila's zo vaak hebt kunnen bezoeken voordat je je auto had. Die busrit duurt zeker anderhalf met al die haltes onderweg. En probeer maar niet te ontkennen dat je ze bezocht hebt. Ignacio's niet al te snuggere broer heeft het verklapt. Ik had het gevoel dat hij niet zo dol op je is. Nou? Ik wil een paar antwoorden, en gauw. Mijn moeder zal niet erg blij zijn als ze hoort dat je nog steeds bevriend bent met die Mexicanen.'

Fani had gelijk, dacht ik. Sophia was in staat om me dingen te laten doen waarvan ik niet besefte of geloofde dat ik ertoe in staat was. Ik wilde meer dan haar alleen de foto tonen en haar dreigementen beantwoorden met die van mij. Ik wilde haar nek omdraaien, haar uit het raam gooien, uit mijn leven bannen. Ze porde met een gloeiende pook in mijn hart en stak me in brand. Ik pakte mijn tas en liep naar haar toe. De uitdrukking op mijn gezicht joeg haar angst aan. 'Gooi geen kruk of iets naar mijn hoofd, Delia, en kom ook niet met een van je Mexicaanse vervloekingen. Ik meen het!' Maar ze nam een verdedigende houding aan.

'Ik zal geen krukken gooien of vervloekingen over je uitspreken. Dat is niet nodig. Ik hoef je niets te vertellen, en je zult niets doen wat me kan beschadigen of ergeren,' zei ik.

Er verscheen een glimlach op haar gezicht en haar mondhoeken krulden omhoog. 'Of anders, Delia?'

'Of anders zal je moeder meer hiervan te zien krijgen, en ook de leerlingen op school en wie weet wie nog meer,' zei ik. Ik pakte de foto uit mijn tas en gooide hem op het bed. Hij viel omgekeerd naast haar.

Ze keek er even naar, pakte hem toen op en bestudeerde hem. Haar gezicht vertrok van angst en frustratie.

'Hoe ben je... van wie heb je die?'

'Fani Cordova,' zei ik. 'Ze heeft ze allemaal, en een hoop afdrukken die ze kan ronddelen wanneer ik het seintje geef.'

Ze keek weer naar de foto. 'Wie heeft die gemaakt?'

'Wat maakt het voor verschil? Denk je dat je moeder de deur uit holt om je nieuwe auto te kopen of je straf op te heffen als ze dit ziet en nog meer soortgelijke foto's? En als de jongens op school die foto's zagen, zou je hier dan nog willen blijven?'

Ik kon het verzet en de kracht uit haar gezicht zien verdwijnen zoals water verdwijnt uit een glas met een barst in de bodem.

'Je bent walgelijk,' zei ze.

'Ik ben alleen wat jij van me maakt. Je mag die foto houden. Zoals ik zei, er zijn er nog veel meer. Neem hem mee en verdwijn uit mijn kamer, en waag het niet me ooit nog met Christian Taylor of wie dan ook te volgen. Ik wil de naam Davila niet uit jouw mond horen in dit huis of waar dan ook. Ze hebben genoeg verdriet gehad door wat jij en je vriendinnen die afschuwelijke avond hebben gedaan, toen jullie Ignacio en zijn vrienden opstookten.'

Ze liet zich van het bed glijden maar bleef op een afstand. 'Ik wilde je vriendin zijn en ik wilde dat mijn vriendinnen je aardig zouden vinden,' kermde ze.

'Zei de spin tegen de vlieg. Nee, *gracias*.'

'Je zult er spijt van hebben. Dat zul je zien. Fani zal ook jou verraden. Als ze op je uitgekeken is, smijt ze je weg als oud vuil.'

'Maak je over mij geen zorgen,' zei ik. 'Ik ben van niemand hier afhankelijk. Vrienden buigen hier te gemakkelijk mee met de wind. Dat weet jij ook, en je zult het je hele leven meemaken.'

'Ja, jij weet altijd alles,' zei ze. 'Je kunt tegen Fani Cordova zeggen dat als ze dit soort foto's laat zien, ik haar goed te pakken zal nemen.'

Ze verscheurde de foto en gooide de snippers naar me toe voor ze de kamer uitholde. Ze fladderden omlaag aan mijn voeten. Ik hoorde haar deur dichtslaan. Ik pakte de snippers op en stopte ze in een hoek van een la. Op een dag zou ik ze misschien weer als een puzzel aan elkaar passen, dacht ik. Ze was gemeen, maar laf en dom.

Voornamelijk om zelf weer tot rust te komen, nam ik een hete douche en waste mijn haar. Het begon al laat te worden en ik moest me nog kleden voor mijn afspraak. Ook al mocht ik Adan graag, toch voelde ik me bezwaard, en ik was bang dat ik geen prettig gezelschap zou zijn vanavond en morgen. Ik overwoog of ik de boottocht zou afzeggen, maar besefte dat het tante Isabela zou verontrusten en haar achterdocht zou wekken.

Sophia was voor vanavond verslagen, maar ze zou zich niet zonder meer uit de strijd terugtrekken. Ze zou in de schaduw blijven rondhangen, wachtend op een kans om terug te slaan. Ik mocht niets doen om haar die kans te geven, dacht ik. Ik zou zelfs nog voorzichtiger moeten zijn.

Ik borstelde mijn haar en zocht een jurk en schoenen en een paar oorbellen uit. Mijn make-up was nog steeds niets vergeleken bij die van Sophia en de andere meisjes op school. Ik zat nog achter mijn toilettafel toen tante Isabela klopte en binnenkwam. Ik draaide me in angstige verwachting om, bezorgd dat Sophia ondanks alles had besloten haar moeder te vertellen waar ik geweest was.

'Heel goed, Delia,' zei tante Isabela, die mijn outfit inspecteerde. 'Je hebt de juiste jurk gekozen en wat je met je haar en make-up hebt gedaan, vind ik heel goed.'

'Dank je.'

Ik heb Adans vader vandaag gesproken,' ging ze verder, terwijl ze ging zitten. 'Adan heeft hem blijkbaar veel over jou verteld. Zijn vader is onder de indruk en is er erg verheugd over. Tegenwoordig worden de families van kandidaten voor een hoog ambt bijna net zo goed onderzocht als de kandidaat zelf. Je kunt verwachten dat fotografen en verslaggevers en mensen in het algemeen meer aandacht aan je zullen besteden. Je moet goed nadenken voor je iets zegt, vooral als ze je vragen stellen over je familie of over die afgrijselijke gebeurtenis die je hier is overkomen.'

Dus dat was de reden dat ze zo vriendelijk was. Het was niet dat ze zo tevreden was over mij, maar bezorgd voor zichzelf en haar reputatie. Wat een geluk dat Fani me die foto had gegeven en ik Sophia had kunnen beletten dat verhaal aan mijn tante door te vertellen. Ze zou het beslist zien als een bedreiging voor haar imago en reputatie, en de uitbarsting zou zo hevig zijn geweest dat we er allemaal onder geleden zouden hebben.

'Ik zal eraan denken,' zei ik.

'Nee. Ik bedoel dat je voorzichtig moet zijn. Ze zullen je natuurlijk vragen stellen over de dood van Bradley Whitfield. Je moet gewoon zeggen dat je advocaat je heeft opgedragen niet over dit onderwerp te spreken.

'En als ze je vragen naar je leven in Mexico, naar onze familie,' voegde ze eraan toe, me verrassend met dat woordje *onze*, laat ze dan niet zo arm en onontwikkeld overkomen. Je kunt zeggen dat je vader voorman was en de leiding had over veel arbeiders.

'Natuurlijk kun je ze alles vertellen over ons huis hier, het land eromheen, alle mooie dingen die je hebt, en hoe fantastisch het is om hier te zijn en zoveel mogelijkheden te hebben. *Comprende?*'

'Sí.'

Ze stond op. 'Het zou me niets verbazen als een verslaggever van een Spaanse krant naar je toekomt. Het zou mooi zijn om hem in het Spaans te woord te staan.'

'Waar kunnen die verslaggevers opduiken?'

'Overal! Daarom ben ik boven gekomen, om je dat duidelijk te maken. Omdat Adans vader nu zo'n belangrijk man is, zullen ze op zoek gaan naar informatie, naar dingen waarover ze kunnen schrijven. Je bent mooi. Je hebt goede manieren geleerd. Je zult maken dat ik trots op je blijf,' zei ze. Het klonk meer als een bevel dan als een conclusie.

In de deuropening bleef ze even staan.

'Heeft mijn dochter zich vandaag goed gedragen of hebben zij en Christian iets gedaan dat ik zou moeten weten?'

'Ik wil Sophia niet bespioneren, tante Isabela,' zei ik vastberaden. Ik zou nooit vergeten hoe ze me had gebruikt om Edward te bespioneren, en zij wist het ook.

'Ik vraag je niet om te spioneren. Je moet haar helpen, ons allebei. Laat maar. Maak je nu maar verder klaar voor je diner vanavond,' zei ze en ging weg.

Als ik ooit het gevoel had gehad dat ik door een mijnenveld liep, was het nu wel. Plotseling zou elk woord dat ik zei en alles wat ik deed, worden uitvergroot en belangrijker worden of misschien een rampzalig gevolg hebben. Piekerend over dat alles, herinnerde ik me dat ik Fani beloofd had te bellen met de resultaten van mijn confrontatie met Sophia.

Ze luisterde en zei iets dat me bang maakte. 'Ze heeft het te gemakkelijk opgegeven.' Ze klonk zelfs teleurgesteld. 'Ik had op zijn minst verwacht dat ze je zou hebben uitgedaagd die foto aan je tante te laten zien. Hou je ogen en oren open, wees alert en pas op dat je niet in een val loopt. Ik spreek je zondag, en dan zullen we nadenken en verdere plannen maken. Bovendien wil ik horen hoe je weekend met Adan is verlopen. Ik hoop dat je veel plezier hebt.'

Waarom had zij geen date vanavond? vroeg ik me af. Was er niemand in wie ze geïnteresseerd was? Het lag op het puntje van mijn tong om het te vragen, maar ik durfde niet. Ik bedankte haar, hing op en ging naar beneden om op Adan te wachten.

Sophia's deur was nog gesloten en ik hoorde geen muziek of enig ander geluid in haar kamer. Waarschijnlijk zat ze te mokken. Misschien vergiste Fani zich. Misschien zou dit alles haar ertoe brengen zich fatsoenlijk te gedragen.

Adan was precies op tijd en knap als altijd in een smaragdgroen sportjasje dat zijn ogen goed deed uitkomen. Hij bracht weer een roos voor me mee. Ik verwachtte eigenlijk dat tante Isabela er zou zijn om hem te begroeten, maar ze liet zich niet zien. We gingen naar buiten naar een van zijn andere sportauto's. Hij zei dat het een Aston Martin was, en toen hij me vertelde wat die kostte, snakte ik naar adem. Hij lachte om mijn reactie.

'Zoveel heb ik er niet voor betaald. We hebben een paar invloedrijke vrienden in de auto-industrie. De ironie zal je niet ontgaan, Delia. Mensen met het geld om iets te betalen hebben de relaties om het voor een veel lagere prijs te krijgen. Het is overal ter wereld hetzelfde.'

'Ja,' zei ik. 'Vast wel.'

We reden weg. Ik keek nog even achterom en dacht aan Sophia die nu woedend in haar kamer zat te kniezen. Fani's waarschuwing bleef in mijn hoofd hangen. Sophia zou zich niet zomaar op de achtergrond laten dringen. Elke dag zou ik op mijn hoede moeten zijn voor een nieuwe valstrik.

'Je bent erg in gedachten verdiept vanavond,' zei Adan. 'Alles in orde?'

'Sí.'

Hij geloofde me niet natuurlijk. Hij zei dat ik na een verrukkelijk diner en de kennismaking met zijn vriend wel op zou monteren.

'Charles Daniels is een kok van wereldklasse,' zei hij. 'Zijn naaste vrienden noemen hem Chuck. Hij heeft een zogenaamde *cordon bleu*-kookopleiding gevolgd in Frankrijk, maar de Italiaanse keuken ligt hem meer. We hebben samen op een college gezeten, en toen veranderde hij van koers en ging doen wat hij altijd al had willen doen, kok worden. Zijn vader, die een opslagbedrijf heeft en een grote transportonderneming, vond het erg onplezierig dat hij niet bij hem in de zaak kwam. En hij vindt het beroep van kok nou ook niet om over op te scheppen. Maar hij heeft een oudere broer die in het bedrijf van zijn vader werkt.'

'Net als jij.'

'Ja, net als ik, wat Chucks vader niet ontgaan is. Hij gebruikt mij altijd als voorbeeld, maar Chuck is erg blij met zijn restaurant, om te kunnen doen wat hij het liefst doet. Hij is een aardige kerel en je kunt een hoop lol met hebben. Hij behandelt de gerechten die hij creëert als kunstwerken. Wacht maar tot je ziet hoe hij alles presenteert.

'Ik zal je een geheim verklappen,' ging hij verder, fluisterend alsof er iemand in de auto zat die hem zou kunnen afluisteren. 'Op een dag zal ik een groter restaurant voor hem bouwen en dan gaan we samen in zaken.'

Hij keek me aan om te zien hoe ik reageerde.

'Ik meen het serieus,' zei hij nadrukkelijk.

'O, ja.'

Hij schudde zijn hoofd. 'Ik merk dat je niet gauw onder de indruk bent,' zei hij. Wat voor reactie verwachtte hij van me? 'Eigenlijk vind ik dat heel prettig van je, Delia. Ik geloof niet dat je iets van namaak in je botten hebt.'

'Iets van namaak?'

'Je weet wel, iets huichelachtigs. Je bent authentiek van top tot teen,' legde hij uit. Het herinnerde me aan de keer dat Fani voor het eerst tegen me sprak en me vertelde dat ik een authentieke Mexicaanse was die in een authentiek Mexicaans restaurant kon werken.

'Ik ben wie ik ben,' antwoordde ik.

Het restaurant was wat kleiner dan ik verwacht had, maar ik was niet teleurgesteld in het eten of Adans vriend Chuck. Wanneer hij maar de kans kreeg, kwam hij bij ons aan tafel zitten, en hij en Adan vertelden het ene grappige verhaal na het andere over hun ervaringen op college.

Fysiek kon het contrast tussen hen niet groter zijn. Chuck Daniels zag eruit als een echte kok, gezet, met een voortijdige onderkin, en armen als deegrollers. Toen Fani voor het eerst enige aandacht aan me schonk op school, probeerde Sophia, jaloers natuurlijk, me snel tegen haar in nemen door me te vertellen dat mooie meisjes en knappe mannen graag bevriend raken met mensen die minder aantrekkelijk zijn. Het maakt dat ze zelf beter uitkomen. Het was weer een manier om mij te beledigen. Ik had even nagedacht en toen gevraagd: 'Waarom ben jij dan niet haar beste vriendin?'

Ik had het niet op een onaangename toon gevraagd, maar het was voldoende voor haar geweest om zich op te winden en bij haar vriendinnen te gaan klagen dat ik onmogelijk te helpen was. Niettemin had ik me onwillekeurig afgevraagd of het waar was wat ze gezegd had. Ik vroeg het me nu ook weer af. Wat hadden Adan en Chuck met elkaar gemeen dat ze zulke goede vrienden waren? Misschien hoopte ik iets te vinden dat me afkerig zou maken van Adan, maar ik zag gauw genoeg dat er tussen hem en Chuck een warme, oprechte vriendschap bestond. Later vertelde Adan me dat Chuck de broer was die hij nooit had gehad.

'Ik zal alles doen om hem te helpen,' zei hij. 'En dat zal ik doen ook. Ik kan me zo kwaad maken over zijn vader!'

Maar zijn chagrijnige stemming was algauw weer verdwenen, en hij praatte enthousiast over onze boottocht naar Catalina.

'Ik zou nog wel ergens anders met je naartoe gaan,' zei hij toen we het restaurant verlieten, 'misschien om te gaan dansen, maar ik wil je vroeg naar huis brengen. Ik wil dat je morgen fris en uitgeslapen bent, zodat je niets zult missen.'

Maar toen we bij tante Isabela's *hacienda* waren, stapte hij niet onmiddellijk uit. Hij zette de motor af en bleef zitten. Ik wist niet wat ik aan moest met dat zwijgen van hem. Ik begon me nerveus te maken.

'Ik ben blij dat ik je in deze speciale tijd in mijn leven ontmoet,

Delia. Ik voel dat mijn vader en ik aan de laatste etappe van een raketlancering beginnen. Ik neem aan dat je een paar pittige verhalen over mij gehoord hebt. Ik weet dat ik een bepaalde reputatie heb. Ik weet zeker dat Edward je voor mij gewaarschuwd heeft.'

Ik begon te protesteren, maar hij stak zijn hand op.

'Het is goed. Ik zeg niet dat ik die reputatie niet verdien. Ik wil je alleen laten weten dat jij het soort meisje bent dat een volwassen man van iemand kan maken.'

Hij glimlachte en boog zich naar me toe voor een tedere zoen. Toen trok hij zijn hoofd een eindje terug en keek me diep in de ogen. Als ik ooit het gevoel had mijn greep op de dingen te verliezen, dan was het nu wel. Ik zou me later vreselijk schuldig voelen, maar ik bracht mijn lippen bij zijn mond en kuste hem. Hij hield me heel stevig vast. Toen legde hij zijn hoofd op mijn schouder en fluisterde: 'Ik zal je nu de auto uit moeten zetten, anders laat ik je er nooit meer uit.'

Hij maakte zijn portier open als iemand die zijn best doet zich te verzetten tegen zijn dwingende fysieke verlangens, stapte uit en liep om de auto heen om mijn portier te openen. Zwijgend bracht hij me naar de deur van de *hacienda*, waar hij zich gedroeg als een galante Zorro en me een handkus gaf.

'*Buenas noches, señorita*,' zei hij. '*Sueños dulce*.'

'Jij ook, Adan, droom prettig,' zei ik met een stem die recht uit mijn hart leek te komen.

Hij glimlachte en liep haastig naar zijn auto. Ik wachtte tot hij was ingestapt en weggereden en ging toen duizelig naar binnen. Ik had het gevoel dat ik omhoogzweefde boven de trap. Sophia deed haar deur open toen ik naar mijn kamer liep. Ik vermoedde dat ze bij het raam had gezeten en naar ons had gekeken. Ze was in haar nachthemd en op blote voeten.

'Ik wil niet langer ruzie met je hebben, Sophia.'

Haar lippen vertrokken in een wrange glimlach. 'O, dat is oké. Ik zoek geen moeilijkheden. Integendeel, ik wil je vriendin worden. Ik dacht alleen dat je wel zou willen weten waar mijn moeder vanavond was, of liever gezegd, met wie.'

'Ik –'

'Ze was uit met Adan Bovio's vader,' zei ze gauw. Toen lachte ze. 'Ze gebruikt je gewoon, zoals ze iedereen gebruikt.'

Ze liep haar kamer weer in en deed de deur dicht.

Ik bleef staan terwijl haar woorden door mijn hoofd galmden.

Misschien moest ik dankbaar zijn dat ze zo rancuneus was. Adans woorden, zijn knappe uiterlijk, de hele gezellige avond en zijn zoenen hadden me zo hoog in de wolken laten zweven dat ik Ignacio's gezicht niet meer kon zien. Het was of ik hem persoonlijk de derde dood toebracht.

Nu, dankzij Sophia, zakte ik als een lekke, leeglopende ballon terug op de aarde, waar beloftes als glanzende bubbels voorbijzweefden en dan uiteenspatten.

Haastig liep ik naar mijn bed en de veilige slaap, waar ik kon ontsnappen aan Fani, Sophia, tante Isabela en aan Adan Bovio, en alleen mijn oma kon zien en alleen haar stem kon horen.

Maar vlak voordat ik in bed wilde stappen, zag ik de koplampen van een naderende auto. Ik keek door het raam en zag Adans vader uitstappen en het portier openen voor tante Isabela. Hij kuste haar toen ze uitstapte en ze hielden elkaar stevig vast. Ze leken nu al serieuze minnaars. Een afschuwelijke gedachte ging door me heen.

Als ik iets deed dat haar jacht op Adans vader zou kunnen verstoren, zou ze mij net zo veroordelen als ze mijn moeder had gedaan – als opnieuw haar hoop op een liefdesrelatie ijdel zou blijken.

Het was de emotionele wereld waarin ze leefde en die ze nooit zou kunnen ontvluchten.

We zaten allemaal in onze eigen val, misschien wel van eigen makelij.

13

Open water

Ik had me bijna verslapen als tante Isabela er niet was geweest. Ze kwam mijn kamer binnengestormd met een grote plastic tas.

'Waarom slaap je nog? Zo laat ben je niet thuisgekomen,' riep ze kwaad. 'Sta op, sta op, sta op!'

Ik wreef de slaap uit mijn ogen en ging rechtop zitten.

'Ik weet dat ze je geen alcohol hebben geschonken in het restaurant. Je bent minderjarig, en als er één ding is dat Adan Bovio moet vermijden, is het een minderjarige op het verkeerde pad brengen, of althans daarop betrapt worden. Nou?'

'Nee. Ik –'

'Kom nou maar je bed uit. Ik wil dat je dit vandaag aantrekt.'

Ik keek toe terwijl ze iets uit de tas haalde. Ze zei dat het een outfit was voor op het water. Eerst kwam er een met kralen bestikte tanktop met zeefdruk uit tevoorschijn. De print was van een klein eiland met palmbomen. Daarna pakte ze een lichtgroen jack met capuchon en een lichtgroene broek met elastische taille en zakken aan de voorkant.

'Je hebt vast wel gemerkt dat groen Adans lievelingskleur is,' merkte ze op en legde de kleren op mijn bed. Toen haalde ze een groene zeilpet uit de tas en vervolgens een paar wat ze noemde bootschoenen. 'Die zijn speciaal gemaakt voor het lopen op een glibberig dek. Nou,' ging ze verder, 'blijf me niet zo zitten aangapen.'

Ik stond haastig op en liep naar de badkamer.

'Trek die kleren aan en kom beneden voor een licht ontbijt. We willen niet dat je zeeziek wordt,' riep ze me na.

Als ik ooit het gevoel had gehad dat er dwang op me werd uitgeoefend om me goed te gedragen en het haar naar de zin te maken, dan had ik dat nu meer dan ooit. Het verbaasde me dat de kleren die ze had gekocht me zo goed pasten, zelfs de schoenen. Toen ik beneden kwam voor het ontbijt, merkte ik dat ze señora Rosario al had voorgeschreven wat ik moest eten. Het was één gepocheerd ei op een toastje.

'Nee, nee, nee,' zei ze toen ze de eetkamer binnenkwam terwijl ik zat te eten. 'Je moet je haar niet opsteken. Dan zie je er veel te streng uit. Ik wil dat je het los laat hangen. Laat het wapperen in de wind. Dat zien mannen graag.'

Ze wachtte niet tot ik de haarspeldjes eruit had gehaald. Ze was me vóór en deed het zelf, schikte het op de manier die zij wilde.

'Is Sophia al op en heeft ze al ontbeten?' vroeg ik. Ik dacht niet dat tante Isabela zo inschikkelijk was geworden dat Sophia weer ontbijt op bed zou krijgen.

'Sophia? Waarschijnlijk is ze bezig met jou te concurreren. Ik ben wat milder geworden met haar straf en heb gezegd dat ze uit mag gaan als ze op tijd thuis is en zich behoorlijk gedraagt. Het is beter als we voorkomen dat ze hier te veel loopt te niksen. Als ze hier mokkend rondloopt zal ze alleen maar nog meer narigheid veroorzaken. Ik ken haar te goed.'

'Hoe bedoel je, dat ze met mij concurreert?'

'Ze is een uur of zo geleden met Christian Taylor weggegaan, zoals ze zei voor een picknick in de bergen in Idyllwild. Ik kan me niet voorstellen dat ze tevreden is met een picknick. Eerlijk gezegd, ben ik teleurgesteld in Christian. Ik dacht dat hij een betere smaak had.'

Hoe kon een moeder zo spreken over haar eigen dochter?

'Ik zal je deze tas lenen,' ging ze verder, en liet me een groene tas zien, die leek te zijn gekocht om bij mijn kleding te passen. 'Je kunt je andere kleren daarin meenemen. Ik vind dat je nu je nieuwe bikini moet aantrekken en onder je kleren dragen.'

'Bikini?'

'Ik denk dat je wel zult gaan zwemmen, maar zelfs al doe je dat niet, dan zul je waarschijnlijk toch wel gaan zonnen met Adan.'

Ze haalde een bikini uit de tas en liet me die zien. Het leek op iets dat een stripper zou dragen. Ze keek op haar horloge. 'Schiet op. Ik wil zien hoe je het je staat.'

Ze stond over me heengebogen om me aan te sporen de laatste hapjes naar binnen te schrokken.

'Ga mee naar mijn kamer,' beval ze. 'Je hoeft niet eerst weer naar boven.'

Ik volgde haar de gang door. In haar kamer gooide ze me de bikini toe en ging achteruit.

'Vooruit, trek aan,' beval ze.

'Het lijkt me veel te klein.'

'Onzin. Het is heel elegant. Je hebt een uitstekend figuur, perfect voor zo'n bikini. Er zijn duizenden meisjes die een moord zouden doen voor zo'n figuur, om zo'n bikini te kunnen dragen. Trek hem aan. We hebben geen tijd voor valse bescheidenheid.'

'Het is geen valse bescheidenheid, tante Isabela.'

'Hoe dan ook, trek hem nou maar aan.'

Ik trok mijn nieuwe kleren en mijn beha en slipje uit, terwijl zij stond te wachten. Toen stapte ik in het korte broekje van de bikini en het minimale topje. Er bleef weinig te raden over van mijn lichaam, dacht ik.

'Ik had vroeger net zo'n figuur als jij,' zei ze bewonderend. 'Ik herinner me nog hoe mijn man keek toen hij me voor het eerst in een bikini zag. Ik wist dat ik hem als een vis aan de haak had en hem zou binnenhalen.'

Ze stopte mijn beha en slipje in de tas.

'Ik heb er een kleine make-upset bij gedaan en kleenex en een nieuwe haarborstel. Je hebt nu alles wat je nodig hebt. De restaurants waar je gaat lunchen en dineren zijn niet formeel. Het zijn allebei strandrestaurants. Omdat je je zo goed gedragen hebt de afgelopen paar dagen en geluisterd hebt naar wat ik zeg, heb ik dit voor je gekocht,' ging ze verder, en overhandigde me een klein doosje. 'Toe dan, maak open. Ik wil dat je het vandaag draagt.'

Ik maakte het open en zag een mooi horloge met een smaragdgroen bandje.

'Het is prachtig!' zei ik.

'Natuurlijk is het dat. Zo, veel plezier, en doe of zeg niets dat me voor schut kan zetten.'

Señora Rosario verscheen in de deuropening. 'Señor Bovio heeft zich bij het hek gemeld via de intercom,' zei ze.

'Welke señor Bovio? Adan?'

'Ja, mevrouw Dallas.'

'Oké, Delia. Kleed je gauw aan.'

Haastig deed ik wat ze zei.

'Ik ben niet thuis als je terugkomt,' zei ze terwijl ik mijn nieuwe outfit aantrok. 'Maar morgen aan het ontbijt zullen we de tijd hebben om over je uitstapje te praten. Een laat ontbijt,' voegde ze eraan toe.

Met een knikje overhandigde ze me de tas. Adan stond in de entree te wachten. Hij droeg zeilkleren en een pet en zag eruit of hij in een film thuishoorde.

'Wow,' zei hij toen hij me zag. 'Perfect gekleed en we krijgen fantastisch weer vandaag. De zee is heel kalm.'

Snel deed hij de deur open. Ik denk dat ik zo zenuwachtig leek dat hij bang was dat ik van gedachten zou kunnen veranderen. Maar ik glimlachte naar hem en liep haastig naar buiten. Ik kon me niet onttrekken aan het gevoel dat ik werd voortgejaagd door een wind waartegen ik me onmogelijk kon verzetten. We waren op weg.

'Vond je het gezellig gisteravond?' vroeg hij.

'O, ja, heel erg. Ik vind je vriend erg aardig.'

'Ja, hij is een geweldige kerel. Fani is ook erg dol op hem.'

Nu hij haar naam had genoemd, vond ik dat ik wel over haar kon praten. 'Waarom gaat ze niet vaker uit?'

'Je bedoelt daten?'

'Ja, sí.'

'Fani is een beetje te kieskeurig wat mannen betreft. Soms denk ik weleens dat ze aseksueel is, niet geïnteresseerd is in mannen of vrouwen.'

Hij moest lachen om het gezicht dat ik trok.

'Grapje. Maar ik denk dat ze te veel met zichzelf bezig is om zich te kunnen verdiepen in een relatie. Ze plaatst zich op een te hoog voetstuk. Niemand kan haar bereiken. Wees maar niet bang,' voegde hij er snel aan toe, 'ik klap niet uit de school. Ik heb er voortdurend ruzie over met haar.'

Tijdens de rit naar zee vertelde hij meer over zijn jeugd, over de tijd die hij en Fani samen hadden doorgebracht toen hun ouders elkaar zelfs in Frankrijk ontmoetten.

'Ze is waarschijnlijk de beste vriend – die toevallig een meisje is – die ik ooit heb gehad,' zei hij. Hij draaide zich naar me om en voegde er glimlachend aan toe: 'Tot ik jou leerde kennen.'

Ik had me een boot voorgesteld die misschien iets groter was dan een vissersboot, maar toen we parkeerden en Adan knikte naar zijn boot, was ik verbluft.

'Dat is 'm.'

'Waar zijn de zeilen?' vroeg ik.

'Er zijn geen zeilen. Het is een motorboot. Mijn vader heeft hem verleden jaar gekocht van een vriend van hem, en feitelijk hebben we er sinds die tijd maar een stuk of zes keer mee gevaren.'

Hij pakte zijn kleine sporttas en we stapten uit de auto.

Een kleine, magere man in een T-shirt en jeans kwam naar buiten en verscheen op het dek toen we naar de ligplaats van de boot liepen.

'Alles is gebruiksklaar, meneer Bovio,' zei hij. 'De keuken is bevoorraad zoals u dat wenste. De boot is volgetankt en startklaar.'

'Dank je, Bill,' zei Adan en draaide zich naar me om. 'Ik heb er gisteravond even over nagedacht en kwam tot de conclusie dat het zonde is om van boord te gaan voor de lunch. We zullen aanleggen en onze eigen lunch klaarmaken op de boot, oké?'

'Ja,' zei ik, nog steeds niet over mijn verbazing heen.

'Maar ik zal je eerst de boot laten zien,' zei hij. De man die hij Bill noemde, reikte me de hand en hielp me aan boord. Toen knikte hij naar Adan en ging weg.

'Dank je, Bill. Tot straks,' zei Adan.

Eerst ging hij met me naar de brug om me de modernste elektronica te tonen. We moesten een korte ladder op. Er stonden twee splinternieuwe, gemakkelijke, rechte stoelen voor het instrumentenbord. Hij legde alles uit, de radar, de sonar, maar er drong niet veel tot me door. Niet dat het te gecompliceerd voor me was, maar ik was nog steeds onder de indruk.

Via een portaal onder de brug kwamen we in een kleine zitkamer met een tv-toestel, een leren bank en fauteuils, een kleine keuken met moderne apparatuur en een kleine eettafel. Er was een korte trap van de zitkamer naar de hutten met twee queensize bedden en ruimte voor nog twee couchettes en twee volledig ingerichte badkamers met douches. Er waren zelfs een wasmachine en een droger.

'Je zou kunnen wonen op deze boot,' zei ik. Hij lachte.

'Reken maar dat ik daar weleens aan gedacht heb. Kom, dan gaan we.'

We gingen weer naar boven en hij startte de motor. Hij was erg trots op de boot en hield niet op met alles erop en eraan te verklaren en te beschrijven. Maar algauw besefte hij dat hij te veel doordraafde en ik het niet meer kon bijhouden.

'Luister maar niet naar me,' zei hij lachend. 'Je bent hier om je te amuseren en niet om de boot te kopen.'

'De boot kopen?' Ik kon me niet voorstellen dat iemand daar ooit geld genoeg voor zou hebben.

Hij glimlachte en voer de zee op, aanvankelijk langzaam. Aan de gespannen blik in zijn ogen kon ik zien dat als het erop aankwam, hij deed wat er gedaan moest worden en heel serieus en nauwkeurig was. Toen hij schalks glimlachte en harder ging varen, stuiterden we zo hard over de golven dat ik een gil gaf. Maar het was opwindend. Na een tijdje mocht ik sturen en leerde hij me de eerste beginselen van het varen. Ik had geen idee hoeveel tijd er verstreken was, maar toen we ver op zee waren, zette hij de motor af en zei dat het tijd was voor een koel drankje. Hij gooide het anker uit en we gingen terug naar de kombuis. Ik zag dat de ijskast gevuld was met veel meer voedsel dan we op konden.

'We hebben een kreeftsalade, koude vleessoorten, een Griekse salade, verrukkelijke desserts, en champagne, als je die wilt. Heb je weleens een mimosa gedronken?'

'Ja, ik weet wat het is.'

'Goed. Ik zal er een voor je maken. Vandaag speel ik voor ober. Ga jij maar aan dek en maak het jezelf gemakkelijk. Heb je je badpak bij je?'

'Sí.' Ik bloosde al bij de gedachte dat ik me tot op mijn bikini zou moeten uitkleden.

'Mooi. Het zal erg warm worden. Even een duik nemen in zee zal een verademing zijn.'

Ik ging naar boven naar het dek. De boot dobberde op en neer in de oceaan, maar niet al te erg. Hij had gelijk dat het heet was met een wolkeloze lucht en zonlicht dat weerkaatste op het water. Niet helemaal op mijn gemak trok ik mijn kleren uit en legde een van de badlakens op een ligstoel. Er stond zelfs zonnebrandcrème voor ons klaar. Ik wreef me in met de crème en ging op de stoel liggen. Op nu en dan het gekrijs van een stern na en het geronk van een andere motorboot in de verte, was het er rustig en vredig. Door het schommelen van de boot dommelde ik in, viel bijna in slaap. Ik merkte niet eens dat Adan boven was gekomen met een dienblad, waarop twee mimosa's in champagneglazen en een schaal met kaas, fruit en crackers. Toen ik mijn ogen opendeed, zag ik dat hij naar me stond te staren.

'O,' zei ik en ging rechtop zitten.

'Je bent een heel mooi meisje, Delia. Vrouw, kan ik beter zeggen.'

'*Gracias*, Adan.'

'Hier, proef deze mimosa maar eens.'

Hij zette het blad op een klein tafeltje en pakte een stoel voor zichzelf.

Ik nam een slokje. Het was verfrissend en smaakte helemaal niet naar alcohol, maar ik wist natuurlijk dat die er wel in zat.

'Lekker?'

'Ja.'

'Goed drankje voor dit uur van de dag.'

Hij trok zijn hemd en broek uit. Zijn lijf was slank en gebruind.

'Ik was lid van het zwemteam van de universiteit,' legde hij uit, voor ik zelfs maar iets complimenteus kon zeggen. 'Ik ben nog steeds in training.'

'Ik ben niet zo'n goede zwemster. We zwommen soms in een klein meertje even buiten het dorp, maar daar bleef het bij.'

'Dus je dorp lag in het binnenland?'

'Sí. De sojateelt is de voornaamste industrie. Mijn vader was manager op de grootste sojafarm.'

'En hij en je moeder zijn om het leven gekomen bij een ongeluk dat veroorzaakt werd door een dronken chauffeur.'

'Ja.'

'Ik weet dat je er niet graag over praat. Ik praat ook niet graag over de dood van mijn moeder. Ik weet zeker dat ze niet zouden willen dat we erbij stil blijven staan. Ze zouden willen dat we gelukkig zijn. *No más.*' Hij pakte de zonnebrandcrème en begon zich in te smeren. 'Heb jij je al ingesmeerd?'

'Ja.'

'Draai je om, dan smeer ik je rug in en de achterkant van je benen. Anders wens je straks dat je het me had laten doen.'

'*Gracias.*' Hij nam ruim de tijd ervoor. Ik voelde zijn vingers op mijn dijbenen, rond mijn benen.

'Er mag niets fout gaan met die mooie huid,' zei hij. Hij sloeg zelfs mijn enkels niet over.

Ik draaide me om en hij glimlachte en dronk van zijn mimosa.

'We moeten muziek hebben,' riep hij uit en ging de stereo aanzetten.

Er kwam een Mexicaans station op de radio en hij kwam dansend naar me toe. Hij wenkte me om mee te doen, en ik deed het. Na een paar minuten lachten we, dronken meer mimosa's en aten wat fruit en kaas. Nu en dan voer een andere boot langs, en de bestuurder toeterde. De meeste claxons lieten een melodietje horen in plaats van een hels lawaai. De mensen aan boord lachten en joelden. Het leek alsof iedereen op zee was uitgenodigd op hetzelfde feest.

Ik weet niet hoeveel tijd er voorbijging. Ik dacht er niet aan, maar op een gegeven moment vond Adam het te warm worden en dook de zee in. Hij wenkte dat ik hem moest volgen, de ladder af moest klimmen en me in ieder geval even onderdompelen. Ik durfde niet goed, maar hij bleef roepen, tot ik voorzichtig langs de ladder afdaalde en, me nog steeds vasthoudend, kopje-onder ging in zee. Hij zwom naar me toe en we dobberden rond. Ik gilde half van verrukking en half van angst toen hij me zoende en zijn armen om me heen sloeg.

'Ik héb je,' zei hij. 'Je kunt de ladder loslaten. Zwem wat, zodat je kunt zeggen dat je hebt gezwommen in de Pacific. Toe dan,' drong hij aan, tot ik de ladder losliet, een meter ver zwom, zout water slikte en kokhalsde. Onmiddellijk ging zijn arm weer om mijn middel en bracht hij me terug naar de ladder.

'Je moet je mond dichthouden, malle,' zei hij. 'Gaat het?'

Ik knikte, maar ik was geschrokken en wilde terug, de ladder op. Hij hielp me, en ik plofte neer op de stoel. Ik ontdekte meteen dat de bikini die tante Isabela voor me had gekocht, niet echt geschikt was om te zwemmen. Als hij nat was, werd hij doorzichtig. Mijn borsten, mijn tepels, leken naakt. Snel pakte ik nog een handdoek toen hij de ladder opklom en trok die over me heen.

'Geweldig, hè?' zei hij, en pakte zelf ook een handdoek.

Ik knikte.

'Je hebt het niet slecht gedaan voor de eerste keer. Koud?'

'Een beetje,' zei ik.

'Over een paar minuten ben je weer warm,' beloofde hij. 'We gaan weer varen. Ik wil je Catalina laten zien. Neem jij maar wat rust.' Hij haalde het anker op en startte de motor weer.

Ik droogde me snel af en even later was ik weer warm. Toen mijn bikini droogde in de zon werd hij minder doorzichtig en ik voelde me gauw genoeg weer voldoende op mijn gemak om naast hem aan het roer te gaan staan. Ik ging op de andere stoel zitten en genoot van de tocht en het besturen van de boot. Hij wees naar Catalina toen het in zicht kwam. Hij legde uit dat hij een aanlegplaats zou huren, waarna we van boord konden en een wandeling maken door het dorp, de winkels bekijken, en daarna terugkeren naar de boot om te lunchen.

De pret en de opwinding, de nieuwe dingen die ik leerde en ontdekte, alles droeg ertoe bij elke gedachte aan Ignacio en mijn leven in Mexico naar de achtergrond te dringen. Zo verovert *el diablo* onze ziel, dacht ik, maar het was slechts een heel vluchtige gedachte. Toen we aanmeerden trok ik mijn kleren aan over mijn bikini en we gingen van boord en wandelden door het dorp. Adan kocht souvenirs voor me, een grappige zonnehoed en twee T-shirts van Catalina.

Later, toen we weer op de boot waren, stond ik erop de lunch klaar te maken. Hij dekte de tafel, we dronken nog meer mimosa's en genoten van een heerlijke lunch. We praatten en keken naar de toeristen en de andere boten en luisterden naar onze muziek. Later, terwijl ik opruimde, ging hij op een stoel liggen, en toen ik terugkwam, zag ik dat hij in slaap was gevallen. Ik ging op een beschutte plek zitten en dommelde zelf ook in. De tijd leek er niet meer toe te doen. Ik maakte me over niets zorgen, dacht aan niets ernstigs en had me nog nooit zo relaxed gevoeld.

Hij maakte me wakker en zei dat we terug zouden gaan naar Newport. Tijdens de terugtocht waren we allebei in een ingetogen stemming. Hij praatte weer over zijn toekomst, de ambities van zijn vader, en alle mogelijkheden die zich in de toekomst voordeden. Toen we in Newport kwamen, was het afgekoeld, maar windstil en heel aangenaam. Hij zei dat hij had gereserveerd in een groot steakhouse aan het strand.

Ik ging naar beneden om te douchen en het zout van mijn huid en uit mijn haar te spoelen, terwijl hij met de man praatte die voor de boot zorgde. In een grote handdoek gewikkeld ging ik achter de toilettafel in de grootste slaapkamer zitten en borstelde mijn haar. Ik zag hem de trap afkomen en even naar me staan kijken. Langzaam kwam hij dichterbij, pakte de borstel uit mijn hand en begon mijn haar te borstelen. Geen van beiden zeiden we iets.

Toen hield hij op, bukte zich en drukte zijn lippen in mijn hals. De tintelingen die over mijn rug liepen leken op vingers die hun warmte over me verspreidden. Hij hield mijn schouders vast en tilde me toen langzaam op tot ik me omdraaide en zijn kus beantwoordde. Ik voelde dat de handdoek van me afgleed. Als iemand die zijn best doet zich tegen iets te verzetten, hield hij zijn ogen op me gericht, en toen gleden zijn handen over mijn borsten omlaag naar mijn middel, terwijl hij me weer zoende. Mijn weerstand verzwakte. Hij fluisterde mijn naam en vertelde me hoe mooi ik was. Ik dacht dat ik had gezegd: 'Nee, niet doen, alsjeblieft', maar misschien was dat slechts mijn verbeelding. Hij scheen geen protest te horen of te voelen. Hij tilde me op in zijn armen en droeg me naar het bed, overlaadde mijn lichaam met zoenen, terwijl zijn mond steeds verder omlaagging.

Ik moet dit niet laten gebeuren, dacht ik. Ik meende me zelfs naast het bed te zien staan en mijn hoofd te schudden, maar ik werd alleen maar nog zwakker en sloot mijn ogen. Zijn lippen waren weer op mijn mond, zijn lichaam lag naakt en stevig tegen me aan.

En toen, als een bliksemflits, zag ik Ignacio's gezicht voor me toen hij in Mexico bij de deur van de bus stond en de chauffeur zei dat het de hoogste tijd was om te vertrekken.

'Stort je niet halsoverkop in een ander huwelijk voor ik terug ben,' had hij gezegd.

'Dat zal ik niet doen,' had ik beloofd.

'Ik ga de grens weer over, Delia, al moet ik weer een gevecht leveren met de woestijn om bij je te komen.'

'Ik zal op je wachten,' had ik gezegd en we hadden het bezegeld met een zoen.

'Wacht!' riep ik plotseling. 'Alsjeblieft.' Adan hief zijn hoofd op en keek me aan.

'Ik vind je echt heel lief, Delia. Je kunt me vertrouwen,' zei hij. 'Ik weet dat je geen goede ervaringen hebt gehad met mannen, maar ik ben anders. Ik beloof het je.'

Ik haalde diep adem en vermande me. Op dat moment had ik het hem van Ignacio moeten vertellen, maar in plaats daarvan zei ik als een angstig jong meisje: 'Alsjeblieft, wacht.'

Hij glimlachte. 'Natuurlijk,' zei hij. 'Ik begrijp het. Ik kan geduld oefenen, want nu weet ik hoe geweldig je bent en wat er aan het andere eind van de regenboog op me wacht.'

Oprijzend als het anker dat hij had opgehaald uit de zee, leunde hij achterover, haalde diep adem en lachte. 'Ik ga een koude douche nemen.' Hij liep naar de badkamer en ik trok haastig mijn kleren aan. Hij had me nergens toe gedwongen en niet geprobeerd me over te halen mijn verzet op te geven, dus was hij beslist een goed mens, dacht ik. Ik voelde me slecht, en toen hij onder de douche vandaan kwam probeerde ik zo aardig en hartelijk mogelijk te zijn. Toen hij zich gekleed had voor ons diner, liepen we naar het restaurant, waar hij een tafel had gereserveerd met uitzicht op zee. We hadden een fantastisch diner, en zeiden geen van beiden een woord over wat er zojuist bijna gebeurd was.

Later, na de hele dag in de zon, de champagne, het eten en alles, kon ik mijn ogen niet meer openhouden. Tijdens onze rit terug naar Palm Springs viel ik in slaap en werd met een schok wakker toen we door de hoofdstraat reden. Hij lachte en ik verontschuldigde me.

'Het is oké. Ik vind het leuk om je te zien slapen, Delia. Je lijkt op een engel.'

Waar haalde hij al die mooie woorden en uitdrukkingen vandaan? Ik hoopte dat ze oprecht waren en uit zijn hart kwamen en niet uit een boek met instructies hoe je de liefde van een jonge vrouw moest veroveren.

Het was al laat toen we thuis kwamen. Het was doodstil in tante Isabela's *hacienda*. Ik herinnerde me dat ze had gezegd dat ze me pas de volgende ochtend aan een laat ontbijt zou zien. Adan bracht me naar de deur, waar we elkaar goedenacht kusten, en ik bedankte hem voor de heerlijke dag.

'Nee,' zei hij. 'Ik bedank jou voor vandaag, Delia. Niets wat ik heb of doe geeft me zoveel plezier als wanneer ik samen met jou ben. Ik bel je morgen.'

Zijn woorden benamen me de adem, en ik kon slechts knikken, hem nog een keer zoenen en naar binnen gaan. Toen ik de deur achter me dichtdeed gingen er gemengde gevoelens door me heen. Aan de ene kant had ik het gevoel dat ik was ontsnapt door een toezegging te doen waarvan ik later spijt zou hebben, en aan de andere kant voelde ik me schuldig omdat ik Adan in de waan had gebracht dat ik alleen maar wilde dat hij het langzamer aan zou doen.

Ging ik meer op tante Isabela lijken dan ik wilde? Loog ik tegen mezelf, gebruikte ik mensen, was ik de dingen die waarachtig en belangrijk waren ontrouw? Was het omdat ik in dit huis woonde en dit nieuwe leven had? Was de oude Delia weggeglipt? Had ik haar werkelijk achtergelaten bij dat busstation? Hield ik mezelf voor de gek door iets anders te denken?

Een dag als deze hoorde je hart alleen maar te vervullen met blijdschap, niet met nog meer zorgen, dacht ik. Ik hoorde me niet zo triest te voelen. Met gekromde rug en gebogen hoofd sjokte ik de trap op alsof er een zwaar gewicht op mijn schouders rustte. Ik dacht dat ik al in slaap zou vallen nog voordat ik mijn tanden kon poetsen. Ik had net mijn bed opengeslagen en stond op het punt erin te stappen toen Sophia mijn deur opendeed. Ze was blijkbaar zelf net thuisgekomen.

'Nou, ik hoef je zeker niet te vragen of je een leuke dag hebt gehad,' zei ze toen ik me omdraaide.

'Dat heb ik,' antwoordde ik. Ik was niet in de stemming om met haar te redetwisten of beledigingen uit te wisselen, dus stapte ik in bed en trok mijn dekbed op. 'Ik ben erg moe, Sophia. Laten we morgenochtend praten.'

'O, ik zal geen lang gesprek met je voeren, Delia. Wees maar niet bang. Christian en ik hebben ook een interessante dag gehad, en ik dacht dat jij het wel zou willen horen. Doe je ogen maar dicht en luister maar.'

'Morgenochtend alsjeblieft,' zei ik.

Ze kwam verder de kamer in. 'We zijn naar het park gegaan waar alle Mexicaanse kinderen komen. We hebben naar een honkbalwedstrijd gekeken. Die jongen van Davila is een goeie honkballer.'

Ik deed mijn ogen open.

'Heb ik je aandacht? Mooi. Ja, hij heeft een homerun geslagen, en hij was ook pitcher van zijn team. Later hielden ze een picknick. De jonge jongens drinken stiekem, hoe noem je het, *cerveza*? Nou, die jongen, hoe heet hij ook weer, Santos? kan ermee overweg. Hij dronk meteen al meer dan Christian. Niet dan ik natuurlijk. Ik drink geen *cerveza*.'

Ik kon haar alleen maar aanstaren.

Ze glimlachte. 'We hebben hem naar huis gebracht. Hij wilde een ritje maken in Christians nieuwe BMW. Wil je nog steeds dat ik tot morgen wacht?'

'Wat wil je, Sophia?' vroeg ik. Ik hield mijn adem in.

'Waarom breng je zijn moeder een brief?' vroeg ze. Iets in haar stem zei me dat ze het niet wist. 'Nou? Gaf je haar geld in een envelop? Geld dat je van ons hebt gestolen? Nou?'

'Heb ik je niet duidelijk gezegd dat je de naam van Davila niet mag noemen of iets met ze te maken mag hebben?' vroeg ik. 'Heb ik je dat niet gezegd?'

'Als jij of Fani een van die foto's aan iemand laat zien, gaat mijn moeder natuurlijk naar de politie. Fani zal in de grootste moeilijkheden komen, ondanks al het geld van haar vader, en jij zal worden gedeporteerd of zoiets. Christian zei dat ik je moest uitdagen je woorden waar te maken.'

Ik haalde mijn schouders op. 'Ik zal het Fani morgen laten weten. Ze doet nooit iets wat ze niet zelf wil, en ze laat zich niet gauw bang maken. We zullen zien.'

Ze staarde me aan. 'Ik durf te wedden dat je dat gedaan hebt, je hebt ze geld gegeven. Hoeveel?'

Ik staarde haar slechts aan.

'Ik kom er toch wel achter, weet je, dus je kunt het me net zo goed nu vertellen. Misschien zal ik het dan niet tegen mijn moeder zeggen.'

'Je bent net als Fani, Sophia. Je doet wat je wilt, wat ik ook tegen je zeg, en als je denkt dat achteraf naar de politie gaan genoeg is, dan moet je dat zelf weten.'

Nu was het haar beurt om mij aan te staren. 'Ik zeg niet dat het zeker is dat ik naar mijn moeder ga. Hoor eens, ik probeer alleen maar vriendelijker te zijn.'

Ik begon te lachen.

'Het ís zo! Ik kwam hier om je van advies te dienen, niet om te dreigen.'

'O?'

'Ja. Je moet ophouden met hun geld te geven. Uiteindelijk komt het toch uit, en niet door mij. Iemand anders zal zijn mond opendoen, misschien wel Santos als hij goed dronken wordt of zo, en mijn moeder zal er op die manier achter komen, dus voor je eigen bestwil, ga er niet meer naartoe. Dat is mijn advies.'

'*Gracias*, Sophia.'

Ze kneep haar lippen op elkaar en schudde haar hoofd. 'Je bent een idioot, Delia. Ik hoef jou heus geen kwaad te doen. Dat doe je zelf wel. Dat weet ik zeker. Ik hoef alleen maar geduld te hebben en af te wachten,' zei ze opgewekt. Ze draaide zich om en liep mijn kamer uit.

Ik maakte me los uit de greep van de paniek die zich van me meester had gemaakt, ondanks mijn stoere houding. Voorlopig was ik veilig.

Maar Santos bevond zich gevaarlijk dicht bij de rand van de afgrond; hij zou erin vallen en zijn ouders en mij en Ignacio met zich meesleuren in de afgrond van meer pijn en verdriet dan hij zich kon voorstellen.

Ik sloot mijn ogen en bad voordat ik in slaap viel als iemand die in een trein stapt die haar naar de vrijheid zal voeren.

14

Verandering van plan

Tante Isabela had het goed gezien toen ze had gezegd dat we elkaar de volgende ochtend bij een laat ontbijt zouden spreken. Ik was doodmoe en sliep heel diep, maar was toch geschokt dat het al zo laat was toen mijn ogen eindelijk werden geopend door de heldere zon die al een tijdlang door mijn ramen naar binnen scheen. Ik keek op de klok en zag dat het al over tienen was. Toen ik naar beneden ging om te ontbijten was het al bijna elf uur en mijn tante verscheen slechts een paar ogenblikken later.

'Zo, ik kan aan je gezicht zien dat je gisteren een drukke dag hebt gehad. Vertel eens,' zei ze terwijl ze ging zitten. Ze informeerde niet naar Sophia, vroeg niet waar ze was, of ze had ontbeten, of wat dan ook.

'Zijn boot is prachtig, en ik heb een heerlijke tijd gehad in Catalina. We hebben op de boot geluncht.'

'Ja, dat is altijd heel plezierig. En ben je nog wezen zwemmen?'

'Heel even.'

'Hoe vond hij je bikini?'

Ik bloosde en aarzelde met mijn antwoord, maar haar ogen waren zo doordringend als van een dokter, speurend naar een teken dat zou verraden wat er in me omging.

'Hij vond alles mooi wat ik droeg.'

Ze glimlachte. 'Dat geloof ik graag. En later hebben jullie gegeten in Newport Beach?'

'Ja, in een steakrestaurant op het strand.'

'Mooi. Omdat jij en Adan zo goed met elkaar kunnen opschieten, denk ik dat ik je volgend weekend zal meenemen naar een fundraising voor zijn vader. Het is een diner in een van de grote hotels daar.

Er komen meer dan duizend mensen. Wij zitten natuurlijk aan de tafel van de Bovio's. Ik zal een nieuwe jurk met je gaan kopen, iets dat meer geschikt is voor die gelegenheid. En bijpassende schoenen. We zullen het aanstaande woensdag doen.'

Ten slotte keek ze naar Sophia's lege stoel.

'En waar is ons eigen prinsesje vanmorgen?'

'Ik heb haar niet gezien, tante Isabela.'

'Ze is gisteravond toch thuisgekomen?'

'Ja.'

Inez begon het ontbijt te serveren. Señora Rosario bracht de krant binnen.

'Gaat Sophia ook naar die fundraising-avond?' vroeg ik.

Tante Isabela liet de krant zakken en keek me aan.

'Waarom zou ze?' antwoordde ze en richtte haar aandacht weer op de krant. 'Bovendien kost het duizend dollar per couvert.'

'Duizend dollar! Voor één couvert?'

Ze liet haar krant weer zakken en glimlachte. 'Ja, Delia, je leeft nu in een andere wereld, een wereld die je je nooit hebt kunnen voorstellen. Na verloop van tijd zul je, net als ik, vergeten dat je ooit in dat smerige Mexicaanse dorpje hebt gewoond. Het zal op de nachtmerrie van iemand anders lijken.' Ze sloeg de krant dicht.

'Nooit, tante Isabela!' zei ik opstandig. Ze hoorde het maar hield zich Oost-Indisch doof.

Na een tijdje kwam Sophia binnen in een lang shirt, op slippers en met verwarde haren. Tante Isabela keek haar van terzijde aan.

'Dat is niet de juiste manier om je te kleden voor het ontbijt, Sophia.'

'Ik ben net op!' riep ze uit. 'En ik heb honger.'

Glimlachend draaide ze zich om naar mij. 'Er was telefoon voor je. Ik heb hem aan één stuk door horen overgaan. Dat maakte me wakker, dus heb ik maar opgenomen.'

Mijn gezicht vertrok even. Ik had haar gevraagd nooit meer mijn telefoon te beantwoorden.

'Wie was het?' vroeg tante Isabela onmiddellijk.

'Adan Bovio. Ik heb gezegd dat je beneden zat te ontbijten en hem zou terugbellen als je klaar was,' zei ze tegen mij.

'Je hebt toch niets onaangenaams tegen hem gezegd, hoop ik?'

'O, nee, moeder. Dat zou ik nooit doen tegen Adan Bovio.'

'Ik zou het heel erg vinden als ik zou moeten horen dat je iets gedaan hebt om de relatie te verstoren. Ik ben erg gesteld op de familie Bovio.'

'O, dat weten we nu allemaal wel, moeder.' Ze nam een toastje.

'Waar ben je gisteravond geweest, Sophia?' vroeg tante Isabela.

Ze keek even naar mij. 'We zijn naar een film geweest en hebben Chinees gegeten.' Toen glimlachte ze naar mij. 'God weet dat ik in niemands vaarwater wil komen.'

Tante Isabela keek haar kwaad aan en richtte haar achterdochtige blik toen op mij. Ik sloeg mijn ogen neer, en ze keerde terug naar haar krant, mompelend bij zichzelf.

Sophia glimlachte stralend. Ze genoot ervan haar moeder te ergeren. Zodra ik gegeten had, excuseerde ik me en ging haastig terug naar mijn kamer, om eerst Fani te bellen en daarna Adan.

'Je had gelijk wat haar betreft,' zei ik tegen Fani. 'Ze is niet zo bang voor ons. Ze denkt dat ik naar de Davila's ga om hun geld te geven.'

'Doe je dat?'

'Nee. Señor Davila is veel te trots om geld van mij aan te nemen, zelfs al had ik iets te geven.'

'Ik raad je aan je voorlopig niet meer bij de Davila's te laten zien. Geef Sophia niet de kans. En vergeet haar nu maar. Vertel eens over je uitstapje.'

'Heeft Adan je nog niet gebeld?' vroeg ik. Ze lachte.

'Ik hoor het liever van jou, Delia. Was het een fijne dag?'

'Ja.' Iets anders kon ik niet zeggen.

'Weet je, hij heeft nog nooit met me geluncht op zijn boot.'

'Hij is erg dol op je, Fani. Hij heeft het vaak over je.'

'Dat mag ook wel. Ik heb veel goeds voor hem gedaan, ook wat jou betreft.'

'Mij?'

'Waarom denk je dat ik je uitnodigde voor het diner van mijn ouders. Alleen om die idiote meiden op school te ergeren? Nee, ik wist dat het zou klikken tussen jou en Adan.'

Waarom dacht ze niet wat meer aan haar eigen romances in plaats van die van anderen?

Ik vertelde dat tante Isabela me mee wilde meenemen naar de fundraising-avond voor Adans vader.

'Mooi. Ik kom ook. En vertel me nu eens wat meer, Delia.'

'Meer? *Por qué?*'

'Geef me gewoon de sappige details. Heb je wel of niet met Adan gevrijd op zijn boot?'

'Hij was een gentleman.'

'Ik neem aan dat dat nee betekent, wat ik niet geloof. Als er iemand is die je in vertrouwen kunt nemen, Delia, ben ik het. Ik dacht dat je dat nu wel wist.'

Waarom wilde ze per se dergelijk nieuws horen?

'Het is niets om je voor te schamen,' ging ze verder. 'Nou?'

'We hebben niet, zoals jij zegt, gevrijd op de boot, maar het was wel romantisch.'

'Romantisch?' Ze lachte. 'Ik ken Adan Bovio. Hij heeft de verleidingskunst uitgevonden. Oké, verlegen kind, hou je geheimen maar voor je.'

Ze leek zo zelfverzekerd. Had Adan haar een ander verhaal verteld?

'Ik zie je op school,' zei ze.

Voor ik Adan kon bellen, kreeg ik Edward aan de telefoon, die ook alles wilde horen over mijn weekend. Hij luisterde naar mijn verhalen en zei toen, na een ogenblik van stilte: 'Je klinkt ambivalent. Weet je wat dat betekent?'

'Ik geloof het wel, ja. Onzeker?'

'Ja, alsof je tegelijk blij en bedroefd bent. Misschien gaat het allemaal te snel voor je, Delia. Mijn moeder komt over als een krankzinnige koppelaarster.'

Ik vond het niet prettig om te roddelen, maar ik vertelde hem dat tante Isabela uitging met Adans vader.

'Aha, het wordt gecompliceerder. In ieder geval, om op een ander onderwerp over te gaan, Jesse heeft alles geregeld voor onze Mexicaanse reis. Zaterdag komen we voor de lunch, dan kunnen we alles bespreken. Dat is al gauw.'

'Ik verheug me erop jullie allebei te zien,' zei ik.

'En wat al het andere betreft, Delia, doe het rustig aan. Mettertijd zal het je duidelijk worden wat je moet doen. En ik weet zeker dat je de juiste keus zult maken.'

'*Gracias*, Edward.'

'*Hasta luego*.'

'Sí, tot gauw.'

Toen ik had opgehangen bleef ik nog even peinzend zitten. Ik had Ignacio's moeder beloofd dat ik nog één keer langs zou komen omdat ze een paar dingen voor hem wilde meegeven. Ik zou gewoon voorzichtiger moeten zijn, dacht ik. Ik vroeg me af of ik met Santos moest praten. Ik hoorde hem te waarschuwen voor Sophia.

Adan wachtte niet tot ik terugbelde. Hij belde weer, een beetje bezorgd omdat ik niet onmiddellijk iets van me had laten horen.

'Ik wilde je juist bellen,' zei ik. Ik deed mijn gesprek met tante Isabela langer lijken dan het geweest was, maar hij wist dat ik al met Fani had gesproken. Hij zei iets merkwaardigs.

'Wees voorzichtig met je vertrouwen in haar, Delia. Ik hou van Fani, maar ze is een soort apart.'

'Hoe bedoel je?'

'Ze kan heel snel wisselen van stemming, van loyaliteit, en zonder enige waarschuwing of aanwijsbare reden. Ze is goed voor me geweest, en soms heel gemeen. Natuurlijk heeft ze er onmiddellijk spijt van, maar ze heeft een gecompliceerd karakter, en jij bent een lieve en onschuldige jonge vrouw die misschien nog een beetje te goed van vertrouwen is.'

Ik ben minder onschuldig dan hij denkt, dacht ik. Hij zou gauw genoeg tot die conclusie komen als hij het wist van Ignacio. Toen ik daaraan dacht, vertelde ik hem over Edward, Jesse en ons plan om een reis te maken naar mijn Mexicaanse dorp.

'Als die twee geen homo's waren en hij niet je neef was, zou ik stinkend jaloers zijn,' zei hij. 'Ik zal je missen, zelfs voor die korte tijd.'

Ik zei dat tante Isabela me mee zou nemen naar zijn vaders fundraising-avond, en dat bracht weer een vrolijke klank in zijn stem. Hij ging er maar over door, over het eten, het entertainment, de mensen die we zouden ontmoeten.

'Er is een grote kans dat de gouverneur langskomt. Hij heeft een vakantiehuis in Rancho Mirage.'

Ik beloofde hem diezelfde week nog te ontmoeten, maar kwam algauw tot de ontdekking dat tante Isabela daar al voor gezorgd had. Ze had komende woensdag met hem afgesproken in de modezaak, zodat hij met ons kon gaan dineren. Het verbaasde me dat Sophia geen jaloezie liet blijken toen ze hoorde dat mijn moeder met mij naar de fundraising-avond zou gaan. Ze zei dat ze dat soort dingen haatte.

'Je moet op alles letten wat je doet en zegt. En de mensen daar zijn voor het merendeel oud en stijf. Je zult het zien. Ik zal mijn vriendinnen en een paar jongens hier uitnodigen voor een party bij het zwembad. Maar waag het niet iets daarover tegen mijn moeder te zeggen. Het kan me niet schelen of ze het te weten komt, als het maar naderhand is.'

Misschien omdat ze wist dat Adan ons in de boetiek zou ontmoeten, gaf tante Isabela bijna tweeduizend dollar uit aan een jurk voor mij. De schoenen waren zevenhonderd. Ze beloofde me ook nog meer juwelen te lenen. Ook al wist ik in mijn hart dat ze andere beweegredenen had om te doen wat ze deed, liet ik me behandelen als haar dochter. De verkoopster, enthousiast over tante Isabela's aankopen, kon haar commentaar niet voor zich houden en zei tegen me: 'Je tante moet wel erg dol op je zijn. Je boft.'

Ik was blij met haar afgunst. Misschien had ik dat niet moeten zijn, maar voor althans korte tijd kon ik me geliefd voelen en fantaseren hoe het geweest zou zijn als mijn moeder gezegend zou zijn geweest met tante Isabela's rijkdom en mogelijkheden. We zouden samen uitstapjes hebben kunnen maken, misschien naar Mexico City om te shoppen en in chique restaurants te eten, te lachen en ons te amuseren in elkaars gezelschap. Misschien, heel misschien, dacht ik, had tante Isabela naar zo'n omgang verlangd met haar eigen dochter en genoot ze tenminste van deze enkele momenten.

Maar zodra Adan zijn opwachting maakte veranderde ze van een liefhebbende tante en surrogaatmoeder in een societydier. De toon van haar stem werd correcter en formeler. Zelfs haar lach was anders, gemaakter, onecht, geaffecteerd. Ze behandelde Adan alsof hij een kleine prins was en wij hem eer moesten bewijzen. Ze lachte hard om al zijn grappen, sperde haar ogen open bij zijn opmerkingen, alsof ze stuk voor stuk briljant genoeg waren om in een boek te bundelen.

Wat me nog het meest van mijn stuk bracht was hoe erg en hoe enthousiast ze me ophemelde, opschepte over mijn prestaties op school, mijn kennis van het Engels, mijn kookkunst, al had ze nog nooit iets geproefd van wat ik gemaakt had. Na een tijdje voelde ik me zo gegeneerd dat ik Adan nauwelijks durfde aan te kijken.

Adan was beleefd en ging in alles mee wat ze zei en deed, maar nu en dan knipoogde hij naar me om me duidelijk te maken dat hij niet zo lichtgelovig was als hij zich voordeed. Ik voelde me opgelucht toen het diner eindelijk voorbij was en we naar huis konden. Al die tijd was mijn hele lichaam zo gespannen geweest dat ik me doodmoe voelde. Señor Garman had mijn nieuwe aanwinsten al in de auto gelegd. We namen afscheid buiten het restaurant, terwijl tante Isabela op een afstandje stond te kijken hoe Adan me kuste. Alsof het een stempel van goedkeuring was, drukte ze een zoen op zijn wang, en we stapten in de limousine.

'Wat een voortreffelijke jongeman,' zei ze toen we wegreden. 'Het is goed als een vader trots kan zijn op zijn zoon en een zoon trots op zijn vader. Besef je wel wat het voor je zou betekenen, Delia, als señor Bovio werd gekozen? Je zou in de society van Washington, in de kringen van gezagsdragers verkeren. Het is ongelooflijk te bedenken dat een meisje dat is grootgebracht in een huis dat meer op een schuur leek, beleefdheden zou uitwisselen met een president of met ambassadeurs. Is dat niet opwindend?'

'Ik ben niet met Adan Bovio getrouwd, tante Isabela. Ik ben alleen een paar keer met hem uit geweest.'

Ze lachte. 'Zo dom kun je niet zijn, Delia. Ik zie het in zijn ogen als hij naar je kijkt. Je hebt hem aan de haak. Hij is smoorverliefd op je.'

Ik wendde mijn hoofd af, zodat ze de uitdrukking op mijn gezicht niet kon zien.

Ze fantaseerde nu al over het huwelijk van Adan en mij, dat het grootste sociale evenement van het decennium moest worden. Om een eind te maken aan al die fantasieën, vertelde ik dat Edward en Jesse zaterdag zouden komen om onze reisplannen te bespreken.

'Wat? Vertel me niet dat je zoiets stoms nog steeds in overweging neemt. Dat kun je niet maken!'

'Waarom niet? Ik heb het ze beloofd, en ze verheugen zich er erg op.'

'Dat is belachelijk. En gevaarlijk. Ik sta het niet toe.'

'Maar je hebt gezegd –'

'Het kan me niet schelen wat ik heb gezegd. Ik kan niet geloven dat je zoiets wilt doorzetten. Het is absoluut het verkeerde moment om dat te doen. Wees maar niet bang, laat Edward maar aan mij over.' Alsof mijn enige probleem was mijn neef teleur te stellen.

'Nee, ik moet gaan,' zei ik, iets zelfverzekerder dan mijn bedoeling was.

'Hoe bedoel je, je moet? Waarom moet je?'

'Ik moet het graf van mijn oma en mijn ouders bezoeken.'

'Waarom? Het is niet de *Día de los Muertos*. Dat was afgelopen november.'

'Ik wacht niet op Allerzielen om hun eer te bewijzen. Ik moet ze bedanken voor al het goeds dat me ten deel is gevallen en dat nog zal doen.'

'O, alsjeblieft, zeg. Hun bedanken. Wat hebben zij gedaan om dit te laten gebeuren? Je moet eens af van dat dwaze, domme bijgeloof. Je staat op het punt een moderne vrouw te worden, een Amerikaanse vrouw met prestige. Je kunt niet wauwelen over boze ogen en zegeningen van boven. En ik wil dat je uit de buurt blijft van die onwetende Mexicanen die zich aan die ideeën vastklampen.' Ze streek haar jurk glad en trok een pruillip. 'Nu heb je me helemaal van streek gebracht, en we hadden zo'n heerlijke dag en avond.'

'Het spijt me,' zei ik.

Ze bromde iets, maar zei verder niets meer tot we bij de *hacienda* waren en naar binnen gingen.

'Ik zal morgen meteen met Edward praten,' zei ze. 'Maak jij je huiswerk en bereid je voor op een fantastisch weekend.'

Voor ik kon antwoorden, draaide ze zich om en liep weg. Ik droeg de dozen met mijn jurk en schoenen naar mijn kamer. Sophia's deur was gesloten. Ik kon de muziek horen. Ze hing natuurlijk aan de telefoon met haar vriendinnen om hun eigen festiviteiten voor dit weekend te plannen. Ik was zo in de war, dat ik niet wist of ik in slaap zou kunnen komen. Ik had Ignacio's ouders hem de brief al laten sturen waarin ik hem over mijn reis vertelde. Ik zou hem de specifieke details dit weekend kunnen toesturen. Als het tante Isabela eens lukte Edward van zijn reisplannen af te brengen?

En al die dingen die ze had beschreven? Kon ik echt ontkennen dat ze geweldig klonken? Ik voelde me alsof ik aan twee ezels was vastgebonden, die elk een andere kant op wilden. De prachtige nieuwe jurk hing in mijn kast. Mijn herinneringen aan de boottocht met Adan waren nog levendig. Het gezicht van de arme Ignacio begon te vervagen. Was het zo vreselijk om te wensen dat tante Isabela de beslissing voor me zou nemen? Wat was er aan de hand met de Delia die had geploeterd en geleden om de woestijn te doorkruisen met Ignacio? Waar was de Delia die vrolijk naast haar oma tortilla's stond te bakken en oude liedjes zong? Hadden de tragische dood van mijn ouders en het overlijden van mijn oma de ziel van die Delia met zich meegenomen? Als ik in mijn prachtige nieuwe huis in de spiegel keek, zag ik dan slechts de lege huls van het meisje dat ik geweest was en vulden tante Isabela en alle andere mensen die ik nu kende me met een nieuwe identiteit?

Misschien worden we op allerlei kleine manieren, die we ons zelfs niet realiseren en zelden begrijpen, geconfronteerd met onze eigen Allerzielendag. We bezoeken onze graven en beseffen eindelijk dat de herinnering aan wie we waren en waar we vandaan komen geleidelijk is vervaagd, als een verre ster die lichtjaren geleden gedoofd is en nog slechts een lege weerspiegeling is van zichzelf. Als je je hand uit kon strekken en hem aanraken, zouden je vingers er dwars doorheen gaan naar het niets. En liever dan alleen te blijven, zou je je wenden tot een andere ster.

En je zou tegelijk blij en bedroefd zijn, net zoals ik was die avond toen ik mijn hoofd op het kussen legde en vocht tegen de duisternis als iemand die doodsbang is voor haar eigen dromen. Maar de nacht drukte te zwaar op me en het duurde niet lang of ik viel in slaap.

De volgende ochtend zei tante Isabela niets over mijn reis naar Mexico. Schijnbaar was ze het voorlopig even vergeten. Ze had het te druk met haar eigen beslommeringen voor het weekend, haar afspraken met de kapper en de manicure. Er kwam iemand naar de *hacienda* om haar professioneel op te maken. Ze legde uit dat de tv en andere media bij de fundraising-avond aanwezig zouden zijn, zodat ze er op haar best uit moest zien.

Terwijl ze erover sprak, keek ik naar Sophia om haar reactie te zien. Het leek alsof ze haar niet hoorde. Ze at of ging verder waarmee ze bezig was, zonder enige vraag of commentaar.

Maar nog vóór vrijdag had tante Isabela Edward gebeld over onze Mexicaanse reis. Blijkbaar hadden ze ruzie aan de telefoon, en vervolgens belde Edward mij om te zeggen dat ik moest negeren wat zijn moeder had gezegd. Hij en Jesse kwamen zaterdag, en daarmee uit.

Adan had het die vrijdag druk met zijn werk en daarna ging hij met zijn vader naar een campagnebijeenkomst. Hij wilde me zien en vroeg of ik mee wilde, maar ik zei dat ik moe was en liever wat rust nam tot zaterdagavond. Hij zei dat hij het begreep en bekende dat hij waarschijnlijk toch niet veel tijd voor me zou hebben gehad en ik me misschien niet helemaal op mijn gemak zou hebben gevoeld.

Sophia en ik wisten geen van beiden waar tante Isabela die vrijdagavond was. Ze had geen instructies achtergelaten. Sophia ging uit met haar vriendinnen, en ik at in mijn eentje, keek televisie en probeerde niet te denken aan de spanning die nu heerste tussen Edward en tante Isabela.

Pas zaterdagochtend aan het ontbijt begon ze erover.

'Je neef en zijn vriend komen vandaag hier. Ik wil dat je ze heel duidelijk maakt dat je niet naar Mexico gaat. Begrepen?' vroeg ze aan tafel enkele ogenblikken nadat ze was binnengekomen. Sophia kwam binnengeslenterd, zoals gewoonlijk half slapend, maar ze pepte op toen ze de toon van haar moeders stem hoorde.

Ik gaf geen antwoord.

‘Je zult alles bederven door zoiets stoms te doen,’ ging Isabela verder.

‘Ik heb Adan al verteld over mijn reis,’ zei ik, strak naar mijn bord starend. ‘Hij wond zich er niet over op.’

‘Natuurlijk niet als hij jou aan de telefoon heeft, maar hij denkt dat je het voor je neef doet, en daarover wil hij geen ruzie met je. Hij is veel te veel een gentleman.’

‘O, alsjeblieft, spaar ons,’ zei Sophia. ‘Adan Bovio te veel een gentleman?’

‘Spreek me niet tegen, Sophia.’

‘Nee, uwe hoogheid.’

Ik was blij dat zij elkaar afbekten en tante Isabela zich niet op mij concentreerde.

‘Sla niet zo’n toon tegen me aan. Ben je gisteravond uit geweest?’

‘Je zei dat het mocht als ik vroeg thuiskwam.’

‘En kwam je vroeg thuis? Ik kan het mevrouw Rosario vragen.’

‘Voor mij was het vroeg. Het was voor twaalven. Ja toch, Delia?’ vroeg ze aan mij.

Ik keek naar tante Isabela. ‘Ik lag zelf vroeg in bed.’

‘Je zult het nooit voor me opnemen, hè? Maar van mij verwacht je dat ik je voortdurend te hulp kom.’

‘Ik zei niet dat je loog. Ik zei alleen –’

‘Ja, ja. Ik was vroeg thuis, moeder, vroeger dan jij.’

‘Zo is het genoeg. Je hebt mijn eetlust bedorven. Ik wil vandaag niet in de stress raken. Dat doet vreselijke dingen met je gezicht, accentueert de rimpels, al heb ik die nog niet veel.’

Plotseling herinnerde ze zich weer wat ze tegen mij gezegd had.

‘Zorg ervoor dat je het Edward duidelijk aan zijn verstand brengt, Delia. Ik verwacht niet anders van je.’

Weer hield ik mijn mond. Na het ontbijt ging ik naar mijn kamer, in afwachting van Edward en Jesses komst. Ik probeerde wat werk te doen voor school en maakte wat wiskundesommen om me te beletten te veel te piekeren. Ik geloof dat ik een tijdje zat te dutten, want plotseling stond Sophia in de deuropening met een brede grijns op haar gezicht. Ik hoorde geschreeuw beneden.

‘Hoor je dat?’ zei ze. ‘Ze hebben ruzie over jou.’

Ik liep de gang in. Edward en Jesse waren er, en tante Isabela had ze onderschept voor ze de trap op konden.

‘Beseffen jullie idioten wel hoe gevaarlijk het tegenwoordig is om over de achterafwegen te rijden naar dat vervallen dorp? Waarom willen jullie daarnaartoe om die armoede te zien? En hoe zit het met de gezondheidskwesties?’

‘Je hebt ons erfgoed ons leven lang voor ons verborgen gehouden,’ antwoordde Edward. ‘We hebben het recht te weten en te begrijpen waar we vandaan komen.’

‘Begrijpen?’ Ze lachte. ‘Nu moet je eens goed naar me luisteren, Edward Dallas, je kunt dreigen te doen wat je wilt met je geld. Het kan mij niet langer schelen. Ik heb via mijn eigen zakenrelaties en adviseurs een sterke financiële basis gecreëerd. Wat we verliezen door jou, verliezen wij en verlies jij, maar ík ben de wettelijke voogd van dat meisje, niet jij. Ze staat nog steeds onder mijn controle en ik ben verantwoordelijk, en ik verbied je absoluut haar mee te nemen op die krankzinnige Mexicaanse reis. En dat is mijn laatste woord.’

Ik liep een paar treden omlaag.

‘Als je tegen mijn verbod handelt, zweer ik je dat ik naar de politie ga en je laat oppakken wegens ontvoering.’

Ik zag dat ze naar Edward wees en toen naar Jesse.

‘Stellen jullie me niet op de proef.’ Ze draaide zich om en liep weg. Edward en Jesse keken haar na. Toen zag Jesse mij op de trap staan en knikte.

Edward draaide zich naar me om. ‘Kom,’ zei hij. ‘We gaan met je lunchen. Dat kunnen we doen zonder dat we de politie op ons dak krijgen.’

Ik aarzelde en keek omhoog naar Sophia. Ze keek zo vergenoegd als een varkentje dat rondwentelt in de koele modder. Haastig liep ik verder de trap af.

‘*Hasta la vista*,’ riep ze lachend.

We gingen snel naar Edwards auto.

‘Stap gewoon maar in,’ zei hij. Zijn gezicht zag rood van woede. Jesse zei dat hij zou rijden.

'Waarom is ze hier plotseling zo tegen?' vroeg Edward toen we weg-reden van de *hacienda*. 'Dat was ze niet toen we het haar pas vertelden.'

'Het komt niet goed uit met haar koppelaarsplannen, is dat het?' vroeg Jesse.

'Sí. Ze is bang dat het Adan en señor Bovio van streek zal brengen.'

'Dat is belachelijk,' zei Jesse. 'Ray Bovio voert een campagne als een latino kandidaat, en zij zegt dat het hem van streek zou brengen als jij een reis maakt naar Mexico.'

'Ze wil dat ik mijn verleden vergeet en alleen aan de toekomst denk.'

'Aan háár toekomst,' zei Edward. 'Dat is wat er echt achter zit. Nou, we doen het niet.'

'Niet naar Mexico?' vroeg Jesse verbaasd.

'Nee, naar haar luisteren. Maak je niet ongerust, Delia. Het zijn loze dreigementen. Ze zou nooit de politie achter ons aan sturen. Het zou te veel schande brengen over de naam Dallas.

'Maar voorlopig,' ging hij verder, hardop denkend, 'zullen we haar in de waan laten dat ze ons heeft afgeschrikt. Praat met niemand meer over de reis, Delia. Als iemand, vooral Sophia, ernaar vraagt, dan gaat die reis niet door. Speel maar komedie voor haar. Doe of je heel bedroefd bent. Ze zal het prachtig vinden als ze ziet dat je bedroefd bent, en je geloven.'

'En dan?' vroeg Jesse.

'En dan doen we zoals gepland,' zei Edward glimlachend. 'Die dag sluip je het huis uit en wij pikken je op. Voor ze het door heeft, vliegen wij al naar Mexico. Ze komt eroverheen zoals ze over alles heen komt. Eén ding moet ik mijn moeder nageven, ze laat zich nooit te erg overstuur maken. Ze is bang dat het haar oud maakt. Dit keer ben ik dankbaar dat ze zo ijdel is.'

Jesse glimlachte.

'Oké, Delia?' vroeg Edward.

Ik had mijn kans. Ik had aan alles een eind kunnen maken.

Maar ik deed het niet.

Ik knikte en stopte weer een extra geheim in mijn rugzak, bezwaarde mijn ziel met een nieuwe last.

We reden verder terwijl we praatten over Mexico.

Ik kon er nu alleen nog maar aan denken dat ik naar de Davila's moest om Ignacio's moeder de details te geven, zonder betrapt te worden.

En dan kon ik alleen nog maar wachten en voortdurend om me heen kijken naar het boze oog.

15

Ere wie ere toekomt

Het kostte me moeite om me te concentreren op de voorbereidingen voor het fundraising-diner. Na de lunch brachten Edward en Jesse nog een uur of zo met me door. Ze bewonderden de jurk en schoenen die tante Isabela voor me had gekocht. Ere wie ere toekomt, zoals Edward zei, zijn moeder had een onberispelijke smaak. De jongens gingen terug naar Los Angeles, en enkele ogenblikken later kwam Sophia spioneren. Natuurlijk deed ze eerst net alsof ze alleen maar belangstelling had voor mijn jurk, maar toen vroeg ze als terloops: 'En wat doen jullie aan die reis naar Mexico?'

'We kunnen niks doen,' zei ik, en, denkend aan het advies van Edward, deed ik alsof ik op het punt stond in tranen uit te barsten. 'Ik had ze zo graag willen laten zien waar ik woonde, waar je moeder vroeger gewoond heeft, maar Edward zei dat zijn moeder gelijk had. Ze is mijn wettelijke voogdes, en het zou een hoop problemen geven als we ons niet aan haar wensen zouden storen.'

'Heus?' vroeg ze. Ze klonk teleurgesteld. 'Ik had nooit gedacht dat Edward zo'n lafbek was.'

'Jesse maakt zich ook bezorgd,' zei ik.

'Ja, dat kan ik begrijpen. Hij moet zich wel zorgen maken. Hij is geen familie. Waarschijnlijk zou hij in de grootste moeilijkheden komen, en zijn ouders zouden erg ontdaan zijn. Mijn moeder zou hem beschuldigen van ontvoering. Misschien,' ging ze verder, nog steeds zoekend naar een manier om me te verontrusten, 'probeert Edward niet langer het je naar de zin te maken omdat hij te geschokt is door je ontluikende romance met Adan.'

'Dat is hij niet!'

Ze lachte. Toen ging ze weer op de serieuze toer. 'Of misschien doe je maar net alsof je het zo erg vindt dat je niet gaat, hè? Misschien heb je eindelijk geleerd te slijmen tegen mijn moeder en haar dingen af te troggelen, zoals die dure jurk en die schoenen. Misschien vind je het heerlijk om versierd te worden en in gezelschap te verkeren van rijke mensen als Adan en Fani.'

'Je mag denken en doen wat je wilt. Dat doe je trouwens toch wel.'

Ze knikte, tevreden over haar conclusies. 'Je bent niet zo onschuldig meer, Delia Yebarra. Je lijkt zelfs meer op me dan je wilt toegeven. Maar dat doet er niet toe. Uiteindelijk zullen we elkaar helpen te krijgen wat we willen.'

Ze lachte en ging weg.

Liever dan te zijn zoals zij zou ik ruilen met mijn armste vriendin in mijn Mexicaanse dorp.

Weer kwam tante Isabela boven om mijn make-up en kapsel te controleren. Ze bracht de juwelen mee die ze had beloofd. Ik keek zo verbluft bij het zien van de grote diamanten in de armband en ketting dat ze lachte.

'Voor je het vraagt, Delia, ja, ze zijn echt. Mijn man zou nooit valse juwelen voor me kopen, en ik zou ze zelf beslist nooit kopen. Draag dat horloge dat ik je gegeven heb. En pas eens een paar van deze ringen.' Ze maakte een doosje open om ze me te laten zien. 'Ik geloof dat jij en ik dezelfde ringmaat hebben.'

De ringen pasten inderdaad. Ze koos er een uit die ze wilde dat ik zou dragen.

Terwijl ze om me heen hing, mijn haar gladstreek en diverse kleuren lippenstift uitprobeerde, kwam Sophia in de deuropening staan en keek toe. Ook al had ze minachtend gesproken over de fundraising-avond, toch zag ik de afgunstige blik in haar ogen, en ondanks alles had ik medelijden met haar. Haar moeder behandelde mij zoals ze wenste dat ze haar zou behandelen, ook al probeerde ze de schijn op te houden dat het haar niets deed.

Tante Isabela keek nu en dan naar haar maar zei niets. Zag ze dan niet hoeveel verdriet ze Sophia deed? Ik begreep niet hoe een moeder zo onverschillig kon zijn voor de gevoelens van haar eigen dochter. Misschien verbaasde het me nog meer dat tante Isabela zoveel kon verschillen van haar zuster, mijn moeder. Een of andere zelf-zuchtige coyote had beslist bij ons binnengegluurd op de avond dat Isabela werd verwekt. Ondanks alles wat ik geleerd had, kon ik het niet helpen dat ik geloof hechtte aan dat soort bijgeloof.

Eindelijk sprak ze tegen Sophia.

'Als je eens wat belangstelling toonde voor je eigen uiterlijk en niet langer rondhing met losers en ander gespuis, Sophia, zou jij ook kunnen genieten van het sociale gebeuren.'

'Ik hang liever rond met gespuis,' antwoordde Sophia met een grimas.

'Dat wist ik wel,' zei tante Isabela, haar aankijkend. 'Dat is juist zo jammer, en dat hebben we aan je vader te danken.'

'Precies. Geef de schuld maar aan een dode,' kaatste Sophia terug. Er blonken tranen in haar ogen. Ze stormde de kamer uit en sloeg de deur van haar kamer achter zich dicht.

'Ik had gehoopt dat ze iets zou opsteken van jouw nieuwe leven,' zei tante Isabela, 'maar ik vrees dat ze gedoemd is heel ongelukkig te worden.'

Ze deed een stap achteruit om me te bekijken.

'Perfect. Je zult schitteren naast Adan Bovio, vooral op de foto's. Kom over twintig minuten beneden,' zei ze en liep de kamer uit.

Ik staarde naar mijn spiegelbeeld. In de nieuwe jurk en schoenen, met gestylde haren, een flatteuze make-up en fonkelende juwelen, waagde ik het te denken dat ik een goede kandidate zou zijn voor prinses. Waarom zou ik, kon ik, niet net zo knap en indrukwekkend zijn als Fani of elk ander meisje aan het diner? Was het werkelijk zo zondig om trots te zijn op je uiterlijk? Maakte ik me schuldig aan een overmaat van ijdelheid? Opende ik de deur voor de duivel en het boze oog? Hoe kun je genieten van je geluk en plezier hebben als je je altijd zorgen maakt omdat je te gelukkig bent? Waarom kon ik niet net zo'n dikke huid hebben als tante Isabela en mezelf zien als iets bijzonders, wat anderen ook mochten zeggen of denken? Had ik al niet een hoge prijs betaald voor elk geluk dat me te beurt viel? Betekende zelfs al het denken aan dergelijke vragen dat ik te ver was gegaan en overgestoken was naar de wereld van de verdoemden? Ik zal nooit van iets in mijn leven kunnen genieten zolang ik me zo blijf voelen, dacht ik. In dat opzicht had tante Isabela gelijk en moest ik haar bewonderen.

In de hoop dat ik de eerlijke en zuivere dingen die mijn familie in Mexico me had bijgebracht niet volledig de rug toekeerde, ging ik op weg naar de fundraising-avond, zelfverzekerd en trots op mijn uiterlijk.

'Veel plezier met de snobs,' riep Sophia toen ik langs haar kamer kwam.

Ik gaf geen antwoord.

Tante Isabela kwam naar me toe in de hal en we liepen naar buiten, beiden elegant gekleed en beladen met juwelen – één pot nat. Zelfs al wist ik dat ze me gebruikte in haar jacht op señor Bovio, toch stond ik haar toe me onder haar vleugels te nemen en me te veranderen in de latina assepoes met wie Sophia de spot dreef. Señor Garman keek me enigszins verbaasd aan en deed haastig de deuren van de limousine voor ons open.

'*Usted es muy hermosa, Delia*,' fluisterde hij toen ik toen ik instapte. Ik bloosde toen ik hem hoorde zeggen dat ik er erg mooi uitzag.

'*Gracias*, señor Garman,' fluisterde ik terug. Maar ik zag dat tante Isabela het had gehoord en heimelijk glimlachte, alsof ik volledig haar creatie was.

Toen we bij het hotel kwamen, besefte ik dat alle plannen en voorbereidingen gerechtvaardigd waren. Het leek op de filmpremières die ik op de televisie had gezien. Er waren spotlights bij de ingang, en toen we stopten werden we onmiddellijk begroet door mannen in smoking die ons glazen champagne aanboden. Tante Isabela stond me één glas toe.

'Vanavond,' fluisterde ze, 'kun je geen meisje meer zijn, maar ben je een vrouw.'

Toch voelde ik me zenuwachtig toen ik met een glas champagne de balzaal binnenliep. De gasten die arriveerden en waren gearriveerd waren net zo mooi gekleed als wij, sommigen zelfs nog mooier. Vrouwen droegen tiara's die eruitzagen of ze duizenden dollars kostten, en elke jurk die ik zag was beslist even duur, zo niet duurder dan de jurken die wij droegen.

Er was muziek, en obers en serveersters liepen rond met nog meer glazen champagne en hors d'oeuvres. Zodra we in de zaal stonden, kwam een assistent van señor Bovio haastig naar ons toe om ons langs de rijen tafels met prachtige pièces de milieu naar de voorste tafels te brengen, waar Adan en zijn vader zaten, en begroet werden door de ene gast na de andere. Fani en haar ouders waren er ook.

'Dat,' zei tante Isabela met een knikje naar rechts, 'is de huidige senator, die zich deze keer niet kandidaat heeft gesteld, en daar is de procureur-generaal van Californië.'

Ze noemde alle belangrijke mensen, burgemeesters, leden van de assemblee en senatoren van diverse staten. Ze maakte me ook attent op beroemde oude filmsterren en zangers en zangeressen en vooral de miljonairs en miljardairs. Het was allemaal zo overweldigend dat ik niet wist naar wie ik het eerst moest kijken. Gelukkig maakte Adan zich los van de gasten en begroette me met een kus op mijn wang.

'Je ziet er fantastisch uit,' zei hij. 'Ik moest twee keer kijken om zeker te weten dat ik niet droomde.'

Hij pakte mijn hand en liep met me naar zijn vader, die me met meer belangstelling bekeek dan ik had verwacht. Hij keek ook naar Adan en knikte goedkeurend. Daarna begon Adan me voor te stellen aan andere gasten, terwijl tante Isabela terzijde stond, dicht bij Adans vader, en ook mensen begroette, met zo nu en dan een goedkeurend knikje naar mij.

Fani, die bij mensen stond die ik niet kende, glimlachte en zwaaide en knikte tevreden. Ten slotte liet ze haar gezelschap even alleen en kwam een paar ogenblikken bij me staan.

'Je ziet er prima uit, alsof je het helemaal hebt gemaakt, Delia. Ik moet het je tante nageven. Ze heeft je gereconstrueerd, je in een van ons veranderd. Hoe reageert onze lieve Sophia op dit alles?'

'Slecht,' antwoordde ik, en ze begon te lachen.

'Denk aan mijn waarschuwing. Sophia geeft het niet gauw op.'

Toen Adan deze keer terugkwam, keek hij naar Fani en vroeg: 'En?'

'Ik hou van je, neef,' zei ze, en toen, met een blik op mij, 'maar als het om mannen gaat, hebben Delia en ik meer vertrouwen in schorpioenen.'

Hij lachte en Fani keerde terug naar de tafel van haar ouders.

'Waar ging dat over?'

'Fani weigert zich te laten overtuigen van het feit dat ik zoveel om je geef, maar ze draait wel bij en wordt een gelovige,' zei hij en gaf me een kus op mijn wang.

Toen we aan tafel gingen, had ik zo'n kramp in mijn maag dat ik niet dacht dat ik één hap naar binnen zou kunnen krijgen. Ik ontdekte dat de twee lege stoelen aan de Bovio-tafel bestemd waren voor de gouverneur en zijn vrouw. Toen hij binnenkwam, hield de band op met spelen en stelde de ceremoniemeester hem voor. Iedereen stond op om te applaudisseren. Hij zag er precies zo uit als op de televisie. Hij sprak vloeiend Spaans, en toen hij bij onze tafel stond en iedereen werd voorgesteld, richtte hij zich tot Adan en zei met een glimlach naar mij: '*Menos mi esposa, ella es la mujer más bonita aquí.*'

Ik dacht niet dat het mogelijk was nog heviger te blozen dan ik al had gedaan, maar ik voelde mijn wangen gloeien.

Adan boog zich naar me toe en fluisterde: 'Hij moest wel zeggen behalve zijn vrouw, maar ik kon het zien aan zijn gezicht. Hij vindt je de mooiste vrouw hier.'

Tante Isabela straalde. Ik was naar Californië gekomen in de hoop dat ze me op de een of andere manier zou accepteren als haar vlees en bloed en we samen een manier zouden vinden om de narigheid van het verleden achter ons te laten. Tot op dit moment had niets me ooit hoop gegeven dat het zou lukken, maar ik voelde nu dat als ze Sophia voor mij zou kunnen ruilen, ze geen seconde zou aarzelen.

Er waren beroemde zangers en zangeressen op het diner om ons te entertainen. Er werd gedanst op de muziek van het zesentwintig leden tellende orkest, en later werden er een paar korte toespraken gehouden om Adans vader lof toe te zwaaien. Voordat de avond voorbij was vertelde Adan me dat de campagne van zijn vader bijna tweeënhalf miljoen dollar had opgebracht, met nog verdere toezeggingen.

In de loop van de avond, toen Adan stond te praten met andere mensen en tante Isabela bij señor Bovio stond, had ik tijd om na te denken over iets dat tante Isabela had gezegd. Ik had geprotesteerd toen ze me vertelde dat ik mijn leven in Mexico zou vergeten, maar nu ik hier zat te midden van al die rijke mensen, die glamoureuze beroemdheden en machtige politici, was het bijna onmogelijk me de vuile straten van mijn dorp, de kleine huisjes en de arme, ploeterende gezinnen te herinneren. Ik had het vreemde gevoel dat de oude Delia verdronk in een zee van luxe en rijkdom waar ze vroeger zelfs niet van had kunnen dromen. De *hacienda*, mijn auto, mijn nieuwe kleren, de juwelen die ik droeg, het was allemaal te betoverend. Ik begon zelfs te betwijfelen of het wel verstandig was er met Edward en Jesse heimelijk vandoor te gaan naar mijn Mexicaanse dorp.

Misschien, dacht ik triest, was ik zwakker dan ik had gedacht. Misschien had ik meer van tante Isabela dan ik had geloofd.

'Waarom kijk je zo somber, Delia?' vroeg Adan onverhoeds.

Snel bracht ik een glimlach tevoorschijn. 'Somber?'

'Je kijkt alsof je je niet happy voelt. Heb je geen plezier?'

'O, jawel!'

'Ik wou dat we nog iets meer konden doen vanavond, maar –'

'O, dit is meer dan voldoende,' zei ik, misschien iets te vlug. Hij lachte.

'Ik neem het graag van je aan,' zei hij. Hij zoende me op mijn wang en werd toen weggehaald om de zoon van een andere politicus gedag te zeggen. Fani kwam weer naar me toe om me te vertellen dat ik zo'n goede indruk had gemaakt op iedereen met wie ik had gesproken.

'Je leert snel, Delia. Je zult enorm succes hebben.'

'Waarmee?'

'Met krijgen wat je wilt,' zei ze, met een glimlachje. 'Net als de rest van ons.'

Met die opmerking liet ze me achter. Maar ik was er niet blij mee. Het klonk alsof Sophia gelijk had. We leken allemaal op elkaar, gebruikten elkaar voor egoïstische doeleinden.

Ik was blij toen tante Isabela zei dat we weggingen. Adan beloofde me de volgende dag te bellen om af te spreken voor een etentje of misschien een simpel hapje en een film.

'Wat je maar wilt,' zei hij, terwijl hij met ons meeliep naar de limousine.

'Delia wil wat jij wilt, Adan, daar ben ik van overtuigd,' zei tante Isabela, die het gehoord had.

Adan glimlachte. 'Bedankt voor uw royale bijdrage aan mijn vaders campagne,' zei hij.

'Er zijn weinig bestemmingen die zo de moeite waard zijn,' antwoordde ze.

Hij zoende me zacht op mijn mond, waarna we in de auto stapten. Hij bleef staan tot we wegreden. Toen ik achteromkeek herinnerde ik me weer Ignacio's gezicht toen ik in Mexico City wegreed in de bus en hij ten afscheid naar me zwaaide.

Alleen leek hij nu veel kleiner en verder weg.

De tranen sprongen in mijn ogen.

'Je hebt het er goed afgebracht, Delia. Ik hoor alleen maar goede dingen over je. Je bent op weg een echte dame te worden. Ik wou alleen dat ik hetzelfde kon zeggen van Sophia,' mompelde tante Isabela en wendde haar hoofd af.

Enkele ogenblikken nadat we bij de *hacienda* waren aangekomen zou ze dat nog intenser wensen. Het aantal auto's dat voor het huis geparkeerd stond was de eerste waarschuwing. Toen we stopten, wachtte tante Isabela niet tot señor Garman haar portier geopend had. Ze sprong naar buiten. Het zwembad lag op een behoorlijke afstand van het huis, maar we konden de luide muziek en het gelach en gegil horen. Sophia was óf vergeten de klok in de gaten te houden, óf ze had besloten weer iets te doen om haar moeder furieus te maken.

'Wat is hier aan de hand, verdomme?' riep tante Isabela uit. Ze holde het huis in, de zitkamer door naar de openslaande deuren en naar buiten, bijna nog voordat ik binnen was. Señora Rosario stond hoofdschuddend aan de kant.

'Ik heb ze weten te beletten señora Dallas' whisky te drinken,' vertelde ze me, 'maar ze hadden hun eigen whisky bij zich, en ook nog andere dingen, geloof ik.'

'Wat is er aan de hand?'

Ik liep door de openslaande deuren naar buiten om te kijken.

Veel van de jongens en een paar meisjes waren in het zwembad gegooid met hun kleren aan of waren er zelf in gesprongen. Tante Isabela's dreigende verschijning maande hen tot stilte. Iemand zette de muziek af. Sophia, die languit op de springplank lag, ging verbaasd rechtop zitten toen ze haar moeder ontdekte. Iedereen klom haastig het zwembad uit. Ik zag dat Christian Taylor zijn schoenen uittrok om het water eruit te gieten voordat hij ze weer aantrok.

'Ik wil dat iedereen over vijf minuten of eerder van mijn landgoed verdwenen is,' zei tante Isabela, 'anders bel ik de politie. Ik weet wie jullie zijn en ik zal ervoor zorgen dat alle ouders op de hoogte worden gesteld.'

Ze staarden haar allemaal aan.

'Eruit!' schreeuwde ze. Haastig pakte iedereen zijn spullen. 'Waag het niet om door mijn huis te lopen. Loop om naar jullie auto's.'

Sophia liet zich domweg van de springplank vallen en zwom naar de andere kant. Christian Taylor hielp haar uit het zwembad en liep toen snel achter de anderen aan, van wie sommigen nog steeds lachten.

'Bedankt dat je me voor gek hebt laten staan, moeder!' schreeuwde Sophia.

'Je bént gek, Sophia,' zei tante Isabela. 'Tot nader order, misschien tot je achttien bent en het huis uit, ga je nergens anders heen dan op en neer naar school. Als je deze keer niet gehoorzaamt, laat ik je weghalen in een dwangbuis,' ging ze verder, met een blik op mij. Toen verdween ze naar binnen.

'Je mag haar hebben als moeder, als dat is wat je wilt,' zei Sophia, die wankelend naar me toekwam.

'Ze is mijn moeder niet. Ze kan nooit mijn moeder zijn. Ze is jouw moeder,' zei ik.

'Ja, nou ja, ik geef haar aan jou, of je het leuk vindt of niet.' Ze sprak met dubbele tong.

Ik zag haar naar het huis lopen, struikelen, en verdergaan.

Morgen zal ze er spijt van hebben, dacht ik, en volgde haar naar binnen. Ver kwam ze niet. Tante Isabela stond vlak bij de openslaande deuren.

'Trek die natte kleren uit. Ik wil niet dat je kletsnat binnenkomt en mijn kleden bederft. Vooruit, doe het!'

Sophia wankelde en begon glimlachend haar kleren uit te trekken. Ze liet alles aan haar voeten vallen. Spiernaakt liep ze zonder enige schaamte naar de trap, bleef even staan om zich om te draaien en naar ons te glimlachen, en liep toen naar boven.

'Ze heeft geen enkel schaamtegevoel,' zei tante Isabela triest. Ze zei tegen señora Rosario dat ze Sophia's kleren op moest ruimen en ging toen naar haar eigen kamer.

Toen ik bij Sophia naar binnen keek, lag ze op haar buik op bed, nog steeds naakt. Ik deed haar deur dicht en ging naar mijn kamer.

Ik had moeite om in slaap te vallen. Ik had het gevoel dat ik in een achtbaan had gezeten. Het einde van de avond met die afgrijselijke scène in de *hacienda* droeg nog bij tot mijn verwarring en opwinding. Mijn zenuwen zoemden als tl-buizen. Visioenen van mijn ouders, oma Anabela, Ignacio, mijn klasgenootjes in Mexico, vermengden zich met visioenen van de mensen die ik nu kende. Toen ik eindelijk in slaap viel, kleurde de horizon al met het licht van de ochtendzon. Ik stond pas op toen om twaalf uur de telefoon ging. Het was Adan. Ik zei dat hij me de tijd moest geven om wakker te worden. Hij lachte en zei dat hij het begreep. Ik zei niets over Sophia's wilde feest bij het zwembad.

Sophia, die waarschijnlijk een kater had, kwam de hele dag haar kamer niet uit. Ik zag tante Isabela korte tijd na wat voor mij het ontbijt was. Ze zei dat ze die avond niet thuis zou zijn voor het eten, maar als Sophia ooit nog haar kamer uit kwam, moest ik haar zeggen dat ze vroeg genoeg thuis zou zijn om haar te controleren. Ik werd geacht haar opnieuw te waarschuwen dat het geduld van haar moeder op was en ze bereid was haar naar een speciaal kamp voor niet te handhaven kinderen te sturen. Gelukkig kreeg ik Sophia de hele dag niet te zien. Als ik haar zo'n boodschap moest overbrengen, zou ze me nog meer haten, als dat mogelijk was.

Omdat Sophia een kater had, dacht ik dat dit mijn beste kans was om señora Davila te bezoeken. Adan belde weer en stelde voor vroeg een hapje te gaan eten en dan naar een film te gaan, maar ik dacht dat het te veel spanning zou geven om tijdig terug te zijn van mijn bezoek aan de Davila's. Ik vertelde hem wat tante Isabela en ik hadden aangetroffen in de *hacienda* toen we terugkwamen van de fundraising-avond en wat een vreselijke sfeer er in huis heerste.

'Het is alsof er elk moment een bom kan ontploffen. Ik loop op mijn tenen rond. Door al die herrie ging ik pas heel laat naar bed en had ik de grootste moeite om in slaap te vallen.'

'Ik kan het me voorstellen. Ze stuurt op grote moeilijkheden aan,' zei hij, en stelde toen voor samen te gaan dineren. 'Je moet er even tussenuit, Delia.'

Hij beloofde dat het een rustige avond zou zijn. Ik gaf toe, om een eind te maken aan het gesprek, en ging op weg voordat Sophia beneden kon komen. Ik had gehoopt Santos thuis te vinden en met hem te kunnen praten, maar hij was ergens heen met zijn vader.

Señora Davila was blij me te zien en dolgelukkig dat ik echt naar Mexico ging en Ignacio zou zien.

'Hij heeft dit briefje teruggestuurd, om je te vertellen waar je hem in je dorp kunt ontmoeten. Ik zou erg graag willen dat je hem dit geeft,' zei ze en overhandigde me een kruis aan een ketting. In het midden van het kruis zat een klein diamantje. 'Het is van mijn grootmoeder geweest, van mijn moeder, en van mij. Ik wil dat Ignacio het heeft, zodat hij weer hoop krijgt.'

Ik beloofde haar dat ik het hem zou geven. Ze gaf me ook een brief die ze had geschreven.

'Liever dan hem die langs de gebruikelijke weg te sturen, zou ik graag willen dat jij hem die persoonlijk overhandigt. Mijn man maakt zich ongerust over het versturen van je brieven aan hem.'

'Ik begrijp het.'

'Ik ben niet zo'n goede briefschrijfster. Mijn schrijftalent is heel matig, maar er zijn dingen die je soms beter op deze manier kunt zeggen. En de brief kan hij bewaren, de woorden vasthouden en ze lezen wanneer hij maar wil.'

'*Sí, señora*. Ik zal ze hem zelf geven.'

'*Gracias*. Wees voorzichtig, Delia.'

Ze omhelsde me en ik ging weg, me afvragend of ik iets tegen haar moest zeggen over het gesprek van Santos met Sophia. Maar ik dacht dat het haar toch al grote zorgen nog erger zou maken, en besloot mijn mond te houden. Ik kon me trouwens toch niet voorstellen dat Sophia hier nog zou komen, nu ze huisarrest had.

Ze was nog steeds in haar kamer toen ik thuiskwam. De deur bleef dicht en ik nam niet de moeite om haar te controleren. Ik nam een douche, deed mijn haar en kleedde me aan voor mijn etentje met Adan. Tante Isabela belde me om te vragen wat Adan en ik gingen doen. Ze klonk bezorgd dat ik misschien geweigerd zou hebben met hem uit te gaan.

'Het is een opwindende tijd voor ons allebei,' zei ze. De manier waarop ze mij betrok bij haar enthousiasme verraste me, maar verontrustte me ook. Het leek bijna of Sophia was gestorven en ik werkelijk haar plaats had ingenomen.

Ondanks mijn angst dat ik slecht gezelschap zou zijn en Adans avond zou bederven, begon ik me algauw te ontspannen. Hij was heel vrolijk, misschien om mijn sombere stemming te overwinnen. Hij praatte optimistisch over de toekomst, zijn business, de eventuele verkiezing van zijn vader, feesten die we zouden bijwonen, nog meer boottochtjes, en over dagen en weken van toekomstige activiteiten, alsof we al verloofd of zelfs getrouwd waren.

'Straks heb je je diploma van de middelbare school en ben je dat huis uit en weg van alle spanningen en problemen.'

Hij had gereserveerd in een voornaam Frans restaurant, en ik vond het goed dat hij voor ons beiden bestelde. Hij verbaasde me met zijn beheersing van het Frans en zijn kennis van het menu, de sauzen en zelfs de bereiding van de gerechten. Ik moest weer denken aan zijn reizen door Europa, en besefte hoe groot de kloof tussen ons feitelijk was. Ondanks alles wat tante Isabela had gedaan om me voor te bereiden op het leven in deze kringen en ondanks de vorderingen in mijn ontwikkeling, was ik nog steeds een vreemde in een vreemd land. Maar Adan scheen het niet te deren. Integendeel, hij vond het leuk om voor mijn leraar te spelen en me te vertellen over dingen die ik nog nooit had gezien.

'Ik wil al die dingen samen met jou nog eens doen, weer naar al die plaatsen gaan,' zei hij.

'Hoe kun je zo zeker zijn van ons, van mij, Adan?' vroeg ik voordat we klaar waren met eten. Ik had lang gewacht met het te vragen. 'Zo lang kennen we elkaar toch nog niet.'

Hij glimlachte, dacht even na en zei toen: 'Door het gevoel dat je me geeft, hoe ik me voel als ik bij jou ben, en ik bedoel niet alleen omdat ik een mooie jonge vrouw aan de arm heb. Sommige mannen beschouwen hun vrouw als een mooi sieraad, maar voor mij, met jou samen zijn... dat is anders.'

'Hoe anders?' vroeg ik verder. Ik wilde weten wat het was dat hij zo intens voelde.

Hij glimlachte weer. 'Dat vind ik prettig,' zei hij. 'Ik vind het prettig dat je maakt dat ik serieus bij mezelf te rade moet gaan om het antwoord te vinden.'

'En wat is dat antwoord, Adan?'

Hij dacht weer na voordat hij sprak. 'Jij maakt me ervan bewust wat het betekent om familie te hebben. Ik heb dat niet meer gevoeld sinds mijn moeder overleden is, ook al doet mijn vader erg zijn best.'

Hij had niets kunnen zeggen dat hem me dierbaarder maakte, maar hij had ook niets kunnen zeggen dat me meer tot nadenken stemde.

Familie was wat Ignacio had verloren en wat ik gehoopt had hem terug te kunnen geven.

Familie was wat ik had verloren en wat ik gehoopt had terug te krijgen als ik samen met Ignacio was.

Uiteindelijk willen rijken en armen hetzelfde, dacht ik. We hunkerden allemaal naar dezelfde ware liefde, hetzelfde gevoel van ergens thuis horen, naar dezelfde troost die je putte uit trouw en toewijding. Dat was met geld niet te koop, en het was ook niet iets dat het toeval kon bewerkstelligen. Je moest een oprecht hart hebben dat je bereid was open te stellen voor een ander, voor iemand die je je ziel toevertrouwde.

'Adan,' begon ik.

'Nee, nee, verontschuldig je niet. Ik ben blij dat we een ernstig gesprek hadden, Delia. Als je terugkomt uit Mexico, wil ik het voortzetten.'

Mijn hart begon te bonzen. Ik had hem niet verteld dat tante Isabela die reis verboden had. Blijkbaar had ze het hem ook niet verteld, of er iets over gezegd tegen zijn vader.

Ik glimlachte. Misschien was het bedrieglijk hem hoop te geven, mijzelf die hoop te geven feitelijk, maar ik was te laf om iets te zeggen of te doen dat het zou kunnen veranderen. Ik hield zijn hand net zo stevig vast als hij die van mij.

Maar de achterkant van mijn hals gloeide. Achter me, in de schaduw, voelde ik het boze oog opengaan.

16

Ontsnapping

Huiswerk, het studeren voor examens vóór onze vakantie, hielden me de komende tien dagen bezig. Adan had het ook drukker, want de campagne van zijn vader kwam in een hoger tempo. Hij reisde de hele staat door met zijn vader en moest tegelijkertijd zijn eigen zaken behartigen. Edward en Jesse kwamen weer op bezoek en gingen uitvoerig in op onze reis die nu onze geheime ontsnapping was geworden. Sophia hing om ons heen, als een soort buizerd wachtend op iets, een fout, een opening die haar de kans zou geven een van ons plotseling aan te vallen, maar we waren allemaal op onze hoede. Tante Isabela's woede op de avond van Sophia's zwemfeest minderde niet veel naarmate de tijd verstreek. Ze weigerde haar nog steeds elk privilege en belette haar na school of in de weekends haar vriendinnen te zien. Het maakte haar zuur en chagrijnig, maar tante Isabela leek vastbesloten haar dit keer te temmen. Ze bleef haar herinneren aan het alternatief.

'Wees nog één keer ongehoorzaam, Sophia, en je bent hier weg. Ik maak geen gekheid. De inleidende stappen zijn al gedaan. Je weet dat ik hooggeplaatste vrienden heb bij de rechterlijke macht die je goed onderhanden kunnen nemen.'

Sophia wist maar al te goed wat er gebeurd was met die jongen, Philip Deutch. Hij was een soort legende op onze school, die door meer dan één ouder van tijd tot tijd gebruikt werd om een kind mee te dreigen. Het was zoiets of ze zeiden dat de boze heks ze mee zou nemen. Hij doemde bij hen op als toonbeeld van een straf die zo streng was dat het sommige leerlingen nachtmerries bezorgde, onder wie, denk ik, Sophia. Tante Isabela herinnerde haar eraan dat ze al voor de jeugdrechter was verschenen. Ze had een zogenaamd strafblad en was een goede kandidaat voor strengere straffen.

Ze kromp ineen en deinsde terug, maar als een in de hoek gedreven rat wachtte ze geduldig op haar kans. In die tien dagen was ze niet onaangenaam tegen me, maar haar vriendelijkheid en soms overdreven lieve gedrag deden me nog meer op mijn hoede zijn. En altijd was Fani er, die als een mantra mijn geheugen bleef opfrissen, me waarschuwde.

Omdat ik geen woord meer had gezegd over Mexico, kwam tante Isabela niet meer op het onderwerp terug. Edward en Jesse wisten voortreffelijk de schijn op te houden dat we het idee hadden laten varen. Als ze thuis waren, praatten ze over hun universitaire activiteiten, hun colleges en plannen voor andere reizen. Ik vond Edward vriendelijker dan ooit tegen zijn moeder, terwijl hij achter haar rug naar me knipoogde. Ik voelde me een bedriegster, maar ik had geen andere keus. Ik droeg het kruis en de brief van señora Davila vlak bij mijn hart. Ik droomde ervan dat ik beide aan Ignacio zou overhandigen als ik hem eindelijk weer zou zien. Elke avond las ik zijn briefje waarin hij de *cantina* beschreef waar we elkaar zouden ontmoeten. Ik memoreerde elke letter in elk woord, zelfs de manier waarop hij ze vormde met de gebogen lijnen in de S en de enigszins schuinlopende streepjes door de T.

Ik zat zelfs te beven op de laatste schooldag voor de vakantie. Iedereen was opgewonden en enthousiast over de komende vrije tijd. De meesten gingen ergens heen met hun ouders. Tante Isabela opperde dat idee zelfs niet. Ze was nu nog meer betrokken bij señor Bovio's campagne en was met hem aanwezig op een aantal bijeenkomsten en feestelijkheden. Ze was van plan er nog meer bij te wonen. Adan geloofde nog steeds dat ik met mijn neef en zijn vriend naar Mexico ging met goedkeuring van mijn tante. Hij sprak niet over afspraken of diners tijdens de vakantie, en ik had de indruk dat hij het zo druk had met nieuwe verantwoordelijkheden, dat hij zelfs dankbaar was dat ik er in die tijd niet zou zijn.

Gelukkig werd tante Isabela zo afgeleid door de voorbereidingen voor een cocktailparty dat ze niet merkte hoe zenuwachtig ik was. Sophia keek me tijdens het eten achterdochtig aan omdat ik bijna geen hap naar binnen kon krijgen. Ik vertelde haar dat ik me niet lekker voelde omdat ik net ongesteld was geworden. Ze accepteerde dat excuus onmiddellijk. Als Sophia ongesteld was, gedroeg ze zich alsof de wereld verging. Ze kermde en jammerde over haar krampen en pijn, en maakte het personeel het leven onmogelijk. Tante Isabela vond het vreselijk er iets over te horen.

Na het eten pakte ik een kleine tas met wat noodzakelijke spullen. Het plan was dat ik om drie uur 's nachts weg zou sluipen en naar de hoofdweg zou lopen, waar Edward en Jesse op me zouden wachten. Dan zouden we naar de luchthaven in San Diego rijden, waar ze een rechtstreekse vlucht naar Mexico hadden geboekt. Ze hadden een huurauto gereserveerd, en Jesse had de route uitgewerkt. We zouden vóór het donker in mijn dorp zijn en onze intrek nemen in het kleine hotel.

Alsof ze voelde dat er iets stond te gebeuren, kwam Sophia twee keer bij me binnen. Gelukkig lag ik beide keren in bed. Ik had wel niet de hoofdpijn en de krampen die ik haar had beschreven, maar ik was zo gespannen dat het me beter leek om stil te blijven liggen tot het uur van vertrek. Het feit dat ik in bed lag stelde haar teleur en verveelde haar.

'Komen Edward en Jesse tenminste nog hierheen?' vroeg ze.

'Ik denk het niet,' zei ik. 'Ik geloof dat ze een trektocht gaan maken met vrienden.'

Ze grijnsde sceptisch. 'Mijn moeder weet niets van een trektocht.'

'Misschien weet ze het wel en heeft ze het gewoon niet gezegd,' merkte ik zo achteloos mogelijk op. 'Misschien vindt ze dat het jou of mij niets aangaat.'

'Ik geloof je niet,' zei ze ten slotte. 'Je hebt te goed leren liegen.'

Ik keek haar aan en schudde mijn hoofd. Ze ging weg, en toen ze een tweede keer terugkwam hield ik me slapend. Maar ze liet de deur van haar kamer wijd openstaan. Ik twijfelde er niet aan of ze zou de hele avond en nacht mijn deur in de gaten houden. Ik hoopte dat ze verveeld zou raken en in slaap zou vallen. Ik deed mijn deur net ver genoeg open om erdoor te kunnen glippen. Ik bewoog me zo stil mogelijk. Sophia's lamp brandde, maar ik kon ook het flikkerende licht van de televisie zien. Ik was dankbaar voor het dikke tapijt op de trap. Blootsvoets sloop ik zachtjes de trap af naar de voordeur. Ik deed die pas open toen ik heel zeker wist dat er niemand in de buurt was. Toen opende ik hem op een kier en gleed als een zucht naar buiten.

Mijn hart bonsde zo hard dat ik bang was dat ik flauw zou vallen en in de ochtend gevonden zou worden bij de ingang. Lopend over de oprijlaan bleef ik zoveel mogelijk in de schaduw. Toen ik bij het hek was, opende Edward het met de afstandsbediening in zijn auto. Jesse hield het achterportier voor me open, en zonder iets te zeggen stapte ik in. Niemand van ons zei trouwens iets voordat het landgoed een eind achter ons lag.

'Iemand achterdochtig?' vroeg Edward.

'Sophia. Ze bleef maar vragen stellen. Ze vroeg ook naar jullie.'

'Logisch. Ze is zelf zo stiekem dat ze een goeie neus heeft voor alles wat stiekem is,' zei Edward. 'Maar je weet zeker dat niemand je heeft zien vertrekken?'

'Ja. Heel zeker.'

'Goed. Dan zijn we op weg. We hebben de eerste ochtendvlucht. Tegen de tijd dat ze beseft dat je weg bent, zijn we al halverwege Mexico City.'

'Ze zal me haten,' zei ik.

'En hoe!' vulde Jesse aan.

Edward knikte. 'Ze zal een tijdje woedend zijn, maar zoals ik al zei, mijn moeder hangt niet graag de vuile was buiten, vooral nu niet. Ze zal razen en tieren en het dan vergeten. Ze zal proberen het je te doen berouwen dat ze met twee onberaden tienermeiden te kampen heeft. Geloof me, ze zal het slachtoffer uithangen.'

'Maar toch, stel het niet te mooi voor, Edward. Isabela Dallas zal ons niet met fluwelen handschoenen aanpakken,' zei Jesse.

'Het zal veel geschreeuw en weinig wol zijn,' hield Edward vol en keek verwijtend naar Jesse. 'Maak je geen zorgen, Delia. Geniet van de reis en begin maar vast te denken aan alle plekjes en dingen die je ons wilt laten zien. Ga voorlopig maar liggen en probeer wat te slapen.'

'Sí,' zei ik en ging languit op de achterbank liggen. Ik deed mijn ogen dicht, niet beseffend hoe moe ik was van alle spanning. Even later sliep ik. Ik werd wakker toen ik Jesse hoorde zeggen dat we het parkeerterrein van de luchthaven naderden.

'Vanaf hier nemen we de shuttlebus,' zei hij toen ik rechtop ging zitten en de slaap uit mijn ogen wreef.

Toen we hadden geparkeerd en op de shuttle wachtten, had ik het gevoel dat we drie schaduwen waren geworden. Zij waren ook moe. Niemand zei iets. Ten slotte kwam de bus en reden we naar de terminal. Edward gaf me mijn vliegticket en we checkten in. Lang hoefden we niet te wachten op het boarden, maar op de stoel bij de gate viel ik bijna weer in slaap.

Toen we in het vliegtuig op onze stoelen gingen zitten, rilde ik van angst. We waren echt op weg. We konden niet meer terug. Edward drukte zachtjes mijn hand om me gerust te stellen. Ik geloofde niet dat ik mijn ongerustheid goed wist te verbergen. Ik bleef naar de deur van het vliegtuig kijken; ik verwachtte dat er elk moment politiemensen aan boord zouden komen om ons drieën geboeid weg te voeren. Maar de deur ging dicht en de piloot richtte zich tot de passagiers. Het toestel reed naar de startbaan. Ik klemde de armleuningen vast en sloot mijn ogen toen het vliegtuig opsteeg. Ik probeerde me te concentreren op beelden van Ignacio.

'Ga nog even slapen,' fluisterde Edward en sloot zelf zijn ogen. Jesse sliep al. Ik knikte en deed wat hij zei.

Ik sliep tot er werd omgeroepen dat de daling werd ingezet naar het vliegveld in Mexico City. Ik kon nog net naar het toilet, bette mijn gezicht met koud water en keerde terug naar mijn plaats. Ik zag de opwinding in het gezicht van Edward en Jesse.

'Welkom in Mexico,' zei Edward schertsend toen de wielen de grond raakten.

Haastig verlieten we het vliegtuig toen de deuren opengingen. Net als ik hadden ze alleen een kleine reistas bij zich, dus hoefden we niet naar de bagageband. We gingen meteen naar de balie van de autoverhuur, waar Edward en Jesse de papieren invulden. Weer een shuttlebus bracht ons naar de plek waar onze huurauto stond. Ze hadden een grote SUV gehuurd.

Het was een beetje mistig toen we wegreden van de luchthaven, maar op weg naar het westen klaarde de lucht op. *Campesinos* liepen aan de kant van de weg naar hun werk op de grote boerderijen, vrouwen en kinderen liepen mee, sommigen met een ezel, sommigen met een kleine kar met groenten die ze op de markt wilden verkopen. We reden langs *cantinas*, markten en dorpen met een plein vóór de kerk, net als in mijn dorp. Het voerde me terug in de tijd tot ik het gevoel had dat ik nooit was weggeweest. Er waren maar een paar minuten nodig om me te doen beseffen hoeveel ik van mijn land hield en, ondanks alle ontberingen, van mijn leven met mijn familie in ons arme dorp. Ik kwam ogen tekort, en ze werden algauw vochtig van de tranen.

Edward en Jesse wilden van alles weten.

'Wat is precies een *campesino?*' vroeg Jesse.

'Plattelandsmensen die een klein stukje grond hebben maar niet genoeg om zichzelf en hun gezin in leven te houden. Ze moeten op de grote boerderijen werken, maar zijn toch trots op hun bezit,' voegde ik er snel aan toe, 'ook al zouden ze in Amerika lachen om wat ze bezitten.'

'Ik denk dat het bezit van een auto hier iets bijzonders is,' merkte Edward op.

'Het is meestal niet ver van hun werk en hun *casas*. In het dorp vinden ze hun ontspanning, hun godsdienst, hun school.'

Kleine kinderen zwaaiden naar ons toen we langsreden, en Jesse zwaaide terug.

'Ze kijken verbaasd als ze ons zien. Er komen hier kennelijk niet veel toeristen, hè?' vroeg Edward.

'Nee. Op sommige plaatsen spreken ze zelfs überhaupt geen Engels.'

'Het is nooit helemaal tot me doorgedrongen wat een enorme veranderingen er in je leven hebben plaatsgegrepen,' zei hij.

'Sí.' Ik kon de droeve klank in mijn stem niet onderdrukken.

'Je hebt het voortreffelijk gedaan, Delia,' zei Jesse. 'Je hoort trots te zijn op jezelf.'

Ik glimlachte naar hem. '*Gracias*.'

Iedereen had honger, dus stopten we bij een *cantina* langs de weg en aten een paar zachte taco's en bonen. Ze dronken allebei een flesje Mexicaans bier, en toen reden we weer verder. Het tempo vertraagde toen de wegen smaller werden en bestonden uit gebroken macadam, gravel en hier en daar modder. Edward was blij dat ze besloten hadden een SUV te huren en niet een of andere chique auto. De nieuwe wegen waren zonder enige regelmaat aangelegd. Soms reden we kilometers over goede wegen en dan kwamen we weer op de oude kapotte route.

Eindelijk begon ik de omgeving van mijn dorp te herkennen. Ik ging rechtop zitten met hernieuwde energie en enthousiasme. Ik kwam thuis... en zelfs al leefden mijn ouders en oma niet meer, toch verheugde ik me erop naar onze *casa* te gaan en door dezelfde straten te wandelen. Natuurlijk zou ik zo gauw mogelijk naar het kerkhof gaan.

'Is het hier?' vroeg Edward toen we dichterbij kwamen.

'*Sí. Es todo*. Dit is alles,' zei ik glimlachend.

Jesse draaide zich naar me om. 'Grappig dat je prompt in Spaans vervalt,' zei hij. 'Je bent echt thuisgekomen.'

'Sí, Jesse. *Estoy en casa otra vez*. Ik ben weer thuis.'

Ik vertelde hun waar het Hotel Los Jardines Hermosos was. Toen we er in de buurt kwamen reden we langs de *menudo*-zaak van señora Rubio en ik moest glimlachen bij de gedachte dat ik bijna met haar zoon was getrouwd. Ignacio had me gered en nu kwam ik terug in de hoop hem te redden.

'Dit is ons dorpsplein,' zei ik toen we er heen reden. 'De hele avond is er muziek en eten. Je zult het vanavond zien. Daar is onze kerk.'

'Dat is nogal duidelijk,' zei Jesse lachend.

'Plaag haar niet,' zei Edward, knipoogde toen en voegde eraan toe, 'te veel.'

Ze lachten allebei naar me.

'Ik wil het huis zien waarin mijn moeder heeft gewoond. Ik heb een camera meegebracht,' zei Edward. 'Ik ben van plan de foto te laten vergroten tot posterformaat en aan de muur in de zitkamer te hangen.'

'Ze vermoordt je,' zei Jesse. Edward keek hem met een ondeugende glimlach aan.

Toen ze het hotel zagen, begonnen ze weer te lachen.
'En jij moest zo nodig reserveren,' bracht Edward hem in herinnering.
'Stop alsjeblieft, Edward,' riep ik.
'Wat is er?' vroeg hij terwijl hij stopte.
'Die twee vrouwen die naar ons kijken. Dat zijn de gezusters Paz, vriendinnen van oma Anabela.'
Ik draaide het raampje open en zwaaide naar hen. Ze staarden me even verbaasd aan en legden toen tegelijk hun hand op hun hart.
'Delia?' zei señora Paz, die langzaam naar ons toekwam.
'Sí, *cómo está*, señora Paz?'
'Mi *dios*,' zei haar zuster Margarita. '*Es Delia*.'
Ze keken naar me alsof ik een geest was.
'Je bent nu een volwassen vrouw,' merkte señora Paz op.
Ik stelde Edward en Jesse aan hen voor en legde uit dat we hier met vakantie waren. Ik wist dat ze een hoop vragen hadden, dus beloofde ik bij hen op bezoek te komen.
'Ben jij een volwassen vrouw?' vroeg Edward plagend.
'Ze hebben me alleen als jong meisje gekend. Ze hebben me geholpen toen ik...' Ik zweeg.
'Was weggelopen?' vroeg Edward.
'Sí.'
'Maar, net als Batman en Robin, kwamen wij je te hulp,' zei Edward schertsend.
'Je moeder noemt jullie de Lone Ranger en Tonto.'
Ze lachten en we stopten voor het hotel. De eigenaars, señor Agular en zijn vrouw, Teresa, herkenden me natuurlijk, en net als de gezusters Paz zeiden ze dat ik er zo volwassen uitzag. Ze gaven ons de twee beste kamers van de zes, beide met uitzicht op de hoofdstraat. Geen van de kamers had een badkamer, maar er waren er twee in de gang, en op het ogenblik, zoals meestal, waren er geen andere gasten in het hotel. Ze leefden voornamelijk van de kleine *cantina*. De prijs van de kamers in Amerikaanse dollars deed Edward en Jesse glimlachen, vooral toen ze hoorden dat het ontbijt erbij inbegrepen was.

'Drie lattes bij Starbucks kosten meer,' zei Jesse. 'Misschien zouden we er eens over moeten denken hier wat onroerend goed aan te schaffen.'

Ze lachten nu om alles, en zelfs al had ik dat verwacht, toch ergerde het me een beetje.

'Dit is geen Palm Springs,' zei ik, 'maar je zult de mensen niet minder vriendelijk vinden.'

'Ze heeft gelijk,' zei Edward. 'Bovendien kom ik ook hiervandaan. Laten we meteen naar het huis gaan, Delia.'

Snel installeerden we ons in onze kamers en gingen toen naar buiten.

'Waar is de school?' vroeg Jesse.

'Daar,' zei ik, achter ons wijzend. 'We kunnen er later naartoe, als je wilt.'

Toen we op het dorpsplein kwamen, vertelde ik dat ik als kind geloofde dat de gebeden in de kerk door de torenspits rechtstreeks omhooggingen naar Gods oren.

'Misschien is dat wel waar,' zei Edward.

'Zie je wat die jongen eet?' vroeg ik, knikkend naar een kleine jongen die genoot van een in chocolade gedoopte *churro*. 'Het is gewoon in chocola gedoopt gebakken deeg, maar het is verrukkelijk. Jullie zullen er een moeten eten voor we weggaan.'

We liepen langs de *menudo*-zaak, en ik zag señora Rubio's zoon, Pascual, bezig met een klant. Hij was nog dikker geworden. Ik kon me nu moeilijk voorstellen dat ik bijna met hem getrouwd was. Edward en Jesse merkten niet dat ik omkeek en mijn hoofd schudde. Ze bekeken alles alsof ze rondwandelden in Disneyland.

We liepen door de ongeplaveide straat naar de *casa* van mijn familie. Er was nog steeds geen gazon of zelfs maar wat gras voor het huis te bekennen, niet meer dan wat struikgewas, grassprieten, stenen en de restanten van de verbleekte roze-met-witte fontein, waar geen water meer uit kwam, behalve als het hard regende. We hadden hem niet verkocht of weggehaald, omdat hij een engel had in de top en oma Anabela geloofde dat als je een replica had van een engel in of rond je huis, de echte engelen langs zouden komen en je zegenen.

'Hier is het, Edward,' zei ik.

Hij en Jesse bleven staan en staarden een tijdje naar het kleine huis, voordat Edward zijn camera tevoorschijn haalde.

'Ik kan me niet voorstellen dat Isabela Dallas hier gewoond heeft,' mompelde Jesse. 'Eigenlijk ook niet dat jij hier woonde, Delia.'

'Toch is het zo, Jesse, en ik vond niet dat ik het zo slecht had. Deze *casa* is een van de mooiste in het dorp. Mijn oma en ik hadden onze eigen slaapkamer.'

'Je bent een opmerkelijk meisje,' zei hij.

Edward was het met hem eens, nam nog een paar foto's en stelde toen voor, in verband met de tijd en de hitte, om terug te keren naar het hotel en de *cantina*, en wat *cerveza* te drinken.

'Ik wil vanavond naar het dorpsplein om de muziek te horen en de mensen te zien, de handwerkslieden, alles. En we moeten ook wat shoppen en een paar mooie cadeaus kopen voor Sophia en mijn moeder.'

Al die tijd probeerde ik een manier te bedenken om bij hen weg te komen, zodat ik Ignacio kon ontmoeten in de *cantina*, iets ten noorden van het dorp. Ik dacht dat ik met het excuus kon komen dat ik een paar oude vriendinnen wilde bezoeken. Ik zou zeggen dat ze zich toch maar zouden vervelen, en ik dus beter alleen kon gaan, waarna we elkaar weer zouden ontmoeten op het dorpsplein.

Ik wachtte tot het donker begon te worden en ze ontspannen waren door het bier. Geen van beiden had bezwaar. Edward zei dat ik alle vrijheid had om te doen wat ik wilde.

'Ik weet dat je graag alleen naar het kerkhof gaat, Delia. Maak je geen zorgen over ons. Wij amuseren ons kostelijk.'

Ik ging naar mijn kamer en trok de jurk aan die ik had meegenomen voor mijn ontmoeting met Ignacio. Nu ik hem echt over een uur zou zien, beefde ik van opwinding en zenuwen. Zou hij me veranderd vinden? Zou ik hem teleurstellen in plaats van gelukkig maken? Zou ons weerzien triest zijn of fantastisch? Had ik er goed aan gedaan om hier te komen of had ik moeten wachten tot hij terugkwam?

Ik klopte op de deur van Edward en Jesses kamer en zei dat ik ze later op het plein zou zien.

'Als jullie honger krijgen, wacht dan niet op mij,' zei ik.

'We wachten op je,' zei Edward vastbesloten. 'We hebben ons rond gegeten aan de chips en salsa en wat *empanadas* in de *cantina* van het hotel.'

'Oké,' zei ik. 'Tot straks.'

Ik ging haastig weg. Het zou een lange wandeling zijn, en ik zou langs het kerkhof komen. Ik besloot daar op de terugweg heen te gaan.

Onder het lopen zag ik sommige vriendinnen en een paar jongens die ik gekend had, maar ik ging niet naar ze toe. Ik wilde niet dat mijn weerzien met Ignacio door iets werd uitgesteld. Het tasje met het kruis dat zijn moeder me voor hem had gegeven, en haar brief, hield ik stevig vast.

Toen de *cantina* in zicht kwam, begon mijn hart weer te bonzen. Mijn benen leken van elastiek en mijn maag draaide rond. Ik zag een paar trucks en een paar auto's maar geen Ignacio. Als hij eens niet had kunnen komen? Hoe moest ik dat weten? Hoe zou hij me bericht kunnen sturen? Hoe lang kon ik wachten? Waarom stond hij niet buiten op de uitkijk?

Toen ik dichterbij kwam, zag ik mannen en vrouwen en een paar kinderen die buiten voor de *cantina* zaten te eten, maar Ignacio zag ik niet. Mijn hart zonk in mijn schoenen. Ik was helemaal hierheen gekomen om te worden teleurgesteld, en ik zou het kruis en de brief van zijn moeder weer mee terug moeten nemen. Ik keek naar binnen, maar ik zag hem nog steeds niet. Een tijdje bleef ik voor de ingang staan en tuurde in beide richtingen de straat af. Niemand leek ook maar enigszins op hem.

Plotseling voelde ik dat iemand mijn middel aanraakte. Ik draaide me om en keek in zijn lachende gezicht.

'Ignacio!' riep ik uit. 'Waar was je?'

'Ik zat achterin naar je te kijken.'

We staarden elkaar even aan en toen omhelsde hij me.

'Je bent mooier dan ik me herinner,' zei hij. 'Het leven in Amerika heeft je goed gedaan.'

'En jij ziet er ouder uit, volwassener.'

'Je groeit óf sneller op, óf je gaat dood als je de wanhoop nabij bent,' zei hij.

'Ik heb dit voor je meegebracht van je moeder,' zei ik voor ik het vergat, en overhandigde hem het kruis en de brief.

Hij bekeek het kruis en schudde zijn hoofd. 'Ze bewaarde dit voor mijn huwelijk.'

'Ze denkt dat je het nu nodig hebt,' zei ik. 'Ze vond het erg belangrijk dat ik het voor je meenam, samen met haar brief.'

'Sî. Dus,' begon hij, 'hoe lang...'

Hij zweeg, en de uitdrukking op zijn gezicht veranderde snel in geschoktheid en angst. Ik wilde weten wat hem zo bang had gemaakt en draaide me om. Ik slaakte een zachte kreet. Schijnbaar uit het niets verschenen zes politiemannen. Politieauto's scheurden door de straat.

Ignacio keek me zo beschuldigend aan dat ik geen woord kon uitbrengen. Ik kon alleen maar mijn hoofd schudden.

'Wat heb je hiervoor geruild? Wat geeft je tante je hiervoor?' vroeg hij.

'Nee! Ik heb niets gedaan. Ik –'

Twee agenten renden op hem af en pakten zijn armen.

'Ignacio Davila, je staat onder arrest. Je wordt gezocht wegens moord in de Verenigde Staten.'

'Nee! Dat is niet waar! Het was geen moord!' gilde ik.

Ze duwden me opzij en deden hem de handboeien aan. Het kruis en de brief van zijn moeder vielen op de grond. Niemand bleef staan om ze op te rapen, dus deed ik het. Ik liep hen achterna.

'Ignacio!' schreeuwde ik toen ze hem naar de politieauto's brachten.

Hij draaide zich om en keek naar me met zo'n pijnlijk vertrokken gezicht, dat ik dacht dat mijn hart letterlijk zou breken.

'Dat heb ik niet gedaan! Ik zweer het je, Ignacio! Het kruis en de brief van je moeder.' Ik hield ze omhoog.

'Neem ze mee terug!' riep hij.

Ze duwden hem achter in een politieauto. Ik wilde naar hem toe.

Een politieagent pakte me bij mijn arm.

'Je zult met ons mee moeten,' zei hij. Ik werd naar een andere auto gebracht, maar zonder handboeien. Ik stopte gauw het kruis en de brief in mijn tasje. Ze reden me naar het plaatselijke politiebureau en brachten me naar een klein kamertje, waar twee stoelen en een tafel stonden. Er werd me gezegd dat ik moest wachten. Intussen zocht ik in mijn tas naar een paar papieren zakdoekjes om de tranen van mijn wangen te vegen, en besefte plotseling dat er iets ontbrak.

Waar was het briefje dat Ignacio me via zijn moeder had gestuurd, het briefje dat ik zo vaak had gelezen voor we naar Mexico gingen?

Een kil besef maakte zich van me meester.

Sophia, dacht ik. Sophia had het gevonden, maar geen woord gezegd. Ze had ons weg laten gaan, en had het toen verteld. Waarom had ik het niet gemerkt? Waarom had ik niet gezien dat het weg was? Waarom had ik het niet verscheurd zoals Ignacio's vader alle correspondentie van hem had verscheurd? En dit was het gevolg van mijn nalatigheid.

Ik liet mijn hoofd op mijn armen rusten en huilde.

Ignacio zou me nooit geloven.

Erger nog, zijn ouders misschien ook niet.

Bijna een uur later ging de deur open en Edward en Jesse kwamen binnen met een politieagent. Ze keken me allebei vol ongeloof aan.

'Hij is nog in leven?' zei Edward. 'Al die tijd leefde hij en jij wist het?'

Ik haalde diep adem en knikte.

'En je hebt ons deze reis laten maken alleen om hem te kunnen ontmoeten?'

'Nee, niet alleen –'

'Je hebt ons gebruikt,' zei hij.

'Nee, Edward. Dat mag je niet denken.'

'Wat moeten we anders denken, Delia? Al dat bedrog. Dit is heel, heel ernstig.'

Ik begon te huilen.

'Waarom heb je ons niet vertrouwd met de waarheid, Delia?'

'Ik... ik was bang dat jullie ook moeilijkheden zouden krijgen, Edward, jullie allebei.'

'En wat denk je dat we nu hebben?' Hij knikte naar de agent. 'Ze denken dat we het wisten en dat we je speciaal hiernaartoe hebben gebracht om hem te ontmoeten.'

Ik wist niet wat ik verder nog moest zeggen. Ik staarde naar de grond en huilde.

'En weet je wat nog het ergste is, Delia?' zei Edward.

Ik keek op en schudde mijn hoofd. Wat kon er erger zijn dan dit?

'Het ergste is,' zei hij, 'dat we een beroep op mijn moeder zullen moeten doen om ons te helpen.'

Het was of er een vlag gestreken werd en er werkelijk niets anders op zat dan me over te geven.

17

Overgave

De reis terug leek op een begrafenisstoet. Zelfs in het vliegtuig werden we omgeven door een morbide stilte. Voor we aan boord gingen, probeerde ik Edward en Jesse nog eens uit te leggen waarom ik Ignacio's bestaan voor hen geheim had gehouden, maar ik kon zien dat ze zo gekwetst waren dat mijn woorden als zeepbellen uiteenspatten.

'Laten we er maar niet meer over praten, Delia,' zei Edward, die emotioneel totaal uitgeput leek. Hij zuchtte diep. 'Laten we liever helemaal niet praten.'

Ik deed mijn ogen dicht, slikte mijn tranen in en wachtte tot de afgrijselijke reis ten einde was.

Ik vernam wel een paar dingen van ze. Tante Isabela moest señor Bovio bewegen contact op te nemen met de Mexicaanse ambassadeur om voor ons tussenbeide te komen. Ik kon me niet voorstellen hoe Adan op al het nieuws zou reageren. Ik had gehoord dat de Mexicaanse justitie bereid was mee te werken en Ignacio terug zou sturen om in Amerika berecht te worden. Bradley Whitfields vader had nog veel invloed. Het feit dat Ignacio's dood gefingeerd was en het niet alleen geheim werd gehouden door zijn familie maar ook door vrienden in Mexico en de Verenigde Staten, bleek een te groot obstakel. Niemand kon zoiets verdedigen. We vernamen dat via de lokale kranten en tv- en radiostations, en ook enkele nationale kranten. Alles werd tot in details uit de doeken gedaan.

Het liefst was ik weer weggelopen en zou dat ook hebben gedaan, maar de politie en regeringsambtenaren omringden ons en zorgden ervoor dat we zo gauw mogelijk werden weggestuurd. Niemand wilde me hier, en in Amerika wilde zeker niemand me nu meer. Ik kreeg zelfs de kans niet het graf van mijn ouders en oma te bezoeken. Ik wou dat ik kon verdwijnen, een muur om me heen optrekken en daarachter wegkruipen. Zelfs de doden had ik teleurgesteld.

Maar ondanks de verhalen in kranten en op de tv, wisten tante Isabela en haar invloedrijke vrienden de camera's bij ons vandaan te houden toen we op het vliegveld landden. Señor Garman haalde ons af en bracht ons naar een andere auto zodat we incognito bleven. Binnen enkele minuten waren Edward en ik op weg naar de *hacienda*. Jesses ouders hadden voor hem een andere regeling getroffen. Ze pikten hem zo snel op dat we niet eens afscheid konden nemen. Als ik ooit het gevoel had gehad in een rechtbank te komen met een genadeloze, wrede rechter, dan was het wel toen Edward en ik, beiden met gebogen hoofd als witte vlaggen van overgave, de *hacienda* betraden en met tante Isabela geconfronteerd werden. Ze zat in de fauteuil tegenover de entree en wachtte tot we in de zitkamer waren. Sophia was nergens te bekennen, waar ik tenminste dankbaar voor was.

'Voor je van wal steekt, moeder,' begon Edward, en stak zijn hand op als een verkeersagent, 'vind ik dat je moet weten –'

'Ga op de bank zitten, Edward. Ik weet alles wat ik moet weten,' viel ze hem in de rede. Ze draaide zich om naar mij. 'Zit,' beval ze, naar de grond wijzend alsof ik een hond was.

Edward en ik keken elkaar aan en gingen tegenover elkaar zitten. Tante Isabela drukte haar vingertoppen tegen elkaar en legde haar duimen tegen haar borst alsof ze ging bidden.

'De schade die jullie in deze familie hebben aangericht is onherstelbaar. Als het alleen bedacht en veroorzaakt was door Delia, had ik de mensen onder ogen kunnen komen en zelfs sympathie hebben geoogst. Per slot heb ik mijn best gedaan die derdewereldstumper beschaving bij te brengen, heb haar de beste opleiding en veel meer dan het strikt noodzakelijke gegeven, haar in luxe laten leven, en haar in de hoogste kringen van de society geïntroduceerd. Ik heb haar etiquette geleerd en dacht dat ik haar had veranderd in een elegante jongedame.

'In plaats daarvan,' ging ze verder, terwijl ze haar ogen dichtkneep tot hatelijke, kwade spleetjes, 'heb je alles aangepakt wat ik je heb aangeboden en het vertrapt, erop gespuwd, vernield en mijn reputatie een ernstige klap toegebracht, een reputatie waar ik jaren over heb gedaan om die op te bouwen. Wat ook mijn motief is geweest om je hier te brengen en je uit de onwetendheid en armoede te halen, is mijn verderf geweest. Ja, ik verwijt het mijzelf ook; ik verwijt het me dat ik geloofde een varken te kunnen veranderen in een prinses.'

'Stop, moeder,' zei Edward. 'Zo is het genoeg.'

Ze draaide zich zo langzaam naar hem om dat ik mijn adem inhield.

'Je bent een grotere stommeling dan je zuster en zelfs een grotere teleurstelling voor mij en je vaders nagedachtenis. Je wordt verondersteld een goed stel hersens te hebben, een student met een eervolle vermelding, en je doet mee aan dat bedrog?'

'Hij wist het niet, tante Isabela. Ik zweer het,' zei ik.

'Dan is hij een nog grotere stommeling omdat hij het niet wist, omdat hij in je lieve, valse maniertjes, je huichelarij, trapte. Ik denk dat je meer man bent dan ik dacht, Edward, net zo blind voor vrouwelijke listen en trucjes.'

'Ik ben niet van plan hier te blijven zitten en naar nog meer hiervan te luisteren, moeder. Het is gebeurd; het is achter de rug.'

'Het is alleen maar achter de rug omdat ik er een eind aan heb kunnen maken, idioot.'

Ze leunde achterover en trok haar schouders op, alsof haar ruggengraat plotseling verhard was tot een ijzeren staaf.

'Je hebt gelijk, je blijft hier niet zitten luisteren naar nog meer. Je verdwijnt uit dit huis, stapt in je auto en gaat terug naar je campus. Je komt niet terug vóór het einde van het studiejaar of tot ik je laat weten dat je terug moet komen. Je hebt geen enkel contact meer met je...' Ze draaide zich naar mij om en knikte. 'Je nicht. Ik wil de registratie van de auto die je zo gek was om haar te geven en ik wil dat die auto onmiddellijk verkocht wordt. Ik kan me niet voorstellen waarom je dat nu nog zou doen, maar als ik mocht horen dat je iets voor haar hebt gekocht of gedaan, zal ik ervoor zorgen dat de autoriteiten je gedragingen in Mexico herzien. Dat geldt voor jullie beiden en voor Jesse, speciaal voor Jesse. Is dat duidelijk?'

Edward keek even naar mij en sloeg zijn ogen neer.

'Is dat duidelijk?' herhaalde ze.

'Het is duidelijk,' mompelde hij.

'Ik denk dat je, hoe moet ik hem noemen, vriend?, je vriend Jesse misschien zelfs niet terugkomt op de universiteit.'

Edward keek snel op.

'Zijn ouders zijn misschien minder veerkrachtig. Zijn vader en moeder verkeren beiden in een diepe depressie. We hebben elkaar ontmoet om over jullie beiden te spreken en we zijn het erover eens dat jullie geen goede invloed hebben op elkaar.'

'Jullie hebben niet het recht –'

'We zullen ons beraden over dat recht,' zei ze zelfverzekerd. 'Pak je spullen en verdwijn. Hoe eerder je nu het huis uit bent hoe beter het is voor ons allemaal.'

'Graag,' zei hij en stond op.

'Waar is de registratie van haar auto?'

'In de auto met het kentekenbewijs en de verzekeringspapieren.'

'Je geeft me de sleutels,' zei ze tegen mij, 'zodra we hier klaar zijn. Stop je staart tussen je benen, Edward, en ga.'

Hij keek weer naar mij en liep weg.

'Heb je enig besef van wat je complot met die Mexicaanse familie hen en hun zoon heeft aangedaan? Hij zal nu langer in de gevangenis zitten dan anders het geval zou zijn geweest, en tenzij er een schikking wordt getroffen, kunnen zijn ouders worden berecht wegens belemmering van de rechtsgang. Zij kunnen ook in de gevangenis komen.'

'*Mi dios,*' zei ik.

'Ja, je hebt gelijk dat je de Almachtige om hulp vraagt. Hij is de enige die je die kan geven.'

Ze ging kaarsrecht in haar stoel zitten.

'Ik zal je hier houden tot je oud genoeg bent om op eigen benen te staan, en dan stuur ik je terug de wereld in om voor jezelf te zorgen. Je zult krijgen wat je nodig hebt om te overleven, maar meer niet. Ik laat je weer overplaatsen naar de openbare school. De andere leerlingen op je school zouden je toch doodverklaren. Hun ouders zouden elke omgang met je verbieden en inmiddels zijn alle docenten op de hoogte en ze zouden je zeker met andere ogen bekijken. Ze zouden stuk voor stuk het gevoel hebben dat ze beetgenomen zijn en zo stom waren om te geloven dat je een lieve, onschuldige, heldere ster was, en zich schamen.

'En verwacht niet dat Fani Cordova je op wat voor manier ook zal helpen,' ging ze snel verder. 'Haar ouders zijn al genoeg ontdaan over haar vriendschap met jou. Dus bewijs ik je een gunst door je van die school af te halen.

'Je gaat met de bus en komt weer in het gezelschap verkeren van je eigen ordinaire soort, waar je thuishoort. Je zult als vroeger weer hier in de huishouding moeten helpen. Je zult je onderhoud weer moeten verdienen. Mevrouw Rosario heeft al een lijst gekregen met je taken. Je begint onmiddellijk. Ik zal je toestaan in je kamer te blijven. Op die manier kan ik je beter controleren. Maar de telefoon is weggehaald en ik heb een deel van de kleren, juwelen en cosmetica weggenomen die ik je had gegeven. Je zult die niet meer nodig hebben, omdat ik je verbied dit terrein te verlaten, behalve om naar school te gaan. Hoe minder je in het openbaar wordt gezien, hoe beter het zal zijn voor Sophia en mij en zelfs mijn idiote zoon.

'Heb je nog iets te zeggen?' vroeg ze. Ik voelde me als iemand die op het punt staat gefusilleerd te worden en gevraagd wordt naar haar laatste woorden.

Ik haalde diep adem. Ik wilde zoveel zeggen. Ik wilde haar weer vertellen dat Edward en Jesse onschuldig waren. Ik wilde uitleggen waarom ik Ignacio had geholpen, dat hij in de val was gelopen en hoe zijn ouders hadden geleden, maar ik kon geen spoortje warmte zien in haar ogen. De wraak die ze gewild had en waarin ze eerder misschien was verhinderd, lag nu voor het grijpen, en ze genoot ervan. In haar gedachten had ze over het graf heen mijn moeder verdriet gedaan.

Ik schudde mijn hoofd.

'Goed. Ga naar je kamer, pak de autosleutels en breng ze me nu meteen. Blijf dan uit mijn ogen. Je eet voortaan met het personeel. *Comprende?*'

Ik keek scherp op. Uit haar mond was Spaans een vloek geworden.

'Sí,' zei ik.

'Ik hoop dat je beseft wat een geluk het voor je is dat je mijn nicht bent. Elk ander meisje dat had gedaan wat jij deed zou in de gevangenis komen. Ik denk dat ik wel een bedankje verdien.'

'Dank je, tante Isabela,' zei ik zonder enige emotie.

'Ga en doe wat ik je gezegd heb,' zei ze en draaide zich om.

Ik stond op en liep haastig naar de trap. Edward was in zijn kamer en pakte zijn spullen. Ik bleef even staan bij de open deur, en hij keek me aan met zo'n hulpeloze blik, dat ik mijn lippen op elkaar moest persen om niet in huilen uit te barsten.

Voor ik in mijn kamer was, kwam Sophia uit haar kamer. Het moment dat ik zo gevreesd had was aangebroken. Ze verkneukelde zich, glimlachte, wierp toen het hoofd in de nek en lachte.

'Ik weet dat jij hier achter zit,' zei ik. 'Ik weet dat je het briefje gestolen hebt dat in mijn tas zat.'

'Natuurlijk heb ik dat gedaan, *stupido*. Je vond jezelf zo superieur. Je had iedereen onder controle, mijn broer, mijn moeder, zelfs mij. Nu ben je er niet beter aan toe dan de dag waarop je hier kwam. Je bent maar een arme Mexicaanse. Ik moet je bedanken voor de kans om mijn moeder te laten inzien wie haar echte dochter is en wie niet.'

'O, jij bent de dochter van je moeder,' zei ik. 'Daar heb ik nooit aan getwijfeld.'

'Heb jij dit gedaan?' hoorden we allebei. Ik draaide me om. Edward stond in de deuropening en had ons gesprek gehoord. 'Heb jij al deze moeilijkheden veroorzaakt?' vroeg hij, en deed een stap in haar richting.

'Ik heb ons gered,' beweerde ze.

'Ons gered? Je bent nog verachtelijker dan ik ooit heb gedacht.'

'Kies je nog steeds haar partij? Zelfs na de manier waarop ze je gebruikt heeft?

Hij keek naar mij. 'Dat is iets tussen ons,' zei hij. 'Wat zij heeft gedaan, deed ze voor iemand anders, om anderen te helpen, maar wat jij deed was puur egoïsme en intens gemeen. Je hebt mij en Jesse net zoveel kwaad gedaan als ieder ander. Ik wens je niet langer als mijn zuster te beschouwen. Ik kan me niet voorstellen dat jij met iemand getrouwd zou zijn, maar ik heb medelijden met hem. Ik heb medelijden met al je vrienden en vriendinnen, maar niet met jou, Sophia. Je maakt me kotsmisselijk.' Hij draaide zich om en liep terug naar zijn kamer.

'Loop naar de hel!' schreeuwde ze. 'Het kan me geen donder schelen wat je zegt of doet.'

Ze keek woedend naar mij, liep naar haar kamer en smeet de deur dicht.

Ik pakte mijn autosleutels en holde de trap af. Tante Isabela stond te praten met señora Rosario. Ze keerde zich om, pakte de sleutels en draaide me weer de rug toe. Maar voor ik bij de trap was riep ze me.

'Ga je verkleden,' zei ze. 'Mevrouw Rosario heeft werk voor je. De badkamers moeten schoongemaakt en de vloeren gewreven.'

Ik keek niet achterom en holde de trap op. Edward, met zijn tassen in de hand, kwam uit zijn kamer.

'Haat me alsjeblieft niet, Edward,' zei ik en liep haastig langs hem.

Tijdens de rest van de voorjaarsvakantie besefte ik dat Sophia gelijk had met haar hatelijke voorspelling. Ik was weer terugveranderd in het arme Mexicaanse meisje dat ik was toen ik hier pas aankwam. Weer werkte ik samen met Inez, maakte wc's en wasbakken schoon, wreef vloeren, deed de was, diende het eten op en poetste meubels. Als Sophia me meer werk kon bezorgen, liet ze dat niet na. Ze liet haar spullen slingeren, maakte met opzet dingen vuil, maakte rommel in de kamers. Ik vermeed haar zoveel mogelijk, maar ze vond altijd een manier om bij mij in de buurt rond te hangen en lachend commentaar te leveren.

Ik was dankbaar toen de vakantie voorbij was en ik naar school kon. Ik vond het niet erg om terug te gaan naar de openbare school. De leerlingen en docenten waren daar minder goed op de hoogte van het nieuws over mij, Edward en Jesse dan de leerlingen en docenten op de particuliere school. En Sophia zou er trouwens wel voor zorgen dat het niet vergeten werd. Tante Isabela had gelijk dat ze me terugstuurde naar de openbare school, dacht ik. Het werk was gemakkelijker, maar ik was zo murw geslagen dat ik niet veel meer deed dan ik moest doen. Ik besloot geen nieuwe vriendschappen te sluiten, omdat ik zo beperkt was in mijn bewegingen dat ik toch niet veel met ze zou kunnen ondernemen.

Het nieuws over Ignacio en zijn familie kwam langzaam, druppelsgewijs binnen, maar Sophia wilde me maar al te graag over alles inlichten. Ignacio had een proces vermeden door een schikking te treffen. Maar hij had de zwaarste straf gekregen van alle jongens die erbij betrokken waren: zes jaar. Het was verpletterend nieuws, en die avond lag ik in bed te huilen tot ik in slaap viel. Zijn ouders kregen een ernstige reprimande, maar hun werd niets ten laste gelegd. Gelukkig behield señor Davila al zijn klanten en ging hij niet failliet.

Hoewel tante Isabela señor Bovio van tijd tot tijd nog ontmoette, werden ze in het openbaar niet vaak meer samen gezien. Ik had nog niets gehoord van Adan. Als hij had geprobeerd me te bellen, dan hadden ze me niets gezegd, en hij kwam nooit naar de *hacienda*. Ik vermoedde dat hij en zijn vader over mij gesproken hadden en tot de conclusie waren gekomen dat ik alleen maar een negatieve invloed zou hebben op de campagne. Ik wist zeker dat Adan zich verraden zou voelen door mijn heimelijke rendez-vous met een voormalig vriendje. Per slot had ik het hem evenmin verteld, ook niet dat tante Isabela de reis verboden had.

Jesse keerde wel terug naar de universiteit en naar Edward, maar deed wat hij moest doen om toestemming van zijn ouders te krijgen. Ik wist zeker dat een van de voorwaarden was dat hij niets meer met mij te maken zou hebben.

De dagen leken nu langer te duren. Weken gingen voorbij als maanden. Ik ploeterde verder, en verwaarloosde mijn uiterlijk. Mijn haar was meestal vuil en piekerig. Ik deed zelfs geen lippenstift op. Als een jongen op school ooit in mijn richting keek, draaide ik hem snel mijn rug toe. Vaag verheugde ik me in gedachten op de dag die tante Isabela had genoemd, de dag waarop ik achttien werd en ze me weg zou sturen. Ik had geen idee of ik al dan niet terug zou gaan naar Mexico, maar alleen al het idee eigen baas te zijn, verlost uit deze nieuwe gevangenis, was voldoende om me op de been te houden.

Natuurlijk moest ik voortdurend denken aan Ignacio. Het duurde even voor ik wist in welke gevangenis hij zat, maar toen schreef ik hem een brief en hoopte dat hij me terug zou schrijven. Dat deed hij niet, maar ik schreef hem nog eens en nog eens. Ik wachtte vergeefs op antwoord. Niets wat ik schreef scheen hem te bevallen of voldoende te zijn om me te vergeven. Ik besloot hem niet langer te schrijven. Zelfs al kon ik hem ervan overtuigen dat ik er echt niets mee te maken had gehad, dan zag hij me natuurlijk toch als de oorzaak van alle ellende en het verdriet van zijn ouders.

Ik begon er zelf ook zo over te denken en accepteerde daarom zwijgend alle beledigingen, het extra harde werk en de sleur van mijn leven als een juiste straf. Ik verwelkomde bijna alle gemene dingen die Sophia kon zeggen of doen. Ik merkte dat het afbreuk deed aan haar voldoening. Langzamerhand begon het haar trouwens toch te vervelen en concentreerde ze zich weer op het pret maken met haar vriendinnen. Ze had nu iets waarmee ze dwang kon uitoefenen op haar moeder. Zij was degene die alles aan het licht had gebracht en haar moeder een nog groter schandaal had bespaard. Als tante Isabela probeerde haar te bestraffen of haar vrijheid in enig opzicht te beperken, gooide ze het haar voor de voeten, en haar moeder trok alles terug. Sophia was onberekenbaar en roekeloos als altijd. Ik wist dat haar schoolwerk eronder te lijden had, maar het enige wat haar interesseerde was verveling of somberheid te vermijden.

Het was zo lang geleden dat ik zelf gelukkig was geweest, dat ik haar zelfs begon te benijden. Ik keek naar haar als ze lachend en enthousiast pratend voorbij paradeerde met haar vriendinnen, of in de weekends werd afgehaald om dag en nacht uit te gaan. Ik was werkelijk weer de assepoester die zich niet aan de klok van twaalf had gehouden en in haar oude nederige toestand terugkeerde.

En toen werd ik op een dag, zonder enige waarschuwing of voorbereiding, bij mijn tante geroepen op het moment dat ik begonnen was de keukenvloer te dweilen.

'Laat maar. Inez doet het verder wel. Señora Dallas wil je onmiddellijk spreken,' zei señora Rosario.

Toen ik weg wilde gaan, hield ze me tegen om mijn haar glad te strijken en mijn kleren recht te trekken. In de war gebracht door haar aandacht, liep ik naar de zitkamer, waar Adan Bovio stond met tante Isabela. Hij stond meteen op, knap en elegant als altijd in zijn strakke jeans en zijden turkooizen hemd met korte mouwen. Hij zag er gebruind en uitgerust uit en droeg een zware gouden ketting om zijn hals.

'Hallo, Delia,' zei hij. '*Cómo estás?*'

Ik keek naar tante Isabela. Ze knikte even alsof ze me toestemming gaf om te spreken.

'Oké, Adan. En met jou?'

'Druk als altijd. Maar ik mocht voor een korte vakantie naar Hawaï en ik ben net terug.'

Weer keek ik naar tante Isabela.

'Tenzij er iets op je kleren zit dat de meubels kan bevuilen, kun je gaan zitten, Delia.'

Verbaasd over de uitnodiging, nam ik haastig plaats. Adan ging ook zitten.

'Wil je iets koels drinken, Adan?' vroeg tante Isabela hem.

'Nee, dank u wel, mevrouw Dallas.'

'Ik heb je zeker al twintig keer verteld dat je me Isabela moet noemen, Adan. Je maakt dat ik me oud voel.'

Hij lachte.

Ik keek van de een naar de ander, verbijsterd dat ze zich allebei konden gedragen alsof er niets verschrikkelijks gebeurd was. Waarom was Adan hier, en waarom was tante Isabela zo vriendelijk tegen me?

'Adan heeft me gevraagd of hij je weer mee mag nemen op zijn boot, Delia. Hij wil graag dat je hem aanstaande zaterdag gezelschap houdt. Ik heb hem gezegd dat ik er ernstig over na zou denken, omdat je je goed hebt gedragen en wel wat frisse lucht kunt gebruiken.'

Ik was sprakeloos.

'Je hebt nog de bikini en de kleren voor de boot die ik je heb gegeven,' voegde ze eraan toe.

Ik keek haar aan. Die had ik niet, ze had alles afgepakt, maar ik kon zien dat ze niet wilde dat ik dat zei.

'Sí, tante Isabela.'

'Ja?'

'Ja.'

'Oké dan, Adan. Hoe laat kom je morgenochtend?'

'Ik dacht om een uur of negen, als dat goed is, Delia.'

'Het is goed,' antwoordde tante Isabela voor me. 'Is het een feest, Adan, met wat vrienden van je?'

'Nee, Isabela. Voorlopig dacht ik dat het beter zou zijn als we met z'n tweeën waren.' Hij keek naar mij. 'We hebben een hoop bij te praten.'

'Ja, dat kan ik me voorstellen,' zei tante Isabela.

Adan knikte. 'Goed dan, tot morgenochtend,' zei hij en stond op. 'Leuk je weer gezien te hebben, Isabela.'

'En leuk jou gezien te hebben, Adan,' zei ze. Ze volgde hem naar de deur en nam afscheid van hem. Toen draaide ze zich snel om en kwam terug in de zitkamer.

'Dat is nog eens een man,' zei ze. 'Zie je nou hoe stom je bent? Na de manier waarop je hem behandeld hebt, is hij nog steeds verliefd op je. Als je slim bent en ook maar een klein beetje hersenen hebt, doe je je voordeel ermee. Dit is werkelijk de allerlaatste kans die ik je geef. Als je hem deze keer wegjaagt, verjaag je alles,' besloot ze. 'Ga naar mijn kamer, dan zal ik je de kleren en de bikini geven.'

Ik stond op en volgde haar. Toen ze me de kleren overhandigde, bekeek ze mijn haar en gezicht wat aandachtiger.

'Je kunt voor vandaag ophouden met werken. Doe iets aan je uiterlijk, je haar, je nagels, alles. Het zal waarschijnlijk tot morgenochtend duren voor je jezelf weer presentabel hebt gemaakt. Dat hij dat niet zag, gaat mijn begrip te boven. Mannen zijn blind als het om vrouwen gaat. Kijk maar naar je vader. Vooruit, haast je wat,' beval ze en gebaarde naar de deur.

Snel en volkomen in de war liep ik de deur uit. Wat was de reden dat Adan Bovio terugkwam? Was ik er blij mee of niet? Wat me in ieder geval wél blij maakte was de reactie van Sophia toen ze het hoorde. Ze kwam de trap opgehold naar mijn kamer. Ik had net mijn haar gewassen en de conditioner en lotion gebruikt die tante Isabela me had gegeven en niet had weggenomen. Ik zat mijn haar te drogen en te borstelen toen Sophia binnenstormde.

'Is het waar?'

Ik schakelde de droger uit en draaide me naar haar om. 'Wat?' vroeg ik, en deed net of ik het niet begreep.

'Je weet wel wat. Doe niet zo stupide, Delia. Is Adan Bovio hier geweest en heeft hij je weer op zijn boot gevraagd? Nou?'

'Ik geloof het wel, ja.'

Ze staarde me woedend aan. Ik zag de gedachten door haar hoofd tollen. 'Dat liegbeest van een moeder van me heeft hier iets mee te maken. Ze zit nog steeds achter zijn vader aan. Ik kan het gewoon niet geloven,' zei ze en glimlachte toen. 'Maar je zult ongetwijfeld iets doen om het te verknallen. Aan de andere kant, misschien neemt hij je wel mee de zee op om je te verdrinken. Of misschien heeft mijn moeder hem gevraagd haar een dienst te bewijzen.' Glimlachend liep ze weg.

Dwaas genoeg joeg dat beeld me toch angst aan. Zou Adan kwaad genoeg zijn om zoiets drastisch en afgrijselijks te doen? Ik kon geloven dat tante Isabela ertoe in staat was. Toen schudde ik mijn hoofd naar mijn spiegelbeeld en moest lachen omdat ik zo paranoïde was geworden.

Die avond deed tante Isabela nog iets verrassends. Ze liet Inez een bord bijzetten voor mij om met haar en Sophia aan tafel te eten. Ik kon zien dat Sophia de pest in had, maar tante Isabela gedroeg zich alsof er niet veel was voorgevallen sinds de avond dat ik met hen aan tafel zat voordat ik naar Mexico ging. Haar gesprekken gingen allemaal over sociale gebeurtenissen en de komende politieke evenementen voor señor Bovio. Toen ze over mijn boottochtje begon, werd Sophia zo razend dat ze haar moeder onderbrak om te zeggen dat ze klaar was met eten en naar boven wilde om zich op te knappen voor ze uitging. Ze sprong op voordat tante Isabela kon reageren, maar bij de deur draaide ze zich om met ogen die vuur schoten van woede, en zei: 'Je blijft toch de risee van Palm Springs, moeder, door alles wat je voor haar hebt gedaan, en dit zal er niets aan veranderen.'

Ze holde de trap op voor tante Isabela kon antwoorden. Die scheen trouwens niet te willen antwoorden. Ze glimlachte, schudde haar hoofd en bleef praten over mensen en festiviteiten die haar sociale agenda vulden. Ik luisterde, knikte en glimlachte als ik dacht dat dat van me verlangd werd, maar ik had het gevoel dat ik iemand naar de mond praatte die gek geworden was.

Toen ik naar mijn kamer ging, was Sophia al de deur uit. Ze kwam heel laat thuis en maakte genoeg lawaai om zeker te weten dat ze me wakker had gemaakt. Ik hoorde dat ze mijn deur opendeed, maar ik hield mijn ogen gesloten en deed net of ik sliep. Ze lachte en liep naar mijn bed.

'Ik weet dat je wakker bent,' zei ze. 'Waarschijnlijk kun je niet slapen omdat je zo opgewonden bent over je date met Adan morgen.'

Kreunend draaide ik me naar haar om. 'Wat wil je, Sophia?'

'Niks.'

Ze wankelde een beetje en ik rook de alcohol. Ze dronken nu allemaal een of ander drankje met rum.

'Ga dan slapen en geef de rest van de wereld wat rust,' zei ik en draaide me weer terug.

'Grappig, hoor. Ha-ha. Overigens heb ik wat informatie voor je.'

Ze wachtte, maar ik vroeg niet wat, en bleef met mijn rug naar haar toe liggen, in de hoop haar te ontmoedigen.

'Het gaat over Adan Bovio.'

'O.'

'Toevallig heeft hij al die tijd een serieuze relatie gehad met een ander. Hij heeft haar zelfs meegenomen naar Hawaï. Ze heet Dana Del Ray, en haar vader is de topman van Atlantic Air. Ze wonen in Beverly Hills, en iedereen zegt dat het niet lang meer zal duren voor ze verloofd zijn.'

Ik gaf geen antwoord en keek haar niet aan.

'Ik zou dus maar niet al te veel hoop hebben op je date morgen. Het klinkt alsof hij met je speelt.'

Ik perste mijn lippen op elkaar om een kreet te smoren. Ze liegt, dacht ik. Ze doet gewoon alles wat ze kan om me te kwetsen. Ik hoorde haar giechelen en toen weggaan, maar bij de deur van mijn kamer draaide ze zich om.

'Als je wilt, zal ik je mijn zaaddodende pasta geven. Ik zal je zelfs laten zien hoe je die moet gebruiken. Klop morgenochtend maar op mijn deur. Dat vind ik niet erg.'

Ze lachte weer en ging weg.

Lange tijd bleef ik liggen zonder me te kunnen bewegen. Haar woorden zoemden als wespen rond in mijn hoofd.

Ten slotte viel ik in slaap, maar bijna had ik me verslapen. Ik stond op, nam een douche en kleedde me snel aan. Toen ik mijn deur opendeed om naar beneden te gaan, zag ik een doos met Sophia's zaaddodende pasta op de grond liggen.

Ik pakte hem op en liet hem als een hete aardappel voor haar deur vallen, waarna ik haastig de trap afliep voor koffie en toast en om op Adan te wachten. Mijn maag was in opstand en ik had totaal geen honger. Ik kreeg zelfs het toastje niet naar binnen.

Misschien omdat ik te weinig had geslapen of door de verwarring en opwinding, voelde ik me duizelig. De meeste tijd zat ik met gesloten ogen aan tafel. Tante Isabela kwam me geen gezelschap houden, wat me verbaasde. Toen ik de deurbel hoorde, was ik al bijna van plan weer naar boven en naar bed te gaan. Ik liep naar de voordeur, maar tante Isabela was er eerder dan ik, en ook eerder dan señora Rosario.

'Zo, Adan,' zei ze, 'je bent precies op tijd.'

Hij liep naar binnen en ze keek naar mij.

'En onze lieve Delia ook. Wat willen jullie toch graag bij elkaar zijn... Heel roerend.'

Haar glimlach deed mijn aderen bevriezen.

Het was of de duivel in haar was gekropen en me voortjoeg door de poorten van de hel.

18

Woelige wateren

'Vind je het goed?' vroeg Adan zodra de deur achter ons dicht was. 'Je bent niet boos dat ik gevraagd heb of je meegaat naar de boot?'

'Niet boos maar wel verbaasd.'

Hij knikte en opende het portier van de auto voor me. Ik keek hem even aan voor ik ging zitten.

Toen hij het portier gesloten had, bleef hij even staan en keek achterom naar het huis alsof hij overwoog of hij de afspraak al dan niet door zou zetten. Toen liep hij snel om de auto heen en ging achter het stuur zitten.

Ik wachtte af of hij verder nog iets zou zeggen, maar hij glimlachte slechts naar me en reed weg. Ten slotte, nadat we tante Isabela's landgoed achter ons hadden gelaten, keek hij me aan en vroeg: 'Hoe gaat het nu met je, Delia?'

Ik herinnerde me een vaste uitdrukking van mijn vader als iemand hem dat vroeg, vooral na een harde werkdag op het veld.

'Goed, als ik mijn fooien meetel,' zei ik.

Hij lachte. 'Ik heb je gevoel voor humor gemist.'

Ik kon merken dat hij zorgvuldig nadacht voor hij iets zei, de woorden afwoog die hij wilde gebruiken. Het gaf me een onbehaaglijk gevoel. Het leek wel of we allebei in de rechtbank stonden en ons uiterste best deden niets beledigends te zeggen of iets dat onaangename dingen naar voren kon brengen. Hoe zouden we op deze manier uren met elkaar kunnen doorbrengen, zeker op een boot waar we zo lang alleen zouden zijn?

'Het spijt me dat ik niet eerder ben gekomen,' begon hij. 'Heb je nog contact gehad met je vriend Ignacio Davila?'

'Ik heb geprobeerd hem te schrijven, maar hij geeft geen antwoord.'

'Als je wilt, kun je me vertellen wat er gebeurd is. Het is oké als je er niet over wilt praten,' voegde hij er snel aan toe.

Eerst dacht ik dat ik het niet wilde, maar ik was al zo vaak bij mijzelf te rade gegaan om te trachten te begrijpen hoe deze situatie ontstaan was. Nóg een keer scheen er weinig toe te doen en zou me misschien een inzicht verlenen dat me tot nu toe ontgaan was. En misschien zou hij iets verstandigs te berde kunnen brengen.

Ik ging ver terug in de tijd, naar de eerste dag dat ik in Amerika was aangekomen om mijn intrek te nemen bij mijn tante. Ik beschreef hoe het leven toen was, mijn lessen in de Engels-Spaanse klas en de eenzaamheid in een vreemd land. Ik legde uit hoe Ignacio en ik vrienden waren geworden en hoe heerlijk ik het vond bij zijn familie, hoe het me had geholpen mijn heimwee te overwinnen.

Adan luisterde aandachtig, durfde blijkbaar geen kik te geven, uit angst dat hij mijn betoog zou onderbreken. Maar toen ik mijn tocht door de woestijn beschreef tijdens mijn vlucht, schudde hij zijn hoofd en zei: 'Onmogelijk te beseffen hoe wanhopig mensen kunnen worden.'

'Het spijt me zo verschrikkelijk dat ik mijn neef Edward en zijn vriend zoveel ellende heb bezorgd,' vervolgde ik.

Adam knikte. 'Daar ben ik van overtuigd, maar ook met hen komt alles in orde,' zei hij glimlachend. 'En met jou ook.'

Toen we bij de steiger waren, dacht ik aan alle gemene dingen die Sophia tegen me gezegd had en de waarschuwingen die ze me zo stralend had gegeven. In de auto aarzelde ik. Adan, die was uitgestapt, leunde naar binnen om te vragen of het goed met me ging.

'Ik ben eerlijk en openhartig geweest tegen jou, Adan. Wees dat ook tegen mij.'

'Wat bedoel je?' vroeg hij verbaasd, en stapte weer in.

'Vertel me waarom je na zo'n lange tijd besloten hebt me weer op te zoeken.'

Hij staarde even voor zich uit en haalde zijn schouders op. 'Ik wilde al eerder komen, maar...'

'Ja?'

'Mijn vader was erg ontdaan over die hele geschiedenis. Hij zei dat je tante een zenuwinzinking nabij was.'

'Dat denk ik niet,' merkte ik glimlachend op. 'Ze zou de Academy Award kunnen winnen.'

'Hoe dan ook, het maakte het erg moeilijk voor me.'

'En dat andere meisje met wie je omging? Maakte zij het ook moeilijk?'

'Welk ander meisje?'

'Dana Del Ray.'

Hij draaide zich met zo'n ruk naar me om dat ik dacht dat zijn nek knakte. 'Wie heeft je over haar verteld?'

'Wie vertelt me alles wat ze kan om me ongelukkig te maken?'

'O, ik dacht dat het Fani misschien geweest was.'

'Nee. Ik heb Fani niet meer gesproken sinds ik met mijn neef naar Mexico ben gegaan.'

'Ze heeft je nooit gebeld?'

'Nooit. Heb je haar verteld dat je mij ging opzoeken?'

'Nee.'

'En je hebt het je vader ook niet verteld, hè?'

Hij frutselde even met het stuur en schudde toen zijn hoofd.

'Waarom ben je gekomen? Waarom heb je me meegevraagd op je boot, Adan?'

'Het is waar dat ik al die tijd met andere meisjes ben uitgegaan, en zelfs met één in het bijzonder, Dana Del Ray,' begon hij. 'Haar vader is een heel rijk en machtig man en een erg goede vriend van mijn vader.' Hij lachte. 'Het lijkt bijna op een van die gearrangeerde huwelijken in Mexico waarover je me eens hebt verteld. Ze is aardig, aantrekkelijk, maar een leeghoofd. Weet je wat dat is?'

'Ik heb erover gehoord.'

'Na wat er met jou gebeurd was, vond ik dat ik iets moest doen om het mijn vader naar de zin te maken, maar nog niet zo lang geleden kwam ik tot de conclusie dat, als ik me niet gelukkig voel, het hem ook niet gelukkig maakt. Ik wist niet of je mij nog wilde zien. Ik wist niet zeker wat precies je relatie was met die Mexicaanse jongen, of het een familiekwestie was of niet. Je weet wel, een van die gearrangeerde huwelijken.

'Toen ik je tante belde, was ze erg bemoedigend, enthousiast zelfs. Ze vertelde me dat je met niemand uitging. Ik dacht dat als zij het ermee eens was, mijn vader wel bij zou draaien, maar dat zou er allemaal niets toe doen als jij niet wilde.

'Dus,' ging hij verder, 'was dit een manier om erachter te komen. Eerlijker kan ik het niet vertellen.'

'*Gracias.*'

'Laten we gewoon een leuke boottocht maken, lekker lunchen, zwemmen en van de dag genieten. Als je het prettig vindt, prachtig. Zo niet, dan breng ik je naar huis en wens je het beste. Oké?'

'Oké.'

De man die voor de boot zorgde, verscheen op de kade, keek in onze richting en vroeg zich ongetwijfeld af waarom we zo treuzelden. Toen hij ons uit de auto zag stappen, kwam hij naar ons toe.

'Het zou vandaag weleens een beetje woelig kunnen zijn op zee, Adan,' zei hij. 'De wind steekt op. Het weer is verraderlijk.'

'Misschien kunnen we dan beter naar het zuiden gaan, naar Coronado. Dat is niet ver,' zei hij tegen mij. 'Prima restaurants om te lunchen.'

'Alles is gereed.'

'Dank je, Bill,' zei Adan. Bill knikte en liep weg.

Adan hielp me aan boord. Er was niet veel veranderd. Ik ging met hem mee naar boven naar de brug en bleef bij hem zitten terwijl hij wegvoer. Zodra we de steiger achter ons lieten, voelden we de golfslag en de wind. De boot deinde op en neer. Adan bleef langzaam varen, om ons niet te veel te laten stuiteren, maar het zou duidelijk niet zo'n rustige, kalme tocht worden als de eerste keer.

'Het spijt me,' zei Adan. 'Gaat het wel? Anders gaan we terug.'

'Ik vind het niet erg, zolang het maar veilig is.'

Hij knikte, maar ik kon zien dat hij het niet leuk vond om zoveel meer aandacht aan het varen te moeten besteden. Ergens was een kleine inham en hij stuurde erheen om wat rust te krijgen. Daar was het kalmer en kon hij de motor afzetten en het anker uitgooien. We hadden wat mineraalwater en strekten ons op het dek uit, op de dikke matras. Ik trok mijn kleren uit en bleef in mijn bikini liggen, en hij volgde mijn voorbeeld in zijn zwembroek.

'De campagne van mijn vader ging in het begin geweldig,' zei hij nadat we ons ingesmeerd hadden met zonnebrandolie. 'Maar de peilingen in de gehele staat zijn niet veelbelovend. We hebben zelfs wat terrein verloren. Dat maakt hem nog prikkelbaarder.'

'Wat jammer voor hem.'

'Dat is ook een reden waarom ik het niet over jou heb gehad,' bekende hij. 'In deze wereld draait alles om timing. Wat vandaag goed is, zal morgen slecht zijn, of was het gisteren? Ik zal je vertellen wat ik heb geleerd in de maanden dat ik je niet heb gezien, Delia. Ik heb geleerd om het langzamer aan te doen, langer na te denken voor ik iets doe. Misschien begin ik oud te worden,' eindigde hij en ging weer op zijn rug liggen. 'Ik klink als een man die zich wil settelen.'

'Is dat zo erg?'

'Soms vind ik van niet, maar soms denk ik ook dat ik nog niet bereid ben nu al mijn jeugd en alle dwaze dingen op te geven. Zoals de meeste mensen van mijn leeftijd, ben ik bang om iets mis te lopen. Stom, ik weet het.'

We zwegen, deinden mee met de schommelende boot. De zon verschool zich achter een reeks wolken die op overgekookte melk leken. Vogels die boven ons cirkelden leken nieuwsgierig genoeg om dichterbij te komen, en een zeemeeuw landde op de reling en wandelde een paar keer op en neer voor hij zich weer verhief op de wind, misschien om zijn broers en zussen te vertellen dat we maar saai waren. Er stond geen eten klaar. De wolken leken als zachte, geplette marshmallows door de lucht te racen.

'Wat wil je gaan doen, Delia? Alles wat er gebeurd is moet toch invloed op je hebben gehad.'

'Ik wil natuurlijk mijn diploma van de middelbare school halen.'

'En dan?'

'Ik heb besloten dat ik misschien een verpleegcursus ga volgen.'

'Echt waar? Verpleging?'

'Ja. Ik ben goed in natuur- en scheikunde, en de gezondheidszorg heeft altijd mijn belangstelling gehad. Ik denk dat ik graag voor andere mensen wil zorgen en ze helpen beter te worden. In mijn dorp waren geen moderne medische faciliteiten. Elk gezin gebruikte oude geneesmiddelen voor de gewone kwaaltjes, en vaak hielpen die ook. Ik weet dat de artsen hier zouden lachen, maar soms ligt het geneesmiddel voor de hand. Ik neem aan dat je enig vertrouwen moet hebben. Of misschien, zoals je zei, is het allemaal een kwestie van de juiste timing.'

Adan ging op zijn zij liggen en keek me heel kalm en bedachtzaam aan.

'Ik weet dat ik dit al eerder heb gezegd, Delia, maar ik ben graag met je samen omdat je zoveel ouder bent dan de meisjes van jouw leeftijd hier. Daarom heb ik er geen moeite mee om aan jou in serieuzere termen te denken.'

'Serieuze termen? Hoe bedoel je, Adan?'

'Ik zou je een speciaal cadeau willen geven op de dag van de diploma-uitreiking.'

'Wat voor speciaal cadeau?'

'Een verlovingsring,' zei hij. 'Kijk niet zo geschokt en angstig,' ging hij lachend verder.

'Maar dat bén ik,' bekende ik.

'Wat zou je doen als ik je op die dag zo'n cadeau gaf? Zou je het accepteren?'

'Dat weet ik niet,' zei ik. 'Ik weet dat ik wil doen wat ik je zei. Ik wil in de verpleging.'

'Dat is geen probleem.'

'Ik weet het niet.'

'Voel je nog steeds voor Ignacio?'

'Ik ga klinken als – hoe zeg je dat – als een gebarsten grammofoonplaat.'

'Je bedoelt dat je het niet weet?'

Ik knikte. 'Ik ben erg in de war.'

Hij glimlachte en pakte mijn hand. 'Daar heb je alle recht toe, maar misschien kan ik je helpen uit die verwarring te komen.'

'Hoe?'

'Zo.'

Hij boog zich over me heen om me te kussen, bleef toen met zijn gezicht vlak bij het mijne zodat we elkaar alleen maar in de ogen konden kijken.

'Ik kan jouw ogen niet uit die van mij krijgen,' fluisterde hij. 'Zelfs als ik in de ogen van andere meisjes kijk, zie ik die van jou, Delia. Of je het beseft of niet, je hebt me verankerd.'

Hij kuste me opnieuw, langer deze keer. Het proeven van zijn lippen maakte me duizelig.

'Delia,' zei hij. Zijn lippen beroerden mijn wang en oorlelletje. 'Ik heb je nodig en ik wil dat jij mij nodig hebt. Niets wat er gebeurd is heeft dat veranderd of zal dat ooit doen.'

Al die dagen van verdriet en opschudding hadden mijn behoedzaamheid ondermijnd. Ik drukte mijn lippen weer op zijn mond, voelde zijn seksuele opwinding. Zijn handen gingen omhoog, dwaalden onder het topje van mijn bikini en haalden het gemakkelijk weg. De koele lucht voelde weldadig op mijn hard geworden tepels, die gretig zijn mond en zijn tong verwelkomden. Ik kreunde zacht toen zijn lippen een spoor vormden naar mijn navel en verder omlaag, en hij voorzichtig het slipje van mijn bikini uittrok. Ik hoorde de vogels waarschuwend krassen, alsof de stemmen van mijn voorouders uit het hiernamaals weerklonken.

Maar ik kon niet ontkennen dat ik vaak over dit ogenblik gedroomd had, dat ik, meestal vergeefs, had getracht het uit mijn hoofd te zetten. Hij kwam in me terwijl hij herhaaldelijk mijn naam noemde, alsof het niet-zeggen ervan de magische zeepbel om ons heen uiteen zou doen spatten. Ik gaf me niet aan hem over, maar trok hem verder in me, verlangend dat hij alles van hemzelf zou afstaan, zijn ziel zou ontbloten, volkomen naakt en eerlijk zou zijn. Toen ik besefte dat ik niet meer terug kon, ging ik nog sneller en intenser te werk. De zee liet de boot op en neer dansen, alsof hij ons liefdesritme wilde evenaren. De wind ving gretig mijn kreten op en droeg ze over het water. We hielden elkaar zo stevig vast dat het leek of we probeerden letterlijk in elkaar op te gaan.

Ik hoorde mijn kreten van genot weergalmen door de gangen van genot en extase, die leidden naar mijn ziel. 'Delia,' fluisterde hij, 'Delia, ik hou van je.'

We lieten elkaar ook niet los toen het voorbij was. We bleven ineengestrengeld liggen tot we beiden weer normaal begonnen te ademen en ons hart weer zijn gewone ritme begon te herkrijgen. Toen draaide hij zich om, trok snel zijn zwembroek aan en gooide een handdoek over me heen. Ik sloot mijn ogen en ging op mijn zij liggen.

'Ontspan je,' zei hij. 'Ik vaar weer verder. Ik weet een perfect restaurant met een eigen aanlegsteiger. Dat is niet ver meer.'

Ik gaf geen antwoord en hield mijn ogen gesloten tot ik voelde dat de boot snel bewoog en harder begon te schommelen. Ik was blijven liggen in de verwachting mijn innerlijke stem te horen die me verwijten maakte, maar ik hoorde slechts de echo van mijn eigen genot. Ik glimlach nog steeds, dacht ik. Dit kan niet anders dan goed zijn.

Ik kleedde me aan en dronk wat water. Adan wenkte me om op de brug te komen. Hij stak zijn hand uit, en ik ging naast hem staan, uitkijkend over het water. Hij sloeg zijn arm om mijn schouders en trok me dichter naar hem toe.

'Gaat het goed?' vroeg hij, en gaf me een zoen op mijn wang.

Ik knikte, maar vroeg me af of hij kon voelen dat ik inwendig beefde.

'Ik heb honger,' zei hij. 'Jij ook?'

'Ja.'

'Ik hou echt van je, Delia.'

'*Sí, yo lo creo.*'

Ik geloofde hem werkelijk, en ik dacht niet dat ik lichtgelovig was of kwetsbaar door alles wat er gebeurd was. Ik had vertrouwen in mijn eigen gevoelens en in wat ik kon zien in zijn ogen.

Ik wist dat hij er op wachtte dat ik zou zeggen dat ik ook van hem hield, maar die woorden waren nog bezig zich te vormen. Hij zou geduld moeten hebben.

Ik ging naar beneden om de rest van mijn kleren aan te trekken toen we dichter bij het restaurant kwamen. Toen hielp ik hem de boot aan te meren, en we gingen van boord om te lunchen. In het restaurant was Adan was nog geanimeerder, enthousiaster en gelukkiger. Ik begon meer honger te krijgen naarmate ik tot rust kwam, en ik genoot van de lunch. Later leek ook de wind te zijn gaan liggen, en de zee was minder ruw. Hij vond het veilig genoeg om me te laten zien hoe ik moest navigeren om koers te houden. Toen hij erop vertrouwde dat ik wist wat ik moest doen, liet hij mij varen terwijl hij een dutje ging doen.

Het was stimulerend, en ik begon me af te vragen of ik niet toch voor dit leven in de wieg was gelegd. Het contrast tussen dit en het leven dat ik vroeger had geleid was groter dan ooit. Ik probeerde me voor te stellen hoe het zou zijn als ik Adans jonge echtgenote was. Hoe zouden onze kinderen zijn? Zou ik net zo worden als tante Isabela, bezorgd over onze maatschappelijke positie, kleren en juwelen? Mijn leven in Mexico zou steeds meer op de achtergrond raken en net zoals de kust in de verte verdwijnen. Iedereen van wie ik had gehouden en die ik had verloren zou steeds dichter bij de derde dood komen.

Maar ik zou een gezin creëren en een nieuw leven, en ik zou alles wat ik gekoesterd had meenemen in dat nieuwe leven. Dat kan niet zo verschrikkelijk zijn, dacht ik. Oma Anabela placht te zeggen: '*En la casa de la rica, ella manda y ella grita.*' Door het huis van een rijke vrouw galmen haar geschreeuw en bevelen. Dat ging zeker op voor tante Isabela. Zou dat ook voor mij zo gaan? Was het belangrijk om belangrijk te zijn, gerespecteerd, gehoorzaamd? Zij bezat beslist geen liefde. Zou ik allebei kunnen hebben?

Ik keek naar Adan. Zelfs slapend, was hij zo knap als Adonis. Ik zou zeker door elke vrouw benijd worden. Sophia zou zelfs in staat zijn zelfmoord te plegen. Het was allemaal zo gecompliceerd. Hield ik eigenlijk wel van hem? Kwamen die woorden eindelijk in me omhoog, woorden die ik zou zeggen voordat de dag ten einde was? En in dat geval, hield ik dan van hem om wíé hij was of wát hij was? Was zijn liefde voor mij zo sterk dat die het antwoord zou zijn op alle vragen, en alle problemen en verdriet uitwissen? Moest ik me gelukkig achten en er klaar mee zijn?

Als hij me die ring gaf op de dag van de diploma-uitreiking, zou ik die dan aannemen en aan mijn vinger schuiven of mijn hoofd schudden en zachtjes zeggen: 'Ik kan het niet. Nog niet.' In zijn ogen betekende uitstel afstel. Hij zou de ring terugnemen en mij misschien nooit meer aanbieden. Ik wist wat tante Isabela zou zeggen: 'Pak aan!'

'Hoe gaat het?' hoorde ik hem zeggen.

Ik was zo diep in gedachten verdiept, dat ik plotseling in paniek raakte toen ik zag dat ik uit de koers was geraakt.

'Sorry, ik lette niet goed op,' bekende ik.

Hij stond op, rekte zich uit en kwam weer terug bij het besturingspaneel.

'Wow,' zei hij lachend. 'Je moet hebben geslapen of gedagdroomd. Geeft niet,' voegde hij er snel aan toe. 'Ik breng haar wel weer op koers.'

Hij nam het van me over, maar de wind stak weer op, en het werd een ruwe tocht. Hij bleef zich er voor verontschuldigen.

'Je hebt het weer niet in de hand, Adan,' zei ik.

'Nee, maar ik had niet zo ver moeten gaan. Het zal langer duren om terug te komen. Sorry. Ik zou maar gaan zitten,' voegde hij eraan toe toen hij zag dat ik onvast op mijn benen stond.

Terwijl hij wijdbeens aan het roer stond, kon ik vlak achter hem zitten en me vasthouden aan de armleuningen, zo erg schommelden we nu. De lucht was snel bewolkt geraakt. Ik begon het nu zelfs een beetje koud te krijgen.

'Verdomme,' mompelde hij. 'Ik wilde je niet op zo'n woeste tocht meenemen. Ik had naar Bill moeten luisteren.'

'Maar het was juist zo mooi.'

Hij keek achterom naar mij en ik bloosde. Ik bedoelde niet onze liefdesdaad, maar ik kon zien dat hij dat dacht.

'Ik zeg niet dat het het niet waard was,' zei hij, en draaide zich toen weer om naar het roer. Hij keek naar zijn instrumenten en schudde zijn hoofd.

'Wat is er?' vroeg ik. De harde wind en de hoge golven begonnen me angst aan te jagen.

'We gaan minder snel dan de toerenteller aangeeft. Soms pak je iets op en sleept dat achter je aan, bijvoorbeeld zeewier, of zelfs een oud net van een vissersboot. Ik ga naar achteren om het te controleren, Delia. Ik wil graag dat jij het roer overneemt en recht vooruitvaart, oké?'

Ik knikte. Toen ik opstond viel ik door het hevige schommelen weer terug op de stoel. Hij hield mijn arm vast toen ik weer opstond en hielp me achter het roer.

'Hou je stevig vast,' zei hij. 'Het komt in orde. Wees maar niet bang.'

'Sí,' zei ik.

Hij zette zich schrap, klom voorzichtig de korte ladder af en begaf zich naar het achterdek. De wind rukte aan zijn blazer en blies zijn haren overeind. Ik maakte me ongerust over hem, dus bleef ik achteromkijken. Op een gegeven moment verloor hij zijn evenwicht, maar hield zich overeind aan de zijkant van de boot.

'Adan!'

Hij zwaaide naar me.

'Niks aan de hand,' riep hij, en boog zich over de reling om het roer en de schroeven te controleren.

Ik stond half omgedraaid naar hem te kijken. Ik liet het roer met mijn rechterhand los, juist toen een hoge golf tegen de zijkant van de boot sloeg. Nu was ik degene die mijn evenwicht verloor en ik voelde dat ik naar rechts viel. Wanhopig greep ik naar het roer, en toen ik het te pakken kreeg, maakte het een scherpe draai. De boot draaide mee.

Adan leek op te stijgen van het dek, zoals de meeuw eerder van de reling was opgevlogen. In een poging te voorkomen dat hij overboord viel, greep hij naar, zoals ik later hoorde, het dolboord, en sloeg er hard met zijn hoofd tegenaan. Hij viel ogenblikkelijk terug op het dek.

'Adan!'

Ik richtte me op en klampte me aan alles vast wat ik maar te pakken kreeg. Haastig klom ik de ladder af en ging naar hem toe. Hij had zich niet bewogen sinds hij zijn hoofd had gestoten. Ik viel op het dek naast hem en schudde hem heen en weer. Zonder iemand aan het roer, schommelde en stuiterde de boot hevig.

'Adan! Adan!'

Zijn ogen waren gesloten, zijn gezicht was vertrokken van pijn, maar hij kwam niet bij bewustzijn. Toen ik een straaltje bloed langs zijn schedel zag lopen, raakte ik nog meer in paniek. Ik wist dat ik terug moest naar het roer. De zee slingerde ons heen en weer alsof we een stuk speelgoed waren. Kruipend op handen en voeten wist ik terug te komen bij de ladder en klom haastig omhoog naar de brug.

Toen ik het roer beetpakte, spreidde ik mijn benen, zoals ik hem had zien doen, en wist de boot te stabiliseren. Ik had geen idee welke kant ik op moest om naar de kust te komen, maar ik draaide scherp naar rechts. Ik zocht een manier om te beletten dat het roer zou draaien als ik terugging naar Adan, maar ik wist niets te verzinnen.

De tranen stroomden langs mijn wangen, tranen van paniek, niet van droefheid. Ik kreunde en bad. Plotseling zag ik een andere boot in de verte en draaide in die richting. Ik wist dat de mensen aan boord te ver weg waren om mijn kreten te horen, die trouwens toch verloren zouden gaan in de wind. Gelukkig voeren ze in onze richting, dus kwamen we eerder bij elkaar. Maar het leek een eeuwigheid te duren.

Adan had zich nog steeds niet bewogen. Ik kon zien dat het straaltje bloed nu een duidelijke rode streep vormde langs zijn slaap en over zijn wang. Hoe kon dit allemaal zo gauw zijn gebeurd? Ik klaagde luidkeels, alsof een of andere god van de zee me zou kunnen horen en alles herstellen. Het was niet eerlijk.

Toen ik de mensen op de andere boot duidelijk kon zien, zwaaide en gilde ik. Iemand wees naar me en toen keek iedereen mijn richting uit.

'Adan is ernstig gewond!' schreeuwde ik, alsof ik geloofde dat iedereen ter wereld wist wie hij was. Ik wees naar hem, maar ze konden hem onmogelijk al zien.

Ik luisterde naar een lange man in een donkerblauw hemd en broek, en volgde zijn aanwijzingen om vaart te minderen. Hij riep dat ik de boot stabiel moest houden, en even later waren ze dicht genoeg bij om hun roeibootje te laten zakken. De man stapte in en voer naar onze boot. Zodra hij aan boord was, voelde ik alles om me heen draaien. De opwinding en paniek waren me te veel geweest. Hij pakte mijn arm vast, maar ik zakte ineen.

Toen ik bijkwam, zag ik dat er nog een andere man op onze boot was, kleiner en gezet. Een vrouw stond naast hem. Ze waren erin geslaagd Adan op het grote kussen te krijgen dat op het dek lag. De vrouw kwam onmiddellijk naar me toe. Ze had lang rood haar en sproeten op haar wangen en zelfs haar kin.

'Wat is er gebeurd?' vroeg ze toen ik overeind kwam.

'Hij sloeg met de zijkant van zijn hoofd tegen het ijzer,' was het enige wat ik uit kon brengen, voordat mijn keel werd dichtgeknepen.

'Rustig aan,' zei ze. 'We zullen jullie allebei terugbrengen. Felix, mijn man,' ze knikte naar de man die aan het roer stond, 'zal jullie boot besturen. Mijn zoon is op die van ons. Kom, ik zal je op de matras helpen naast je... man?'

Ik schudde mijn hoofd. 'Nee, een vriend.'

'Goed, kind, steun maar op mij.' Op de een of andere manier bracht ze me naar Adan, en kon ik me naast hem uitstrekken. Zijn ogen waren nog gesloten, maar ze hadden zijn hoofd verbonden om het bloeden te stoppen. Ik pakte zijn hand en ging toen liggen en sloot mijn ogen.

Straks, dacht ik, word ik wakker uit deze nachtmerrie. *Please, mi dios*, bad ik, maak dat het niet meer dan een nachtmerrie is.

Misschien viel ik weer in slaap. Ik kan het me nu niet herinneren, maar toen ik mijn ogen weer opende naderden we de steiger. Ze hadden een deken over Adan heen gelegd. Hij zag er niet uit of hij het koud had, maar ik dacht dat hij, zoals hij er nu aan toe was, niet zou weten of hij dat was of niet. Ze hadden via de marifoon onze komst gemeld, dus toen we aanmeerden, zag ik ambulancepersoneel wachten. Een ziekenauto stond vlakbij geparkeerd.

'Het komt wel in orde,' zei de vrouw. 'We zijn er bijna, lieverd.'

Ze gaf een kneepje in mijn hand. Ik keek naar Adan en bad dat ze gelijk had.

Toen we hadden aangelegd, kwamen het ambulancepersoneel snel aan boord. Ze vroegen me wat er gebeurd was en terwijl ze bezig waren hem van boord te halen gaf ik een korte beschrijving van Adans ongeluk. Ik huilde zo hard dat ik niet zeker wist of ze mijn uitleg wel begrepen. Ik weet dat ik mezelf de schuld gaf. Als ik mijn evenwicht niet had verloren... als ik niet te hard aan het roer had gedraaid...

'Ben je zelf nog gewond geraakt?' vroeg de ziekenbroeder.

Ik liet hem mijn handen zien. Ik voelde een brandende pijn omdat mijn handpalmen geschaafd waren toen ik wanhopig de ladder op wilde klimmen naar de brug.

'Die verzorgen we wel. Maak je geen zorgen. Doe het rustig aan,' zei hij. 'Houd je kalm.'

'*Gracias*,' zei ik.

Ik keek toe terwijl ze Adan op een stretcher vastgespten, zodat hij zijn hoofd en hals niet kon bewegen, en hem voorzichtig optilden. Op de steiger stonden ze met een andere stretcher met wielen. Ik wankelde toen ik opstond. De vrouw met het rode haar hield mijn arm vast en hielp me van de boot.

'Hoe gaat het?' vroeg iemand van het ambulancepersoneel me.

Ik schudde slechts mijn hoofd. Ik voelde me nu misselijk en erg duizelig. Ik haalde diep adem om te beletten dat ik bewusteloos zou raken.

'Kom,' zei hij, en pakte me bij mijn arm. 'We nemen je mee om je te onderzoeken.'

Hij bracht me naar de ambulance. Ik zag dat ze Adan erin schoven, en daarna hielpen ze mij instappen en lieten ze me zitten terwijl een van de ziekenbroeders Adans vitale functies begon te controleren. Even later reed de ambulance weg.

Voor ik mijn ogen dichtdeed en achteroverleunde, keek ik even door het achterraam en zag dat een kleine menigte zich op de kade had verzameld. De roodharige vrouw en haar man vertelden iedereen wat er gebeurd was.

Mi dios, dacht ik, ik had ze niet eens bedankt.

19

Verlies

Toen we op de spoedeisende hulp van het ziekenhuis waren, brachten ze me naar een kamer naast die van Adan, waar ik kon horen hoe ingespannen ze met hem bezig waren. Voordat iemand kwam om me te onderzoeken, hoorde ik dat ze Adan naar de radiologie reden. De verpleegster achter de balie kwam bij me binnen en stelde vragen over onze identiteit en het ongeluk. Ten slotte kwam de arts van de spoedeisende hulp binnen om mijn handpalmen te behandelen.

'Ben je verder nog gewond geraakt?' vroeg hij.

Ik schudde mijn hoofd. Ik denk dat ik aan de rand van hysterie was; hij zag het aan mijn gezicht.

'Ontspan je maar,' zei hij, en dwong me achterover te gaan liggen. 'Het komt allemaal in orde.'

'Kun je ons een telefoonnummer geven van iemand die we voor je kunnen bellen?' vroeg de verpleegster.

Kunnen jullie het hiernamaals bellen? had ik willen vragen. Kunnen jullie mijn ouders of mijn grootmoeder bereiken?

Het had geen zin om het uit te stellen, dacht ik, dus gaf ik het nummer van tante Isabela.

'Komt het goed met Adan?' vroeg ik.

'Straks weten we wat er precies aan de hand is. Probeer maar wat te rusten. We geven je nu liever geen medicijnen, Delia. Denk je dat het wel zal gaan?'

Ik knikte.

'We komen geregeld poolshoogte nemen. Doe je ogen nu maar dicht en rust uit.'

Ik deed wat ze zei en had het geluk dat ik in slaap viel, waarvoor ik dankbaar was, al was het duidelijk het gevolg van geestelijke en lichamelijke uitputting.

Toen ik wakker werd, hoorde ik de stem van señor Bovio in de gang. Ik beefde bij de gedachte dat ik hem onder ogen moest komen. Even later kwam hij bij me binnen. De verpleegster was er eerder dan hij en bezig mijn bloeddruk te controleren. Hij stond naar me te staren tot ze knikte en de kamer verliet.

Zijn gezicht stond grimmig, somber, zijn lippen trilden. Toen strekte hij zijn armen uit en leek op het punt te staan in tranen uit te barsten.

'Hoe is dit met mijn zoon gebeurd?' vroeg hij.

Ik begon het uit te leggen, haalde diep adem tussen de zinnen door. Mijn borst deed pijn van mijn eigen verdriet en vertwijfeling. Ik weet dat ik snikkend stotterde, onbelangrijke details opratelde, Engels en Spaans door elkaar haalde, maar hij spitste zijn oren toen ik het had over de toerenteller zoals Adan die had beschreven.

'Dus hij ging de schroeven controleren?'

'Sí. En de boot schommelde zo hard, dat ik me ongerust maakte over hem.'

Hij knikte. 'En toen?'

'Toen verloor ik mijn evenwicht,' zei ik en hij keek snel op.

'Wat gebeurde er?'

'Ik viel opzij, dus greep ik het roer vast, en dat draaide rond, en toen vloog Adan tegen het ijzer aan de zijkant van de boot.'

'Het dolboord? Toen jij de macht over het roer verloor?'

'Sí. Ik ging meteen naar hem toe, maar hij was bewusteloos, en de boot schommelde zo hevig –'

'Liet je het roer los?'

'Even maar, toen ik ging controleren hoe hij eraan toe was.'

'Nee, ik bedoel daarvóór, toen je je evenwicht verloor.'

'Sí, *señor*.'

Hij staarde me aan.

'Hoe gaat het nu met hem?' vroeg ik.

'Ze bekijken de resultaten van zijn CT-scan en zijn MRI,' zei hij abrupt. 'Je tante is onderweg,' voegde hij eraan toe. Daarop draaide hij zich om en liet me alleen.

Het duurde bijna een uur voordat tante Isabela kwam, met Sophia. Tot mijn verbazing keek ze verveeld, zelfs kwaad, dat ze mee moest. Ze gedroeg zich alsof ik het allemaal zo had gemanipuleerd dat ik het middelpunt van de aandacht was en zij uit de schijnwerpers verdween. Te oordelen naar het gezicht van tante Isabela was de toestand heel ernstig. Ik barstte bijna in tranen uit. Ze bekeek het verband om mijn handen en vroeg me toen haar te vertellen wat er precies gebeurd was. Sophia stond terzijde en staarde met over elkaar geslagen armen naar de grond.

'Ik begrijp niet hoe het komt dat bij jou alles altijd verkeerd afloopt, Delia,' zei tante Isabela. Dat was het aardigste, meest meelevende wat ze over dit alles tegen me zou zeggen. 'Ik ga naar de wachtruimte bij de operatiekamer. Ze hebben Adan opgenomen voor een spoedoperatie.'

'Een hersenoperatie,' voegde Sophia eraan toe. 'Brr.'

'Misschien kun je beter hier beneden blijven bij Delia, Sophia,' zei tante Isabela.

'Ik ga naar de hal om de tijdschriften te lezen als die er zijn of tv te kijken,' zei ze.

Tante Isabela schudde haar hoofd en liep weg.

'Ik heb mijn moeder met señor Bovio horen praten,' zei Sophia toen ze de kamer uit wilde gaan. Ze bleef even bij de deur staan. 'Ze zegt dat hij jou de schuld geeft. Hij wilde om te beginnen al niet dat zijn zoon met jou samen zou zijn.'

Haar woorden waren als dolken die in mijn hart werden gestoken. Ze ging weg en ik liet me achterover op het kussen vallen, staarde naar het plafond. Hij hoeft mij niet de schuld te geven, dacht ik, dat doe ik zelf wel, onhandig en stom als ik ben.

Liggend op bed kon ik weinig dingen bedenken die erger waren dan gevangen te zijn in dit net van spanning. Ik durfde me niet te bewegen of een verpleegster te roepen om haar iets te vragen. Ik kon zelfs niet huilen. Mijn bron van tranen was allang opgedroogd. Sophia kwam één keer terug om te klagen dat het allemaal zo lang duurde. Ik draaide me van haar af in plaats van te antwoorden en ze ging gauw weg, in zichzelf mompelend. Minuten gingen voorbij als slakken op een bedding van droge aarde.

Eindelijk kwam tante Isabela terug. Het was bijna vier uur geleden. Ze bleef in de deuropening staan en keek naar me terwijl ik rechtop ging zitten.

'Pak je boeltje,' zei ze. 'We gaan weg.'

'Hoe gaat het met Adan?'

'Adan is twintig minuten geleden gestorven. Ik heb señor Bovio vastgehouden om te beletten dat hij zichzelf aan stukken scheurde.'

'Waarom?' zei ik. De tranen stroomden nu weer over mijn wangen. Ik dacht dat mijn eigen hart stil bleef staan. 'Waarom is hij gestorven?'

Ze schudde haar hoofd.

Sophia kwam naast haar staan. Ze keek nu zelf ook geschokt; ze leek een hulpeloos klein meisje. 'Ik heb naar de arts geluisterd die het señor Bovio heeft uitgelegd,' zei tante Isabela vermoeid en verslagen. 'Er is geen ruimte in de hersenen voor extra bloed. De schedel zet niet uit, dus het bloed drukt op het hersenweefsel, dat heel teer is. Door een hevige bloeding kunnen kritieke delen van de hersenen stoppen met functioneren. Zijn hersenen vertoonden haarscheurtjes. Ze hebben geopereerd om te proberen het bloeden te stoppen, maar... het was al te laat. We gaan,' eindigde ze. 'Ik wacht in de hal.'

Sophia keek me meer medelijdend dan beschuldigend aan. Blijkbaar was er ten slotte toch iets in haar dat de bodem van de put bereikt had, een eind maakte aan jaloezie en agressiviteit. Ik was een te zielig geval om haar woede nog waard te zijn. In haar ogen, en eerlijk gezegd, ook in die van mijzelf, was ik weg, zo ver gekrompen dat ik nauwelijks meer bestond, leeg als een duistere schaduw, gedoemd mijn skelet te volgen als een geketende gevangene die slechts leeft om te sterven.

Het werd weerspiegeld in de manier waarop ik me bewoog – verdoofd, met benen die automatische bevelen opvolgden omdat mijn hersenen niet meer werkten. De verpleegsters en artsen van de spoedeisende hulp keken naar me met begrafenisgezichten, met ogen vol medeleven. Gaf iedereen mij de schuld? Had ik het teken van Kaïn op mijn voorhoofd? Señor Garman wachtte op ons met de deuren van de limousine wijd open. Ik vond hem nu op een begrafenisondernemer lijken, en de limousine zag eruit als een lijkwagen. Ik was al begraven in mijn eigen lichaam, niet helemaal wakker maar ook niet helemaal slapend, gevangen als een hopeloze vampier die wacht op een houten staak om me te verlossen uit mijn ellende.

Sophia kwam bij uit haar momenten van geschoktheid, momenten toen ze, althans heel even, aansluiting had met een ander, zich in een ander invoelde. Maar alsof ze dat plotseling besefte, zette ze haar koptelefoon op en luisterde naar haar rockmuziek, probeerde de snippers van menselijkheid die omhoog waren geborreld te verdrinken. Tante Isabela zei niets, ze staarde uit het raam naar het ziekenhuis. Maar toen we wegreden, zuchtte ze en zei: 'Die arme man.'

Ik kromp ineen, sloeg mijn armen om me heen en drukte me zo ver mogelijk in de hoek van de bank. Tante Isabela keek me niet aan en praatte niet tegen me tot we bijna thuis waren. Toen sprak ze op een toon die klonk als de stem van een rechter die hoog boven de wolken op me neerkeek.

'Ik wil je nu uit die kamer hebben,' begon ze. 'Pak je spullen en verhuis naar het personeelsverblijf, naar de kamer die je had toen je hier net aankwam, de kamer waarin je had moeten blijven; ik had me nooit moeten laten overhalen door die lichtgelovige zoon van me. Dan zou niets hiervan misschien gebeurd zijn. Doe je werk in huis en maak je schooljaar af. Ga dan terug naar Mexico, of waar je maar wilt, maar ga weg.

'Je maakt dat ik ga geloven in het *ojo malvado*, het boze oog.' Ik draaide me met een ruk naar haar om. 'Ja, die stomme, oude, achterlijke ideeën die ik mijn leven lang belachelijk heb gemaakt, schijnen in jouw geval enige waarheid te bevatten. Ik wil niet dat je nog meer ongeluk brengt over mijn huis, mijn familie, mijn wereld.'

Ik had geen enkele strijdlust meer over en geen woorden om haar tegen te spreken. Ik was het zelf gaan geloven. Ik draaide me weer af, en toen we aankwamen, stapte ik uit, ging naar mijn kamer en pakte mijn spullen, zoals ze bevolen had. Ook al was het al laat, toch stormde Sophia voor me uit de trap op naar haar telefoon, om alles rond te bazuinen, alsof ze een buitenlandse correspondent was met het laatste wereldnieuws. Over een paar uur, zo niet minuten, zou iedereen die op de hoogte was van Adan en mij weten wat er gebeurd was. En ze zou zich enorm belangrijk voelen.

Tante Isabela vertelde señora Rosario en Inez wat er was voorgevallen en wat ze ten aanzien van mij had besloten. Ze stonden te wachten om me te helpen met het verhuizen van mijn spullen toen ik beneden kwam. Hun gezicht straalde iets van medelijden uit, maar ik kon zien dat ze ook bang waren iets van kritiek uit te oefenen op tante Isabela. Ik kon me voorstellen hoe kwaad en afschrikwekkend ze eruit moest hebben gezien toen ze hun de gebeurtenissen beschreef en vertelde wat haar nieuwe bevelen waren. Ik bewoog me stil en zwijgend, geloofde echt dat ik de schaduw van mijzelf was geworden. De koude, donkere, stoffige kamer en het oncomfortabele bed deerden me niet, evenmin als de insecten en de slechte verlichting. Señora Rosario liet schoonmaakmiddelen, een zwabber en dweilen bij me achter. De palmen van mijn handen deden nog pijn, maar ik werkte stug door, verwelkomde de pijn, verwelkomde alles wat leek op de straf die ik vond dat ik verdiende. Toen ik eindelijk te uitgeput was om zelfs maar te huilen, ging ik naar bed. Op het ogenblik voelde ik me zelfs te onwaardig om te bidden. Ik vocht tegen de slaap, omdat ik bang was voor de nachtmerries die ongetwijfeld op me af zouden komen, maar ten slotte kon ik niet langer wakker blijven.

Ik droomde niet. Misschien was ik zelfs daarvoor te moe, maar toen het ochtendlicht door het kleine raam op mijn ogen scheen was ik blij dat ik had geslapen. Ik stond op, waste me en kleedde me aan en begaf me als een robot naar het grote huis om aan mijn ochtendkarweitjes te beginnen en te helpen met het ontbijt. Tante Isabela en Sophia stonden laat op. Señora Rosario riskeerde een paar woorden van medeleven en troost, en Inez huilde zelfs even. Ik glimlachte en bedankte hen en ging aan het werk.

Ik wist niet zeker of tante Isabela wilde dat ik het late ontbijt zou opdienen, maar ik vergezelde Inez als gewoonlijk, en tante Isabela zei niets. Sophia kwam huppelend de trap af, verklaarde dat ze uitgehongerd was en verlangde onmiddellijk meer van dit en van dat.

Toen, terwijl ik nog in de eetkamer was, wendde ze zich tot tante Isabela: 'Iedereen denkt dat het een van de grootste begrafenissen zal worden die hier ooit zijn geweest.'

'Waarschijnlijk wel,' zei tante Isabela. Ze dronk van haar koffie en staarde naar de lege stoel waar vroeger haar man had gezeten.

Sophia, die zich daarmee niet tevredenstelde, richtte haar aandacht op mij. 'Raad eens wie wenst dat ze je nooit ontmoet had en nooit je vriendin was geworden. Raad eens,' ging ze verder.

Ik antwoordde niet maar keek naar tante Isabela. Ze leek tevreden over de manier waarop Sophia probeerde me te treiteren.

'Fani,' gaf ze zelf het antwoord. 'Fani Cordova, die je eens gered heeft. Dus zou ik maar niet proberen haar hulp in te roepen. Nooit.'

Ik ruimde de tafel af en ging naar de keuken. Ik probeerde haar woorden uit mijn hoofd te zetten maar kromp ineen en klapte ten slotte dubbel boven de gootsteen. Señora Rosario zag me en kwam haastig naar me toe.

'Ga wat rusten, Delia. Vooruit,' zei ze. Ik begon mijn hoofd te schudden, maar ze duwde me letterlijk naar de achterdeur naar buiten. 'Ga rusten,' beval ze, en ik ging weg.

Inez en señora Rosario vielen voor me in, en ik bracht de rest van de dag door in mijn kamer. Inez bracht me iets te eten, maar ik raakte het nauwelijks aan. Ik ging terug om te helpen met het diner, maar tante Isabela was naar het huis van señor Bovio, en Sophia was naar een paar van haar vriendinnen om met ze te kletsen, vooral omdat ze nu beschouwd werd als bevoorrecht omdat ze van alles op de hoogte was. Ik at iets en keerde terug naar mijn donkere, eenzame kamertje om te bidden.

De volgende dag ging ik weer naar school. Veel leerlingen hadden gehoord wat er met Adan gebeurd was, maar niet erg veel wisten dat ik iets met hem te maken had. Voor de meesten was hij een soort beroemdheid. Hun belangstelling was van korte duur. In de kranten die ik zag stonden foto's van een rouwende señor Bovio. Er heerste algemeen sympathie voor hem, maar te oordelen naar wat ik hoorde en las, dachten niet veel mensen dat het een positieve invloed zou hebben op zijn campagne. Ze zeiden zelfs dat hij zich er alleen aan vastklampte om zijn gezicht te redden, maar ze beschreven zijn pogingen als nietszeggend en vergeefs.

Tot mijn verbazing – en dankbaarheid – was mijn naam op de een of andere manier uit het nieuws gehouden. Het leek haast of hij alleen was geweest op de boot. Er kwamen ook geen vervolgartikelen. Maar er bestond geen enkele twijfel of de leerlingen van de particuliere school en hun familie kenden alle details, ook mijn betrokkenheid.

Tante Isabela riep me zelfs in haar werkkamer om me te vertellen dat ze besloten had dat ik onder de gegeven omstandigheden Adans begrafenis niet kon bijwonen.

'Het zou te pijnlijk zijn voor zijn vader,' zei ze. 'En het zou alleen maar meer vals geroddel veroorzaken, iets waar hij noch ik behoefte aan heeft op het ogenblik.'

Ik had niet veel keus. Sophia en haar vriendinnen gingen erheen. Edward kwam terug van de universiteit met Jesse, en zij waren ook aanwezig op de begrafenis. Ik bleef verwachten dat ze me zouden komen opzoeken, maar tante Isabela moest met een nieuw dreigement zijn gekomen. Ze gingen rechtstreeks naar de kerk en de begraafplaats en keerden toen terug naar de universiteit.

Sophia was zo opgewonden over alles dat ze het niet kon laten naar mijn kamer in het oude personeelsverblijf te komen en me er alles over te vertellen. Ik zat op bed en probeerde een van de boeken voor mijn huiswerk Engels te lezen toen ze in de deuropening verscheen.

'Het stinkt hier,' klaagde ze. Ik keek haar slechts aan. 'De kerk was zo stampvol dat er mensen buiten stonden. Er waren ook een hoop politici. Meneer Bovio werd praktisch overeind gehouden en bijna gedragen door twee van zijn beste vrienden. Hij zag eruit alsof hij degene was die dood was.

'En er waren net zoveel mensen op het kerkhof. Natuurlijk vroeg iedereen naar jou. Mijn moeder had je moeten laten gaan. Het maakt het alleen maar erger dat je er niet was.

'Wat een verspilling. Hij was net een filmster. Ga je meteen na je eindexamen terug naar Mexico?' ging ze in dezelfde adem verder.

'Dat weet ik nog niet.'

'Ik zou het maar doen. Dat is waar je thuishoort. Je zult nooit meer iemand vinden als Adan. Wat kun je anders doen dan iemands dienstmeid worden of op de kinderen van anderen passen? Je zult dik en lelijk worden, net als de meeste Mexicaanse vrouwen, en met een of andere tandeloze tuinman trouwen.

'God,' zei ze terwijl ze me hoofdschuddend aankeek. 'Weet je nog hoe hoog je van de toren blies, mij bedreigde met Fani's foto's en zo?'

Ik keek naar mijn boek.

'Je kunt nu wel net doen of het je niet kan schelen, Delia, maar mij hou je niet voor de gek.' Ze lachte. 'Je kunt het ook wel vergeten om verpleegster te worden.'

Ik keek scherp op. Hoe wist ze dat? Ze zag mijn verbazing en lachte weer.

'Je hebt het de schooldecaan op de openbare school verteld, en hij vertelde het mijn moeder. Weet je wat ze zei? Ze zei dat met jouw geluk elke patiënt dood zou neervallen. Je kamer stinkt echt,' eindigde ze. 'Ik denk dat het de afvoer of het riool is of zo. Jasses!' Ze draaide zich om en liep weg.

Ik wachtte tot ik de buitendeur achter haar hoorde dichtvallen en toen stond ik op en schreeuwde zwijgend, in stilte. Het geluid weergalmde door mijn binnenste en ging omlaag tot in het diepste van mijn ziel.

En toen werd alles zwart om me heen en urenlang leek ik te verschrompelen en weg te zakken, alsof alle cellen in mijn lichaam ineenklapten, tot ik op de koude betonnen vloer door een donkere tunnel dreef waar herinneringen, plaatsen, gelach en gegil op de wanden flitsten.

Ik had geen idee hoe lang ik bewusteloos was, maar zo vond Inez me. Señora Rosario kwam haastig boven en samen legden ze me op bed. Señora Rosario ging terug om het tante Isabela te vertellen. Ze kwam naar me kijken maar ik herinner me dat ze, toen ik mijn ogen opende, heel ver weg leek, alles en iedereen was onduidelijk. Ik kon ze ook nauwelijks horen praten. Hun gedempte stemmen vloeiden in elkaar over.

Ik deed mijn ogen weer dicht en wendde me af.

Blijkbaar was tante Isabela's eerste reactie me alleen te laten.

'Het is gewoon een hysterische, zelfzuchtige kreet om medelijden. Laat haar maar uitslapen. Ze staat wel op en komt tevoorschijn als ze genoeg honger krijgt, geloof me,' zei ze.

Iedereen kreeg opdracht me alleen te laten.

Later werd me verteld dat ik me bijna twaalf uur lang niet had bewogen, niet omgedraaid, niet mijn ogen geopend. Tante Isabela werd er weer bij gehaald. Wat haar overtuigde dat ze iets anders moest doen was dat ik mezelf bevuild had.

'Belachelijk!' riep ze uit en ging weg.

Ze belde haar eigen arts, dr. Bayer, die haar, na me te hebben onderzocht, vertelde dat ik in een hysterisch coma lag, vooral toen hij een overzicht kreeg van de afgelopen gebeurtenissen.

'Nou, kun je haar geen injectie geven of zo?'

'We zullen haar een mild kalmeringsmiddel geven,' zei hij, 'maar dit is meer een psychologisch probleem.'

'Het is alleen maar een poging om meelij te wekken,' hield tante Isabela vol, maar haar dokter schudde zijn hoofd.

'Nee, Isabela, ze doet niet alsof.'

Vol afkeer, maar niet in staat me nog langer te negeren, stemde ze erin toe me te laten opnemen op de psychologische afdeling van het ziekenhuis. Ze stemde zelfs toe in een ambulance. Ik was me nergens van bewust, maar hoorde het later allemaal van Inez, die tijd vond om me te bezoeken en me alles te vertellen.

Eigenlijk vond tante Isabela het goed van pas komen. Met haar geld en invloed liet ze me naar een naburige kliniek overbrengen voor verdere behandeling en psychologische counseling. Een dag nadat ik naar de kliniek was verhuisd, was ik weer aanspreekbaar, en uit schaamte kwam ze me opzoeken. Ze gedroeg zich bezorgd, vooral als ze sprak met artsen en verpleegsters.

Toen we eindelijk alleen waren, verdween haar moederlijke houding en keerde de tante Isabela die ik zo goed kende, onmiddellijk terug.

'Wel,' zei ze, 'je hebt ons allemaal overtroffen in dramatiek. Zelfs Sophia zou zo'n voorstelling niet ten beste kunnen geven.'

Ik zei niets. Ze keek om zich heen in de kamer.

'Je hebt een mooie privékamer hier, Delia. Ik zal ervoor zorgen dat je het hier comfortabel hebt. Het is op het ogenblik de ideale plaats voor je. Niemand kan je komen bezoeken, en je kunt nadenken over je toekomst in Mexico, want dat is waar je nu naartoe hoort te gaan. Ga terug naar dat armzalig dorp. Ik zal je wat geld meegeven en je zult terugkeren als een heldin.'

Ik gaf geen antwoord, maar besefte dat voor haar het zogenaamde voogdijschap geëindigd was. En haar geweten, als ze dat had, was gesust.

'Soms komt de oplossing vanzelf,' ging ze verder. 'Het is duidelijk dat je hier geen toekomst hebt. Eigenlijk hoor je me dankbaar te zijn en me voor dit alles te bedanken.' Ze maakte een gebaar om zich heen om de kliniek aan te duiden. 'Het enige wat ik van je vraag is dat je deze aanstellerij volhoudt, zodat niemand aan mijn hoofd zeurt dat ik je mee naar huis moet nemen. *Comprende*, Delia Yebarra?'

Ik wendde mijn blik af.

Ik hoorde haar lachen voor ze opstond. Ze bleef een paar ogenblikken staan om te zien of ik zou reageren, en toen hoorde ik het zachte geruis van haar rok bij het verlaten van de kamer. Een tijdlang staarde ik alleen maar naar de muur. Toen ik zag dat ze echt weg was, deed ik mijn ogen weer dicht en viel in slaap.

De dagen gingen langzaam voorbij. Ik had een heel sympathieke psychiater, dr. Jensen, die vloeiend Spaans sprak. Hij was midden vijftig en heel aardig en zorgzaam. Hij gaf me een paar milde medicijnen. Hij zei dat het goed was dat mijn tante in staat was me aan zijn zorg toe te vertrouwen.

'We moeten ons richten op dat diepgewortelde schuldgevoel van je, Delia,' zei hij. 'Je hebt veel te veel schuld en verantwoordelijkheid op je genomen voor mensen en gebeurtenissen die buiten je controle lagen. Je hebt niemand met opzet gekwetst. Ik hoop dat je dat mettertijd zult inzien.

'En wat dat boze oog betreft waar je het over hebt,' voegde hij er glimlachend aan toe, 'dat is feitelijk meer een excuus, een manier om iets anders de schuld te geven van alle rampspoed, in plaats van het toeval of gebeurtenissen die door een ander veroorzaakt zijn.' Hij lachte. 'Wees maar niet bang. Ik zal niet proberen eeuwen van bijgeloof uit te wissen. Zo arrogant ben ik niet.'

Ik vond hem echt aardig en hij hielp me beter over mezelf te gaan denken, vlugger dan ik voor mogelijk had gehouden.

Ik las wat en deed wat aan schilderen en handenarbeid, keek televisie, kreeg langzamerhand meer eetlust en begon fitnessoefeningen te doen.

Halverwege de derde week kwam Inez op bezoek en gaf me een overzicht van de gebeurtenissen. Ze vertelde me dat alles weer normaal was, wat betekende dat Sophia weer zo onuitstaanbaar was als altijd en tante Isabela weer opging in haar sociale leven.

'Niemand mag over jou praten,' zei ze. 'Señora Dallas zei het niet met zoveel woorden, maar het is overduidelijk.'

'En Edward?'

'Hij is niet meer thuis geweest. Ik weet het niet, maar ik geloof niet dat hij vaak belt.'

'Misschien had je hier niet moeten komen, Inez,' zei ik. 'Mijn tante zal het vast te horen krijgen.'

'Ik ben niet bang.' Ze boog zich dichter naar me toe. 'Ik kan een andere baan krijgen die net zoveel betaalt. Ik moet nog twee weken wachten.' Ze leunde glimlachend achterover.

'Dat is fijn voor je. Maar ik weet zeker dat señora Rosario het erg zal vinden.'

'Ze heeft het er steeds vaker over dat ze met pensioen wil. Ik denk niet dat ze nog lang zal blijven.'

'Als je *la hacienda de mi tía* ziet, wie zou dan denken dat het een huis is waar mensen niet willen werken?'

Inez lachte. 'Wij!' riep ze uit.

We omhelsden elkaar voor ze wegging en beloofden dat we elkaar niet zouden vergeten.

Nog twee weken vlogen voorbij, omdat ik meer deed en druk bezig was. Ik dacht echt dat ik herstellende was en sterker werd, tot ik op een ochtend misselijk wakker werd. Eerst dacht ik, en mijn verpleegster ook, dat het door de medicatie kwam. Toen keek ze me van terzijde aan en informeerde naar mijn ongesteldheid. Ik was nog niet ver over tijd, maar haar volgende vraag en mijn antwoord deden haar wenkbrauwen omhooggaan.

'Zijn je borsten gevoelig?'

Ik had dat inderdaad gevoeld en knikte.

'Merk je dat je vaker moet plassen, Delia?'

Weer knikte ik.

Ze deed een stap achteruit alsof ze een klap in haar gezicht had gekregen. 'Ik kom zo terug,' zei ze.

Toen ze terugkwam was ze vergezeld van dr. Jensen. Hij keek even naar haar en ze liet ons alleen.

'Delia,' vroeg hij rechtstreeks, 'zou je zwanger kunnen zijn?'

Even vroeg ik me af waarom dat besef als een volkomen verrassing kwam, zowel voor mij als voor hem.

En toen dacht ik eraan hoe alle gebeurtenissen van het onmiddellijke verleden op een serie dromen leken, veraf, vaag en met opzet onderdrukt. Er was zoveel dat ik me niet wilde herinneren. Het was gemakkelijker om aan dat alles te denken als een fantasie, een soort kinderlijke inbeelding. Ik voelde me nu meer op mijn gemak als ik uitsluitend in het heden leefde. Ik wilde niet aan het verleden of de toekomst denken, alleen aan het nu, aan het moment waarop ik leefde.

Maar dr. Jensens vraag bracht mijn heerlijke liefdesbelevenis met Adan op de boot weer tot leven. De herinneringen kwamen boven als bubbels in water, spatten rondom me uiteen.

Mijn antwoord kwam met de tranen die over mijn wangen stroomden.

Hij legde zijn hand op mijn schouder. 'Het is in orde,' zei hij. 'Maak je niet ongerust. Ik zal met je tante praten en –'

'Nee!' gilde ik.

Hij trok zijn hand terug alsof mijn schouder veranderd was in een gloeiende plaat.

'Alstublieft!' kermde ik.

'Oké, Delia. Rustig maar. Wat wil je dan?' vroeg hij.

Ik schudde mijn hoofd.

Ik wist alleen dat ik niet wilde dat tante Isabela nog bij enige beslissing of gebeurtenis in mijn leven betrokken zou zijn.

'Ze zal me dwingen abortus te plegen,' zei ik.

'Wil je een kind krijgen?'

Ik gaf geen antwoord, maar ik kon dezelfde toekomst zien die hij zag – de zoveelste ongetrouwde vrouw, een Mexicaanse vrouw, die terugkeerde naar een leven dat net iets boven de armoedegrens lag, naar een wereld waar ze geen respect zou krijgen of enige man haar graag als vrouw zou nemen en vader zou willen worden van haar kind. Maar ik zou het doen, dacht ik, met misschien domme vastberadenheid. Ik zou de grens weer overgaan.

Dr. Jensen schudde zijn hoofd. 'Oké, rustig maar,' herhaalde hij. 'Het komt allemaal in orde.'

Hij liet me als verdoofd achter.

De tranen die waren begonnen en gestopt begonnen opnieuw. Ik voelde ze langs mijn wangen druipen, maar veegde ze niet weg.

Ze drupten op de rug van mijn handen als druppels zout water, als druppels van de zee waarop Adan en ik het kind hadden verwekt dat nu in mij groeide.

Wat was een grotere zonde?

Een kind onder deze omstandigheden ter wereld brengen?

Of het kind terugsturen naar de vrede en rust van de derde dood, vergeten voordat iemand zich hem of haar kon herinneren?

Ik zat te wachten op het antwoord.

20

Adans geschenk

'Nou heb je het voor elkaar, idioot die je bent!' schreeuwde tante Isabela op hetzelfde ogenblik dat ze mijn kamer binnenkwam. Ze was niet meer terug geweest sinds die eerste dag. 'Waarom had je onbeschermde seks? Sophia vertelde me dat ze je de avond voordat je naar de boot ging voorbehoedsmiddelen had gegeven. Heb je dan helemaal geen hersens? Zijn al die Mexicaanse meiden zo stom?'

'Jij bent ook een Mexicaanse,' zei ik uitdagend.

Vreemd genoeg was een van de gevolgen van het feit dat ze me hier had ondergebracht, dat ik een gevoel van veiligheid had gekregen. Ze kon me niet bereiken, me niet kwellen. Ze had de controle uit handen gegeven.

'Dat is een eer die ik graag afwijs,' zei ze, en plofte neer op de stoel. Lange tijd keken we elkaar slechts aan. Toen glimlachte ze. 'Ik zal geen abortus voor je regelen, Delia. Je hebt je gat gebrand, en nu moet je op de blaren zitten. Hoe moeilijker je leven wordt, hoe meer je zult waarderen wat ik je heb geboden. Je had een leven kunnen krijgen als ik heb.'

'Nee, *gracias*, tante Isabela. Jouw leven is een loze belofte. Als je niet van jezelf hield, zou je niemand hebben die van je hield.'

Haar ogen rolden bijna uit haar hoofd. 'Jij onbeschofte... dit gaat te ver. Je hebt geen verdere psychiatrische behandeling nodig. Stupiditeit is geen geestesziekte. Ik zal een eind maken aan je verblijf hier. Je gaat nu meteen terug naar Mexico, en niet later. Ik zal onmiddellijk maatregelen nemen. En je vertrekt met precies hetzelfde wat je had toen je hier kwam en verder niets.'

'Nee,' zei ik.

'Nee?'

'Ik kan niet teruggaan met hetzelfde waarmee ik gekomen ben, tante Isabela. Ik ben gekomen met hoop en liefde, met het gebed dat we op een of andere manier een familie zouden vormen.'

Ze knikte. 'Ik had niet verwacht dat je enige schuld op je zou nemen voor iets hiervan. Niet dat het mij iets kan schelen, maar ik weet zeker dat je als je teruggaat, iedereen die het maar horen wil zal vertellen dat het allemaal mijn schuld was.'

'Nee, ik denk niet dat ik jouw naam zal noemen,' zei ik.

Weer verstrakte haar gezicht en haar lippen spanden zich tot er twee witte plekjes van woede in haar mondhoeken verschenen. 'En ik zal je nu meteen zeggen dat je me nooit hoeft te schrijven om me om hulp te vragen.'

'En jij, tante Isabela, hoeft mij ook nooit te schrijven om me om hulp te vragen.'

Dat bracht een glimlach en toen een lach op haar gezicht. 'Je blijkt toch een beetje gek te zijn,' zei ze. 'Nu vind ik het minder erg dat ik je hiernaartoe heb gestuurd.'

Ze stond op en trok haar schouders op om zich een nog indrukwekkendere houding te geven.

Ze ziet zichzelf echt als een koningin, dacht ik.

'Ik ga het onmiddellijk regelen. Bereid je maar vast voor. Ga weer Spaans spreken.'

Ze draaide zich om en liep naar de deur.

'De waarheid in elke taal blijft de waarheid, en de waarheid is dat jij degene bent die lijdt, tante Isabela. Je hebt geen familie. Je zult alle drie doden sterven op dezelfde dag dat je lichaam sterft, maar wees niet bang, ik zal een kaars voor je branden.'

Ze keek woedend achterom en liep weg.

Ik voelde me niet beter nu ik dat alles tegen tante Isabela gezegd had. Of ik in staat was door haar wapenrusting heen te prikken en haar hart te bereiken of niet was niet langer belangrijk. Ik had beslist niet het gevoel dat ik iets bereikt had of haar had afgetroefd. Door de gebeurtenissen in ons leven waren we allebei ernstig gewond geraakt, misschien wel dodelijk. De waarheid was dat zij en ik meer met elkaar gemeen hadden dan ze ooit zou toegeven en beseffen.

Ik leefde in de verwachting dat er onmiddellijk iemand voor me zou komen, zoals ze gezegd had, maar de hele middag kwam er niemand om me te vertellen dat ik me gereed moest maken voor mijn vertrek. Eindelijk, vlak voor het avondeten, kwam dr. Jensen langs om te zien hoe het met me ging en me te vertellen dat tante Isabela bij de administrateur was geweest en ik laat in de ochtend de kliniek zou verlaten.

'Je krijgt geen medicatie meer, Delia. Je hebt geen medicijnen meer nodig. Het zal prima met je gaan, daar ben ik van overtuigd. Heb je nog vragen of kan ik nog iets anders voor je doen?'

'Nee, dr. Jensen. Ik ben u dankbaar voor wat u voor me hebt gedaan. *Gracias.*'

'Je kunt nog steeds een heel goed leven hebben, Delia,' zei hij en gaf me een klopje op mijn hand.

'Niet alleen voor mijzelf nu,' merkte ik op.

Hij glimlachte, dacht toen aan een andere patiënt en ging weg. Ik staarde uit het raam tot me verteld werd dat ik naar de kantine moest om wat te eten. Ik ging en at, bedenkend dat ik nu moest proberen beter voor mezelf te zorgen. Aan de manier waarop de staf van de kliniek naar me keek kon ik merken dat het nieuws van mijn zwangerschap zich snel verspreid had.

Na het eten probeerde ik wat afleiding te zoeken bij de televisie, maar ik was te nerveus. Ik had zoveel om aan te denken en heel binnenkort om me zorgen over te maken. Wat voor regeling zou tante Isabela precies voor me treffen? Zou ze me wat geld geven als ze me naar Mexico stuurde? Of zou ik domweg aan de andere kant van de grens worden gedropt? Ik moest erover nadenken wie me zou willen opnemen en wat ik zou kunnen doen om te voorkomen dat ik verhongerde.

Ik vroeg me af of tante Isabela Edward op de hoogte zou brengen van mijn zwangerschap. Als Sophia het wist, wat ik vermoedde, zou ze het prachtig vinden om hem erover te bellen. Zou hij kwaad worden of medelijden met me hebben?

Telkens als ik voetstappen hoorde in de gang bij mijn kamer verwachtte ik Edward te zullen zien, maar hij kwam niet. Het werd later en later, en ten slotte was ik te moe om wakker te blijven en ging naar bed.

De volgende ochtend kleedde ik me snel aan bij het vooruitzicht van een lange reisdag. Buiten was het bewolkt en grauw. De lampen brandden nog in de gang. Niemand kwam vóór het ontbijt, maar vlak erna hoorde ik stemmen in de gang en dacht weer aan Edward. Ik glimlachte in de verwachting hem te zien, maar de gestalte die in de deuropening stond, een ogenblik verscholen in de schaduw, was ouder en had bredere schouders. De vorm van zijn hoofd was vertrouwd, en even meende ik een geest te zien. Toen deed hij een stap naar voren en kwam in het licht. Ik snakte naar adem.

Het was señor Bovio.

Hij stond naar me te kijken en nam zijn hoed af.

'Heb je er bezwaar tegen als ik binnenkom?'

'Nee, *señor*.'

'*Gracias*.' Hij ging tegenover me zitten, keek om zich heen in de kamer en knikte. 'Je tante heeft je in een heel mooie kliniek laten opnemen, en een heel dure, mag ik wel zeggen.'

Ik wilde niets kwaads zeggen over tante Isabela, dus knikte ik slechts.

'Ik ken je dokter. Ik zag hem voor ik naar je kamer ging. Hij zegt dat het goed met je gaat.'

'Hij was heel aardig,' zei ik.

Hij knikte en tikte met zijn hoed op zijn knie. 'Je weet dat ik gestopt ben met mijn campagne na Adans dood.'

'Dat is jammer, *señor*. Misschien zou u toch nog kunnen winnen.'

Hij schudde zijn hoofd. 'Zo goed ging het al niet vóór Adans dood. Al is het misschien moeilijk voor je om te geloven, maar mijn tegenstander beschikte over ruimere financiële middelen – zo'n tweeëndertig miljoen. Tv-reclame, campagnecomités, het loopt in de miljoenen en miljoenen.'

Mijn mond viel open en hij lachte.

'De beste regering die voor geld te koop is.' Zijn lach verdween en hij staarde me lange tijd aan, zo lang in feite dat ik me niet helemaal op mijn gemak begon te voelen en zenuwachtig heen en weer schoof. Ik sloeg mijn ogen neer.

'Je bent zwanger van het kind van mijn zoon,' zei hij ten slotte. Het was geen vraag, maar ik knikte toch. Natuurlijk vroeg ik me af of dr. Jensen of mijn tante het hem verteld had.

Hij zag mijn verbaasde gezicht.

'Ik heb me op de hoogte gehouden van je behandeling en herstel sinds je hier gebracht bent. Ik moest weten hoe het met je ging. Dat zou Adan gewild hebben.'

'*Gracias, señor.*'

'Ik heb begrepen dat je vandaag de kliniek verlaat?'

'*Sí.*'

'En je bent van plan om terug te gaan naar Mexico?'

'Ik ga naar huis, ja.'

'Waarheen?' vroeg hij. Zijn stem klonk kwaad. 'Heb je familie in dat dorp?'

'Nee, niet in het dorp.'

'En je ouderlijk huis?'

'Dat is verkocht na de dood van mijn grootmoeder.'

'Wat ben je van plan? Wil je op straat gaan slapen?'

Ik wilde niet huilen, maar ik kon de tranen niet terugdringen die in mijn ogen sprongen. 'Er wonen vrienden van mijn grootmoeder... ik weet zeker...'

'Dit is waanzin,' snauwde hij. 'En ik sta het niet toe!'

Ik keek naar hem op. 'Maar, *señor...*'

'Waarom je tante je de deur uitzet gaat mij niet aan, maar mijn kleinkind groeit niet op in een hut in een of ander Mexicaans dorp waar ze al blij zijn met stromend water. Je gaat hier vandaag weg, maar je komt in mijn huis wonen. Als mijn kleinkind is geboren en je wilt nog steeds weg, kun je vertrekken, maar niet met mijn kleinkind. *Comprende?*'

Ik keek hem vastberaden aan. 'Ik ga niet van de ene gevangenis naar de andere, *señor.*'

Zijn gezicht verzachtte, maar zijn ogen leken scherper, killer te worden. 'Je hebt nog steeds je latino trots. Heel goed.' Hij knikte en zijn uitdrukking werd vriendelijker. 'Niemand zegt dat je in een gevangenis zult wonen, Delia.'

'En mijn kind is eerst mijn kind en dan pas uw kleinkind. Ik zou mijn kind nooit in de steek laten.'

Hij glimlachte sceptisch. 'Kreeg ik maar een dollar voor elke vrouw die haar eigen kind in de steek liet om een of ander opwindend avontuur na te jagen.'

'Ik ben niet elke vrouw, *señor*.'

'We zullen zien.'

'Waarom zou ik dat doen, in uw huis gaan wonen?'

'Het was Adans huis ook,' antwoordde hij.

Ik wendde mijn blik af. De druk van mijn tranen was nu te hevig om ze nog te kunnen bedwingen. 'Ik wilde hem alleen maar helpen.'

'Ik weet het, ik weet het,' zei hij. 'Ik was over mijn toeren door het verdriet. Ik verwijt het jou niet.'

Ik keek hem strak aan. 'U weet het zelf niet of u dat wel of niet doet. Bovendien zou u dat nu zeggen om me bij u thuis te krijgen.'

Hij zuchtte diep. 'Ik begin te begrijpen waarom hij me trotseerde en terugging naar jou. Hoor eens, je krijgt je eigen vleugel in het huis, je eigen personeel, je eigen auto, een budget voor je kleding, alles wat je wilt of nodig hebt. Je kunt ontvangen wie je wilt, wanneer je wilt. Ik vraag alleen van je dat je gezond en voorzichtig leeft tot de bevalling. Ik zal ervoor zorgen dat je de beste medische verzorging krijgt.'

'Sí, *señor*, ik zal alles hebben wat ik verlang en nodig heb, behalve het belangrijkste.'

'En dat is, Delia?'

'Familie,' zei ik.

'Zal ik je tante overhalen je terug te nemen?'

'Nee, daar vind ik geen familie. Mijn neef Edward is de enige die vriendelijk en aardig is, en hij is het huis uit. Dat is niet de familie die ik bedoel.'

Hij schudde zijn hoofd. 'Ik kan je niet beloven dat ik de schoonvader zal zijn die ik had kunnen zijn. Ik zal mijn best doen. Je hebt geen familie in Mexico,' ging hij verder, gefrustreerd door mijn zwijgen. 'Je hebt alleen maar graven om te bezoeken.'

'Die ik wil en moet bezoeken.'

‘Ik zal je er persoonlijk heen brengen.’

‘Wanneer?’

‘Gauw. We vliegen naar Mexico City en daar zal ik een helikopter huren om ons naar je dorp te brengen, en we landen midden op het kerkhof.’

Ik moest lachen toen ik het voor me zag. ‘U zou het hele dorp angst aanjagen.’

‘Ik zal het op een *piñata* laten lijken.’

Ik lachte weer.

Toen dacht ik aan tante Isabela.

‘Dat zal tante Isabela niet prettig vinden,’ waarschuwde ik hem.

‘Op het ogenblik ben jij de enige vrouw die ik het naar de zin wil maken,’ antwoordde hij.

Hij had niets beters kunnen zeggen.

‘Vandaag?’

‘De auto staat op ons te wachten. Je tante heeft je al uitgecheckt.’

‘Wilt u haar eerst vertellen dat u dit van plan bent?’

‘Ze zal het gauw genoeg te horen krijgen.’

Onwillekeurig moest ik glimlachen bij de gedachte dat ze het deze ochtend al zou horen.

‘Ik weet dat je je middelbareschooldiploma wilt halen. Ik zal een privéleraar in de arm nemen die ervoor zal zorgen dat je je studie kunt voltooien en je examen afleggen. Ik kan dat allemaal voor je regelen. Je moet slechts één ding voor mij doen.’

‘En dat is?’

‘Geef me een gezond kleinkind.’

Hij stond op.

‘Ik ben bang, *señor*.’

‘Als je bang bent om in mijn huis te komen wonen, bedenk dan hoe bang je zou zijn als je de grens werd overgezet.’

‘Ons hele leven zijn er grensovergangen, *señor* Bovio. Naar uw huis gaan is slechts één ervan.’

‘Sí, Delia, maar ik reik je de hand,’ en hij stak zijn hand naar me uit, ‘om die gemakkelijker en veiliger voor je te maken.’

Ik staarde even naar zijn hand en pakte die toen aan. Ik voelde me als iemand die op het punt had gestaan te verdrinken en was gered. Hij trok me zacht naar zich toe.

Dit is Adans geschenk, dacht ik. Hij was het die zijn hand naar me uitstak, me die toereikte vanuit het graf.

Zijn vader greep mijn hand steviger vast en ging met me naar buiten.

Wat gaf ik zijn vader eigenlijk voor deze redding?

Een kleinkind.

En wat betekende een kleinkind eigenlijk voor een man die zijn zoon had verloren?

Voor het antwoord werd ik teruggeworpen in de tijd, naar de dag waarop oma Anabela en ik mijn ouders begroeven. Toen we wegliepen hield ze mijn hand net zo stevig vast als señor Bovio nu.

En ze glimlachte door haar verdriet en haar tranen heen.

'Waarom lach je, oma?' vroeg ik.

'Omdat ik jou heb,' zei ze, 'en dankzij jou zullen ze nooit doodgaan.'

Tijdens de hele rit naar huis was oma Anabela's glimlach zichtbaar op het gezicht van señor Bovio.